Jeux de l'amour, jeux du destin

Du même auteur
aux Éditions J'ai lu

L'ANGE NOCTURNE
N° 8048

Secrets dévoilés :
1 - LE BEAU TÉNÉBREUX
N° 8988
2 - CELUI QUI NE VOULAIT PAS ÊTRE DUC
N° 9102

Liz
CARLYLE

SECRETS DÉVOILÉS - 3

Jeux de l'amour, jeux du destin

ROMAN

Traduit de l'américain par Catherine Berthet

Titre original
NEVER ROMANCE A RAKE

Éditeur original
Pocket Books, a division of Simon & Schuster, Inc., New York

Prologue

Dans les champs de canne à sucre

Le soleil des Antilles dardait ses rayons brûlants sur les champs verts, immobiles. Le paysage était parsemé de maisons blanches et chatoyantes, telles des perles translucides sous la chaleur. À l'intérieur des belles demeures, les corridors baignaient dans l'ombre. Les persiennes entrouvertes laissaient pénétrer un maigre souffle d'air, et les enfants esclaves agitaient de longs éventails accrochés au plafond qui évoquaient les ailes d'immenses oiseaux de proie.

C'était une terre prospère. Un endroit presque magique, où l'argent était extrait de la terre et filtrait goutte à goutte, dans les moulins que les hommes et les femmes de la plantation faisaient fonctionner à la sueur de leur front. C'était le pays des millionnaires du sucre, des fortunes amassées par les navigateurs. Un lointain avant-poste colonial qui échappait au regard du roi, et souvent aussi à sa loi.

Mais, entre les belles dames anglaises qui languissaient sous la chaleur et les esclaves misérables qui trimaient dans les champs, il existait dans ce paradis une troisième catégorie de gens.

Des marins qui rêvaient de retourner chez eux. Des domestiques, placés autrefois en apprentissage, et devenus esclaves. Des prostituées des quais, des gamins des rues, des orphelins... que personne ne voit ni n'entend.

Dans ce monde de chaleur et d'indifférence, deux petits garçons fuient à travers champs. Les feuilles de canne, coupantes comme des rasoirs, leur lacèrent le visage et les bras. Haletants, ils ne jettent pas un regard au ruban bleu saphir de la mer, au pied de la colline, ni à la maison délabrée derrière eux.

— Par là, dit le plus grand en prenant le petit par l'épaule. Dans les marais, il ne nous trouvera pas.

Ils courent à la lisière du champ de canne à sucre, leurs bras maigres et pâles rythmant leur course. Le plus jeune passe sous une branche basse, repart de plus belle. Un point de côté lui noue le ventre. Le sang bat dans sa tête. La peur lui donne des ailes. L'odeur putride du marécage lui parvient. Plus que vingt mètres. Leurs pieds nus soulèvent de petits nuages de poussière. Ils y sont presque. Presque.

Le cri furieux d'un ivrogne déchire le silence. L'oncle surgit des rangs de canne à sucre et bondit comme une bête sauvage dans les palétuviers. Les enfants s'arrêtent, reculent, esquissent un demi-tour.

Un Noir squelettique émerge du champ et leur barre le passage. Son visage est impassible, mais ses yeux trahissent la compassion.

Les enfants tournent sur eux-mêmes, leurs frêles épaules s'affaissent, ils doivent se rendre.

— Ah, je vous ai coincés, petits salopards !

L'oncle avance, d'un pas remarquablement assuré pour un homme aussi imprégné de rhum.

Le plus jeune des garçons laisse échapper un gémissement, mais l'aîné se tait. L'oncle s'immobilise, ses yeux noirs et porcins étrécis. Il balance d'un geste presque joyeux la cravache accrochée à son poignet. Un filet de salive coule au coin de ses lèvres.

— Attrape-moi le petit, Odyssée. Je vais lui apprendre à être insolent.

Le Noir approche, saisit le garçon, et marque une hésitation. Comme un éclair, la cravache s'abat sur son visage et le sang jaillit de sa joue ébène.

— Par Dieu, tu vas ôter la chemise de ce misérable et le tenir, Odyssée ! Sinon, c'est toi qui écoperas de quarante coups de fouet… et d'une semaine de cachot.

Odyssée attire violemment le petit en avant. Son grand frère se rapproche de lui.

— Il n'a pas été insolent, monsieur. Il… il n'a pas prononcé un mot. Il n'a que huit ans, monsieur. Je vous en prie…

L'oncle sourit et se penche vers lui.

— Toujours le bon petit ange gardien, hein ? Eh bien, puisque tu es si effronté, tu seras battu à sa place. Enlève-lui sa chemise, Odyssée.

Le garçon veut reculer, mais l'esclave le retient par le bras.

— Mon… monsieur… bredouille le garçon, les yeux écarquillés. Je… J'essayais seulement de vous expliquer… Personne n'a été insolent. Nous n'avons rien dit, monsieur. C'était le paon… C'est lui qui a poussé un cri, monsieur.

Mais Odyssée tire déjà sur la chemise de lin sale, malgré les gesticulations de l'enfant. Le plus jeune des deux garçons presse les poings contre sa bouche et sanglote en silence.

Les yeux humides de larmes, Odyssée jette la chemise en haillons par terre, prend les bras du garçon et les maintient devant lui. Les omoplates de l'enfant saillent dans son dos maigre, comme des ailes de héron.

— Petits salopards, vous allez maudire le jour où vous avez débarqué ici pour me tourmenter !

L'oncle brandit sa cravache avec un mauvais sourire, savourant à l'avance le châtiment qu'il va infliger.

— S'il vous plaît, monsieur, dit le garçon. Renvoyez-nous chez nous. Nous partirons. Je vous le promets.

L'oncle éclate de rire et abat sa cravache. Odyssée détourne les yeux.

Les coups pleuvent, et le plus petit des garçons ferme les yeux. Il ne veut pas entendre les cris de son frère, ni le bruit sec du cuir qui lui lacère la peau. Le soleil continue de briller, une brise légère s'est levée. Les gens riches, dans leurs belles maisons, savourent la fraîcheur procurée par l'éventail, et la limonade servie par les esclaves. Les îles ressemblent au paradis, et tout est bien.

Quand le petit rouvre les yeux, il voit qu'Odyssée a doucement hissé son frère sur son épaule. Il retourne vers la maison, marchant à grands pas dans la boue. Le garçonnet jette un dernier coup d'œil à son oncle.

Les yeux vitreux, celui-ci tire une flasque de sa poche, la lève dans sa direction et lui adresse un clin d'œil.

— La prochaine fois, ça sera ton tour, morveux. La prochaine fois, c'est toi qu'Odyssée emportera sur son épaule.

Le petit garçon pivote sur ses talons et s'enfuit.

1

Où Rothewell rencontre la Faucheuse

Octobre est un mois exécrable, songea le baron de Rothewell en écoutant le crépitement de la pluie contre les vitres du carrosse.

Le poète John Keats était soit un menteur, soit un imbécile romantique. Dans le sinistre quartier de Marylebone, l'automne n'était pas la saison de la douce brume et de la maturité. C'était celle de la mélancolie et du déclin. Des branches squelettiques s'élevaient dans les squares, et les feuilles mortes, loin de s'éparpiller en rondes colorées, formaient dans les rues des tas brunâtres et détrempés. Londres était sur le point de mourir... en supposant que cette ville ait un jour été vivante.

Tandis que les roues du carrosse patinaient péniblement dans la boue et les ordures, Rothewell tira sur son cigare, tout en contemplant distraitement la chaussée. À cette heure de la journée les rues étaient désertes. De temps à autre, un employé de bureau ou un domestique se hâtait le long du trottoir, se cramponnant à la poignée d'un parapluie noir. Le baron ne vit personne qu'il connaissait. Il est vrai qu'il ne connaissait pas grand monde.

À l'angle de Cavendish Square et de Harley Street, il cogna au plafond de la voiture à l'aide du pommeau d'or de sa canne, et ordonna au cocher de s'arrêter. Les deux valets postés à l'arrière du carrosse se précipitèrent pour déplier le marchepied. Rothewell avait la réputation de manquer singulièrement de patience.

Il descendit, et les plis de sa cape sombre tournoyèrent élégamment lorsqu'il pivota sur ses talons pour lancer au cocher :

— Retournez à Berkeley Square. Quand j'en aurai fini ici, je rentrerai à pied.

Sa voix évoquait le grondement du tonnerre. Personne n'osa lui déconseiller de rentrer sous la pluie. Et encore moins lui demander ce qui l'avait conduit jusqu'aux artères peu familières de Marylebone. Rothewell était un homme très secret, et son humeur n'était pas toujours égale.

Le cocher toucha respectueusement le bord de son chapeau avec son fouet, et la voiture s'ébranla.

Le baron demeura immobile sur le trottoir, jusqu'à ce que l'équipage ait tourné à l'angle du square et ait disparu, avalé par les ombres de Holles Street. Il se demanda s'il n'était pas venu pour rien. Son humeur noire avait peut-être simplement pris le dessus, se dit-il en s'engageant d'un bon pas dans Harley Street. Rien de plus. Tout cela, c'était le résultat de sa mauvaise humeur persistante, à laquelle s'ajoutaient d'innombrables nuits sans sommeil.

Il était rentré du Satyr's Club juste avant l'aube, alors que le ciel s'éclaircissait et se teintait de rose. Après avoir pris un bain et jeté un rapide coup d'œil au petit déjeuner, dont la seule vue lui avait soulevé le cœur, il s'était rendu directement sur les docks, dans les bureaux de la compagnie Neville, pour s'assurer que tout allait bien en l'absence de sa sœur. Toutefois, ces incursions dans la compagnie de navigation familiale le rendaient toujours nerveux et irritable. Car, de son propre aveu, il ne voulait rien avoir à faire avec cette maudite société. Il serait rudement content quand Xanthia reviendrait de son voyage de noces pour le soulager de ce fardeau.

Mais son humeur maussade n'expliquait en rien ses problèmes, il en était conscient. Rothewell ralentit l'allure, cherchant des yeux les plaques de cuivre apposées sur les portes de certaines demeures de Harley Street. *Hislop. Steinberg. Devaine. Manning. Hoffenberger.* Les noms ne révélaient rien sur les hommes qui se cachaient derrière ces portes. Rien sur leur personnalité, leur habileté, ou encore leur intégrité.

Il atteignit bientôt l'angle de Devonshire Street, et regarda par-dessus son épaule la rue qu'il venait de longer. Bon sang, il se comportait comme s'il cherchait un épicier ! À la différence qu'il ne pouvait pas examiner la marchandise dans la vitrine. En outre, il était exclu de demander conseil à quelqu'un… des questions suivraient immanquablement, et il ne voulait à aucun prix endurer cela.

Il se rassura en se disant que les charlatans ne s'établissaient généralement pas à Marylebone. Et bien qu'il ne fût à Londres que depuis quelques mois, le baron savait que Harley Street devenait peu à peu le domaine privilégié des disciples d'Hippocrate.

À cette pensée, il se retourna et grimpa les marches de marbre devant la dernière plaque qu'il venait de dépasser. Puisqu'ils se valaient tous, autant essayer ce… Rothewell se pencha pour déchiffrer le nom sous la bruine. Ah, oui… *James G. Redding.* Il ferait l'affaire aussi bien qu'un autre.

Une femme de chambre au visage rond, vêtue d'une robe grise, vint ouvrir dès qu'il eut laissé retomber le heurtoir sur le panneau de chêne. Elle le dévisagea de la tête aux pieds et ouvrit largement la porte, tout en faisant une profonde révérence. Puis elle prit vivement son chapeau et son manteau trempés de pluie. Rothewell lui tendit sa carte.

— J'aimerais voir le Dr Redding, dit-il, comme s'il rendait visite chaque jour à un médecin.

Apparemment, la jeune femme savait lire. Elle jeta un coup d'œil à la carte, et s'inclina de nouveau.

— Le médecin vous attendait, monsieur le baron ?

— Non, mais c'est urgent, répondit-il avec brusquerie.

— Vous... ne préférez pas qu'il se rende chez vous ?

Rothewell darda sur la servante un regard noir dont il avait le secret.

— C'est hors de question. Compris ?

— Oui monsieur, dit la jeune femme en pâlissant un peu.

Seigneur, pourquoi diable s'en prenait-il à elle ? Tous les médecins rendaient visite à leurs patients, c'était logique.

— Le problème, monsieur, c'est que le docteur n'est pas encore revenu de sa tournée de visites, cet après-midi, expliqua-t-elle avec douceur.

Rothewell n'avait pas pensé à cela. Il était habitué à obtenir tout ce qu'il voulait... et sans attendre. Sa frustration dut être évidente, car la jeune femme suggéra :

— Je peux vous apporter du thé, monsieur, si vous souhaitez attendre ?

Rothewell saisit brusquement son chapeau, qu'elle avait déjà accroché à un portemanteau. Il n'avait plus rien à faire ici.

— Non merci, dit-il sèchement. Je dois partir.

— Puis-je transmettre un message au médecin ? demanda-t-elle en lui tendant son manteau à contrecœur. Vous pourriez revenir demain ?

Rothewell éprouva le besoin de fuir cet endroit au plus vite, d'oublier ses craintes ridicules.

— Non, merci, pas demain, répondit-il en ouvrant la porte lui-même. Peut-être un autre jour.

Il descendit d'un pas si pressé qu'il ne vit pas l'homme grand et mince qui venait à sa rencontre, et qu'il manqua renverser.

— Bonjour, dit l'homme qui ôta son chapeau en s'écartant promptement. Je suis le Dr Redding. Puis-je vous aider ?

— Une affaire urgente, hein ? répéta le Dr Redding, dix minutes plus tard. Je me demande pourquoi vous avez laissé cela traîner si longtemps, puisque vous estimez que c'est urgent.

Le médecin était un homme maigre aux cheveux sombres, avec un nez busqué et un regard lointain. Sa silhouette évoquait la Grande Faucheuse, sans son capuchon.

— Si cela avait disparu tout seul, ça ne serait pas urgent, n'est-ce pas ? protesta Rothewell. Et je pensais que cela disparaîtrait. C'est généralement ainsi que ça se passe, vous savez.

— Hmm, fit le médecin en observant les yeux de Rothewell. De quoi parlez-vous, exactement ?

— De la dyspepsie, marmonna Rothewell. Des malaises. Vous voyez ce que je veux dire.

Le regard du médecin devint étrangement neutre.

— Eh bien, je crois que le problème est plus grave que cela, monsieur, dit-il en examinant longuement l'intérieur de son œil gauche. Votre teint est inquiétant.

Rothewell émit un grognement sourd.

— Je suis rentré des Antilles il y a peu, grommela-t-il. Trop de soleil, je suppose. Rien de plus.

Le médecin se redressa et croisa les bras.

— Rien de plus ? releva-t-il avec impatience. Je ne suis pas de cet avis. Je parle de vos yeux, pas de votre peau. Il y a un soupçon de jaunisse. Ces symptômes sont sérieux, et vous le savez. Sinon, un homme de votre acabit ne serait jamais venu me consulter.

— De mon *acabit* ?

Ignorant son intervention, le médecin fit glisser ses doigts le long de la gorge de Rothewell.

— Dites-moi, monsieur le baron, avez-vous déjà souffert d'accès de malaria ?

Rothewell éclata de rire.

— Une des malédictions des Tropiques à laquelle j'ai échappé !

— Vous buvez beaucoup ?

— Au dire de certains, oui, confirma Rothewell avec un sourire amer.

— Et vous fumez. Cela se sent.

— C'est un problème ?

— L'abus de plaisirs finit toujours par devenir un problème.

Rothewell grogna. Il était tombé sur un moralisateur et un rabat-joie. Juste ce qu'il lui fallait.

D'un geste rapide, le médecin tira un rideau près de la porte, faisant tinter les anneaux sur la tringle de cuivre.

— Passez par ici, monsieur. Ôtez votre veste, votre gilet, votre chemise, et allongez-vous sur cette table.

Rothewell déboutonna son gilet de soie, tout en maudissant intérieurement ce médecin, et la douleur qui le tenaillait au creux de l'estomac. La vie à Londres était en train de le tuer. L'oisiveté était un poison se déversant dans ses veines.

Jusqu'à aujourd'hui, il pouvait compter sur les doigts d'une seule main les fois où il avait eu recours aux services d'un docteur. Ces gens vous faisaient plus de mal que de bien. En outre, Rothewell n'avait jamais eu besoin de conseils, qu'ils viennent d'un médecin ou de quelqu'un d'autre.

De l'autre côté du rideau, il entendit le Dr Redding ouvrir la porte et sortir. Résigné, il suspendit ses vêtements aux patères de cuivre disposées à cet effet, et regarda autour de lui. La pièce était somptueusement meublée, avec de lourdes tentures de velours, et un sol de marbre. Un bureau imposant occupait tout un côté, et au centre se trouvait une haute table, garnie d'un rembourrage en cuir. Manifestement, les patients du Dr Redding vivaient assez longtemps pour régler leurs factures. C'était rassurant.

À côté de la table, des instruments médicaux étaient alignés sur un plateau en étain. Rothewell s'approcha, et sentit un frisson désagréable lui parcourir l'échine. Un scalpel et un assortiment de bistouris en acier étincelèrent dans la lumière. Il y avait aussi des ciseaux, des forceps et des aiguilles... ainsi que d'autres outils qu'il n'aurait su nommer. Son frémissement d'inquiétude s'accentua.

Seigneur, il n'aurait jamais dû venir. La médecine n'était qu'une forme déguisée de sorcellerie. Il allait rentrer chez lui et se rétablir de lui-même, ou mourir comme un homme.

Mais ce matin... cela avait été pire que jamais. Il croyait encore sentir ce goût acide au fond de sa gorge, tandis que des spasmes douloureux secouaient sa cage thoracique...

Oh, bon sang ! Autant rester et entendre ce que le sinistre Dr Redding avait à lui dire.

Le baron prit l'un des plus horribles instruments pour l'examiner de plus près. Un instrument de torture médiéval ?

— Un appareil de trépanation, annonça une voix dans son dos.

Rothewell tressaillit, et l'instrument retomba bruyamment sur le plateau. Le médecin se tenait devant le rideau de velours.

— Mais si cela peut vous rassurer, monsieur le baron, je ne pense pas qu'il sera nécessaire de vous perforer le crâne.

Lorsque la voiture d'un noir brillant entama son troisième et dernier tour de Hyde Park, la bruine avait cessé. La Serpentine émergea de son linceul de brume, invitant les plus courageux des gens du beau monde à s'aventurer sur ses rives. Et bien que la saison fût sur son déclin depuis déjà plusieurs semaines, l'élégant gentleman qui conduisait le cabriolet attirait les regards, car il était à la fois beau et connu. Pourtant, en dépit de sa beauté, la bonne société usait souvent de ce froid euphémisme en parlant de lui : il n'était pas « quelqu'un de bien ».

Bien qu'ayant largement dépassé la prime jeunesse, et se trouvant sans cesse au bord du gouffre financier, le comte de Valigny n'en était pas moins vêtu avec un indéniable chic continental. Et sa garde-robe irréprochable était soutenue par le genre de hauteur que seul un Français peut arborer avec autant d'aplomb. Les passants se disaient que la créature assise avec raideur à côté de lui était probablement sa dernière maîtresse, car Valigny accumulait les conquêtes avec une efficacité de rapace.

Cependant l'après-midi tirait à sa fin et, en ce mois d'octobre froid et humide, les promeneurs étaient rares. Personne, à l'exception de deux jeunes dandys à cheval, et d'un landau de vieilles douairières rébarbatives, ne laissa son regard s'attarder sur la jeune femme. Et c'était diablement dommage, selon Valigny, qui vit les deux jeunes gentlemen s'éloigner avec une expression de regret.

— Mon Dieu, Camille ! Lève donc le menton. Si tu veux que l'on te remarque, regarde autour de toi avec audace. Tu ne vas pas à la guillotine !

— Ah non ? répliqua sa compagne d'un air hautain. Je commence à me le demander. Depuis combien de temps suis-je ici ? Six semaines, n'est-ce pas ? Six semaines qu'on me bat froid et qu'on me snobe. Bientôt, je préférerai sans doute être livrée à la lame du bourreau.

Le visage de Valigny se crispa.

— Ça alors ! dit-il d'un ton sec, en tirant sur les rênes pour ramener ses chevaux sur le côté. Aurais-je nourri un serpent dans mon sein ? Tu aimerais peut-être mieux, ma jolie demoiselle, descendre de ce cabriolet et rentrer à pied ?

La jeune femme se tourna vers lui, et pressa une main gantée contre sa poitrine.

— Quoi ? Et salir ma précieuse réputation en déambulant dans Mayfair sans chaperon, comme une vulgaire catin ? Mais j'oubliais. Ils me prennent déjà pour une poule.

— Bon sang, Camille ! s'exclama le comte en faisant claquer son fouet. Tu n'es qu'une ingrate petite chipie.

Elle rejeta fièrement les épaules en arrière.

— Oui, n'est-ce pas ? dit-elle, autant pour elle que pour lui. Quel dommage que nous ne soyons pas au printemps. Alors peut-être, *peut-être,* votre plan aurait-il une chance de fonctionner.

Le comte éclata de rire.

— Oh, mon chou. Au printemps, il sera déjà trop tard pour toi, je le crains.

— Oui, c'est vrai, admit-elle avec un regard de dédain. Et, *mon père,* il sera trop tard pour vous aussi !

Pamela, lady Sharpe, se tenait à la fenêtre du salon. Une main sur le dossier d'un lourd fauteuil, elle regardait passer le monde de Mayfair, quand l'homme à la haute silhouette et au manteau sombre apparut dans la rue, avançant d'un pas décidé. Tout d'abord, elle lui prêta à peine attention. La pluie avait cessé, et un fragile rayon de soleil illuminait les toits de Hanover Street. Lady Sharpe résista à la tentation de montrer sa joie en battant des mains.

Demain, il y aurait peut-être des visites ? Oui, c'était certain. Et elle se sentait assez bien pour recevoir les visiteurs. De fait, elle était impatiente de voir son triomphe éclater au grand jour. L'année qui venait de s'écouler était à marquer d'une pierre blanche pour lady Sharpe. Elle avait accompli un triple exploit au cours de la saison, puisqu'elle avait réussi à lancer avec succès dans la société sa chère cousine Xanthia, puis dans la foulée à marier Louisa, sa fille unique, au fils d'un comte.

Et pour couronner le tout, après vingt ans de mariage avec un homme doux et compréhensif, lady Sharpe avait fait ce que nul ne pensait plus possible. Elle avait donné un héritier à Sharpe. Un adorable garçon aux yeux bleus qui, avec son petit crâne encore chauve, était le portrait de son papa.

— Madame ? dit la femme de chambre. Vous devriez peut-être retourner vous allonger…

À cet instant, l'homme au manteau sombre passa juste sous la fenêtre.

— Oh, oh ! s'écria lady Sharpe en pointant le doigt vers lui. Regardez ! Anne, allez le chercher ! Descendez vite et ramenez-le ici sur-le-champ !

— Madame ? fit la servante, éberluée.

— Rothewell ! Je lui ai envoyé un message hier. Il faut absolument que je le voie ! Oh, descendez, vite !

Anne pâlit mais obéit, et ordonna à un valet de courir après lord Rothewell dans Hanover Street. Le valet rechigna un peu, car la réputation du baron n'était plus à faire, mais il finit par s'exécuter. Finalement, tout se déroula sans encombre. Apparemment, lord Rothewell avait déjà passé sa mauvaise humeur sur quelqu'un d'autre, et il suivit le valet avec une attitude approchant de la politesse.

La comtesse le reçut dans son salon, vêtue d'une robe de chambre, les pieds reposant sur un pouf.

— Kieran, mon cher ! murmura-t-elle en lui offrant sa joue pour qu'il l'embrasse. Vous me pardonnerez de ne pas me lever.

— Naturellement, dit Rothewell en prenant une chaise. Je suis même étonné, Pamela, que vous receviez déjà.

— C'est pour cela que vous êtes mon cousin préféré ! s'exclama lady Sharpe avec un rire cristallin. Pour votre franchise sans détour ! Allons, mon cher... dites-moi pourquoi vous m'avez ignorée ?

— Moi ? Je vous ai ignorée ?

— Je vous ai envoyé un message urgent hier. Ai-je sombré dans les oubliettes en quelques semaines ?

— Ah. Mais je ne suis pratiquement pas rentré chez moi depuis hier, Pamela.

— Vraiment ? C'est un choc de vous voir à la lumière du jour, dit Pamela en fronçant le nez. Je déteste vos fréquentations et votre style de vie. Mais peu importe. Vous ne me félicitez pas ?

Rothewell se pencha un peu en avant, les mains sur les genoux.

— Oui, je vous félicite, et je rends grâce à Dieu en même temps. Ce que vous venez de vivre était diablement dangereux, Pamela.

— Quelle drôle de remarque ! rétorqua lady Sharpe en haussant les sourcils. Que voulez-vous dire ?

Rothewell retomba contre le dossier de sa chaise.

— Rien, Pamela. J'espère simplement que vous ne recommencerez pas.

— À mon âge ? répliqua-t-elle avec un sourire mélancolique. Cela me paraît improbable.

— Cette épreuve a coûté un an de vie à Sharpe, vous savez.

— Je sais, et j'en suis désolée, dit lady Sharpe en jouant avec un ruban de sa robe. Mais il lui fallait un héritier, Kieran.

— Il lui faut surtout une épouse. Et vivante, de préférence.

— Oh, vous ne comprenez pas ! Vous devriez, pourtant... Vous savez très bien ce que je veux dire.

En effet, il le savait. Un héritier ? Cette idée lui avait toujours semblé absurde.

— Que deviendra mon titre, Pamela ?

— Quand vous serez mort ? lança lady Sharpe en rejetant le ruban d'un geste agacé. Un de ces odieux cousins Neville du Yorkshire héritera de tout. Mais cela, vous vous en moquez.

— Je suppose, murmura-t-il.

— Vous devriez vous en occuper, Kieran, dit lady Sharpe d'un ton sec qui ne lui ressemblait pas.

Rothewell fit mine de ne pas comprendre. Il posa de nouveau les mains sur ses genoux, comme pour se lever.

— Eh bien, je dois y aller. Il faut vous reposer.

— Fi donc ! s'exclama lady Sharpe en lui indiquant de rester assis. Si quelqu'un a besoin de se reposer, c'est vous. Je vous ai rarement trouvé l'air aussi hagard.

Elle se tourna vers la femme de chambre :

— Anne, allez dire à Thornton de venir présenter le vicomte Longvale à son cousin.

L'enfant ? Grands dieux, tout mais pas ça...

— Vraiment, Pamela, ce n'est pas nécessaire.

— Oh si, rétorqua-t-elle avec un sourire. J'insiste.

Rothewell évitait à tout prix de se trouver en contact avec des enfants. Il avait toujours l'impression qu'on attendait de lui des démonstrations d'affection. Ce n'était pas son genre. Il n'était pas quelqu'un d'agréable. Or, les enfants aimaient que vous les fassiez sauter sur vos genoux, ou que vous les laissiez jouer avec votre montre à gousset.

Mais, apparemment, lord Longvale ne souhaitait ni l'un ni l'autre. C'était un petit paquet potelé, avec des poings incroyablement minuscules et une bouche en cœur. Il était beaucoup trop petit pour causer le moindre souci. En outre, cet enfant était celui de Pamela, une personne pour qui Rothewell éprouvait une réelle affection. Aussi le baron se força-t-il à sourire en se penchant sur le paquet enveloppé de linges blancs que la nourrice lui présenta.

Curieusement, Kieran eut le souffle coupé. L'enfant était si parfait que ses traits semblaient sculptés dans la cire. Sa peau délicate était presque translucide, et ses joues rebondies brillaient de santé.

Un silence remarquable s'installa dans le salon, et Rothewell craignit de le troubler par sa simple respiration. Il ne s'était jamais trouvé si proche d'un nouveau-né.

Soudain, les paupières de l'enfant se soulevèrent, laissant apparaître des prunelles d'un bleu pur. Ses petits poings se crispèrent, et il se mit à hurler à pleins poumons. La magie se dissipa, et Rothewell recula.

— Je crains que lord Longvale ne s'intéresse pas beaucoup à moi, dit-il, dominant le raffut.

— Mais si ! Il cherche juste à se rendre intéressant. Avez-vous déjà entendu une voix aussi puissante ?

Non, Rothewell n'avait jamais rien entendu de tel. Tout en hurlant, l'enfant agitait les poings et ses jambes potelées. Il émanait de cette minuscule créature une énergie étonnante. Ce garçon était un bagarreur, songea Rothewell en réprimant un sourire.

Finalement, Londres n'était peut-être pas en train de pourrir complètement. Ce petit diable était tout neuf, précieux, et visiblement porteur de promesses. Il transporterait dans le futur les espoirs et les rêves de ses parents. Le cycle de la vie, de la mort, et de la résurrection, était peut-être vraiment éternel. Rothewell n'aurait su dire si cette pensée le réconfortait ou le mettait en colère.

Lady Sharpe ouvrit les bras pour prendre l'enfant.

— Laissez-le-moi un instant, Thornton, dit-elle en le calant contre son épaule. J'ai l'impression que sa présence rend lord Rothewell un peu nerveux.

Négligeant le fauteuil, Rothewell alla se camper devant une des fenêtres qui donnaient sur Hanover Street. Il se sentait étrangement ému. Les cris de l'enfant se calmèrent, et peu à peu le silence retomba.

Accoudé au volet intérieur, il contempla le crépuscule qui s'installait lentement, tout en se demandant pourquoi cet enfant l'avait autant troublé.

— Kieran ? s'exclama tout à coup Pamela. Mon cher garçon… vous vous sentez bien ?

Tiré de sa rêverie, Rothewell pivota sur lui-même. Sa cousine était assise seule dans le salon. L'enfant et sa nourrice avaient disparu.

Lady Sharpe pencha la tête de côté, comme un oiseau un peu curieux.

— Vous n'avez pas entendu un mot de ce que j'ai dit.

— Je suis navré, Pamela. J'avais l'esprit ailleurs.

— Je disais que j'avais une faveur à vous demander. Puis-je compter sur vous ?

— Cela m'étonnerait, répondit-il avec franchise. Généralement, les femmes qui m'accordent leur confiance finissent toujours par le regretter.

— Venez vous asseoir à côté de moi, suggéra-t-elle en tapotant le siège d'un fauteuil. Et soyez sérieux. C'est important.

Il obéit à contrecœur. La légère tension qu'il percevait dans la voix de sa cousine l'inquiétait.

— Kieran, reprit-elle doucement. Continuez-vous de voir Christine ?

La question le prit de court. Christine Ambrose était la belle-sœur de Pamela, mais les deux femmes n'avaient rien en commun. Et Pamela était d'une discrétion absolue.

— Nous nous voyons de temps à autre, répliqua-t-il d'un ton vague. Pourquoi ? Sharpe y voit-il une objection ?

— Seigneur, non ! s'exclama Pamela en balayant cette idée d'un geste de la main. Sharpe sait qu'il ne peut rien imposer à sa demi-sœur, et il n'essaye même pas. Mais vous deux... ce n'est pas sérieux, n'est-ce pas, Kieran ? Christine n'est pas le genre de femme... je ne sais comment dire...

Rothewell se rembrunit. Il n'aimait pas discuter de sa vie privée. Xanthia elle-même n'osait pas lui poser de questions. Christine était une femme de mœurs légères. Il le savait, et cela lui était complètement égal.

— Ma relation avec Mme Ambrose est une question personnelle, Pamela, déclara-t-il froidement. Mais il n'y aura rien de permanent entre nous, si c'est ce que vous voulez dire.

Rien de permanent. Non, envisager de construire son avenir avec Christine eût été une folie. Il n'y avait jamais songé.

Le visage de lady Sharpe s'éclaira.

— C'est bien ce que je pensais. Elle est charmante, bien sûr, mais…

— Pamela, vous vous aventurez en terrain dangereux, la coupa-t-il. Vous souhaitiez me demander une faveur ? Faites-le, je vous en prie.

— Oui, bien sûr, dit Pamela en lissant les plis de sa robe. Le baptême doit avoir lieu jeudi, Kieran. Et je voudrais… Oui, j'y ai pensé longuement, et je voudrais que vous soyez le parrain de Longvale.

Rothewell la considéra avec stupeur.

— Oh, je demanderai également à Xanthia d'être marraine, ajouta-t-elle vivement. Vous êtes mes parents les plus proches, à l'exception de maman, vous savez. J'étais si heureuse quand vous êtes revenus de La Barbade, après toutes ces années d'absence. Oh, mon cher, dites-moi que vous acceptez, je vous en prie.

Rothewell quitta son fauteuil et retourna se poster derrière la fenêtre. Il garda le silence un long moment.

— Non, finit-il par répondre doucement. Non, Pamela. Je suis désolé. Il n'en est pas question.

Il entendit un froissement de tissu quand sa cousine se leva. Elle vint poser légèrement la main sur son épaule.

— Oh, Kieran, je sais ce que vous pensez.

— Non, répliqua-t-il d'une voix enrouée. Non, vous ne le savez pas. Je vous assure.

— Vous vous dites que vous n'êtes pas le parrain idéal. Mais je suis convaincue du contraire. Vous êtes un homme brillant et déterminé, Kieran. Vous êtes honnête, et vous avez votre franc-parler. Vous êtes…

— *Non.*

Il frappa le chambranle de la fenêtre du plat de la main.

— Bon sang, vous ne m'avez pas entendu, Pamela ? *Non.* C'est impossible.

Lady Sharpe recula, l'air blessé. Rothewell se tourna vers elle, et se passa la main dans les cheveux.

— Je vous demande pardon. Mon langage est…

— Sans importance. Il y a de la bonté en vous, Kieran. Je le sais.

— Ne prenez pas la peine de dresser la liste de mes qualités, Pamela, murmura-t-il d'un ton radouci. Elle serait très courte, de toute façon. Je vous remercie du compliment que vous me faites, mais il faudra vous adresser à quelqu'un d'autre.

— Mais… mais nous voulons que ce soit *vous*, dit-elle tranquillement. J'en ai longuement discuté avec Sharpe. Nous sommes persuadés que vous êtes la personne idéale pour une telle responsabilité. Vous savez mieux que personne comme il est important d'élever un enfant convenablement… ou, du moins, les dégâts qui en résultent lorsqu'un enfant ne reçoit pas une éducation convenable.

— Ne dites pas de sottises, Pamela, marmonna-t-il.

— En outre, Sharpe et moi ne sommes plus très jeunes. Que se passerait-il si nous disparaissions ?

Rothewell laissa retomber sa main, la gorge nouée.

— Si un malheur survenait, Xanthia s'occuperait de l'enfant, parvint-il à dire. Nash et elle élèveraient ce garçon comme s'il était le leur. Vous le savez.

— Mais, Kieran, le rôle de parrain est plus…

— Ne me demandez pas cela, Pamela. Je ne peux pas. Mon âme est trop entachée de péché. Si vous ne le savez pas, Dieu le sait.

— Mais je ne pense pas que vous…

— Non, ma chère.

Avec une gentillesse inattendue, Rothewell posa la main de Pamela sur son bras et la raccompagna vers son fauteuil.

— Vous ne comprenez pas. Asseyez-vous, Pamela, et posez les pieds sur ce pouf. Je dois m'en aller.

Lady Sharpe se laissa doucement tomber dans le fauteuil.

— Quand Nash et Xanthia doivent-ils rentrer ? s'enquit-elle. Je pense qu'elle acceptera.

— Demain, répondit-il en lui tapotant l'épaule. Demandez à Nash d'être parrain. Il se sentira très honoré. Vous comprenez, il n'est toujours pas sûr que nous l'aimons réellement.

— Faut-il l'aimer ? questionna lady Sharpe en levant les yeux.

Rothewell réfléchit un instant.

— Je suppose que oui. Nous devons faire confiance au jugement de Xanthia. Et maintenant que j'y pense, je suis rudement content qu'il soit là.

— Vraiment ? Pourquoi ?

— Il n'y a pas de raison particulière, Pamela, dit-il avec un demi-sourire. Je vous souhaite une bonne journée.

Sa cousine fit entendre un petit reniflement de dépit.

— J'espérais au moins que vous resteriez dîner, protesta-t-elle en se remettant à lisser les plis de sa robe. Après tout, il n'y a personne chez vous pour vous tenir compagnie.

Rothewell se pencha et l'embrassa sur la joue.

— Je suis un vieux solitaire. Je me débrouillerai.

La comtesse le regarda en pinçant les lèvres.

— Mais Xanthia et vous avez vécu et travaillé côte à côte pendant trente ans. Il serait naturel que vous vous sentiez seul, Kieran.

— Nous avons vécu ensemble, mais pas travaillé côte à côte, corrigea-t-il, les yeux fixés sur la porte. Xanthia était la protégée de Luke, notre frère aîné.

Ils étaient comme les doigts de la main. J'ai toujours été… l'intrus.

Et avant que Pamela ait pu rétorquer quoi que ce soit, Rothewell sortit.

2

Le comte organise une partie de cartes

Le comte de Valigny distribua adroitement les cartes, ses doigts s'agitant avec vigueur comme des petites anguilles blanches. Ses invités observaient d'un œil blasé les cartes colorées, et les éclairs rouges projetés par sa bague sertie de rubis.

Cette nuit-là, les cinq hommes qui se trouvaient autour de la table de jeu étaient tous plus débauchés les uns que les autres. Ils jouaient au vingt-et-un, et la mise était de cinquante livres au minimum. Après de longues heures de jeu, la forte odeur de la fumée se mêlait à celle de la transpiration. Lord Rothewell se leva et alla soulever le châssis d'une des fenêtres.

— Merci, *mon ami,* dit Valigny en français.

Il eut un sourire rusé, et lança la dernière carte sur la table de marqueterie garnie de dorures.

— La partie devient acharnée, n'est-ce pas ?

De fait, deux des gentlemen semblaient aux abois. Valigny lui-même aurait dû être désespéré, mais, depuis des mois que Rothewell jouait avec lui, il ne l'avait pas vu hésiter une seule fois. Valigny jouait gros, perdait souvent et signait ses reconnaissances de dettes presque aussi joyeusement qu'il distribuait les cartes. Mais ses gains, quand ils survenaient, étaient phénoménaux.

— *Bonne chance, messieurs.*

Les mises faites, ils tirèrent chacun une carte. Toujours souriant, le comte tapota du bout du doigt la carte qu'il venait de retourner… la reine de pique.

— Bon sang, que je sois damné… grommela sir Ralph Henries en louchant sur la reine noire. Cela fait deux fois de suite qu'il a cette reine ! Avez-vous battu ces cartes convenablement, Calvert ? Dites-moi !

— Vous m'avez bien vu, répliqua Calvert. Grands dieux, de quoi vous plaignez-vous ? J'ai moi-même déjà un pied dans la tombe. Servez-lui un autre verre, Valigny. Cela l'empêchera peut-être de se lamenter toute la nuit.

Sir Ralph leva la tête, l'air éméché.

— Je ne me lamente pas, bredouilla-t-il. Attendez… où sont passées ces filles ? Superbes, n'est-ce pas ? J'aimais bien celle qui avait le… le… comment appelez-vous ça ? le truc en cuir noir, et… Non, attendez. Est-ce que je confonds, Vallie ?

— C'était il y a quelques nuits, *mon ami,* dit Valigny en lui tapotant la main. Ce soir nous jouons aux cartes, hmm ? Jouez, Ralph, ou rentrez chez vous.

Rothewell jeta un bref coup d'œil à son jeu, puis se détourna, laissant son regard errer dans les profondeurs de la pièce. Il ne comprenait pas pourquoi il s'était laissé entraîner à jouer avec cette coterie de gredins, ce soir. Il s'était aperçu dernièrement qu'il glissait de plus en plus bas dans ses relations, comme s'il cherchait à avoir un aperçu de la lie de la société.

C'est ainsi qu'il était tombé sur Valigny… Il ne se rappelait plus où exactement, car il était beaucoup trop ivre quand c'était arrivé. Mais le comte était le genre d'homme qu'on ne pouvait rencontrer que dans un tripot de Soho, car Valigny n'était pas admis dans les élégants clubs londoniens. Si Rothewell était à peine connu dans la bonne société, Valigny en était carrément tenu à l'écart. Il y avait eu un scandale autrefois… une comtesse ruinée, et une paire de pistolets. Du moins, c'était ce que Christine Ambrose avait chuchoté un jour. Rothewell n'en avait cure.

— Une autre carte, monsieur le baron ?

Le comte écarta une carte du paquet du bout de son pouce, le poignet en dentelle de sa chemise recouvrant en partie sa main. Rothewell inclina la tête, et Valigny fit glisser la carte sur la surface cirée de la table.

Quelque part, dans les profondeurs de la maison, une horloge sonna un coup. La partie s'anima. M. Calvert, le gentleman le plus respectable du groupe, fut bientôt au bord de la faillite. La vertu récompensée, songea Rothewell, non sans cynisme. Valigny fit sortir deux vingt et un à la suite, une fois à l'aide de sa reine noire. Il remit aussitôt en jeu tous ses gains.

Un des valets apporta une nouvelle bouteille de cognac, et une boîte de cigares, noirs et très forts, comme le comte les aimait. Rothewell en alluma un. Un autre domestique apporta un plateau de sandwichs. Calvert se leva pour aller se soulager dans le pot de chambre accroché à la porte de la desserte. Tout était à portée de main, afin de ne retarder en aucune manière la progression du jeu.

Lord Enders était le joueur le plus vicieux que la Terre ait porté. Il savait comment narguer le comte, et l'affoler.

Rothewell eut bientôt perdu six mille livres. Une somme dérisoire, comparée aux pertes de Valigny et de Calvert. Mais il était encore assez sobre pour être agacé. Il fit signe au valet d'aller chercher du cognac.

La partie suivante élimina rapidement tous les joueurs, à l'exception de Rothewell et Valigny. Ce dernier enchérissait comme s'il tenait la perfection entre ses mains. Rothewell examina son jeu. Le deux de cœur et le roi de carreau. Le quatre de trèfle. Il avait probablement trop tenté le diable.

— Vous n'arrivez pas à vous décider, *mon ami* ? lança Valigny, narquois. Allons, un peu d'audace ! Ce n'est que de l'argent, après tout.

— Vous parlez comme un homme qui n'a jamais eu besoin d'en gagner, répliqua Rothewell sèchement.

Il avala d'un seul coup le reste de son cognac, en se disant que c'était le moment de donner une leçon au comte.

— Rothewell n'a peut-être pas les poches aussi bien garnies que la rumeur le laisse entendre, suggéra Enders d'un ton faussement facétieux.

Le comte sourit.

— Vous devriez sans doute garder vos réserves, monsieur le baron ? Si vous voulez, nous pouvons jouer quelque chose de plus intéressant que de l'argent.

Rothewell se hérissa, méfiant.

— J'en doute, dit-il. À quoi pensez-vous ?

Affectant la nonchalance, le comte haussa une épaule.

— Peut-être à une soirée en compagnie ?

— Vous n'êtes pas mon type, Valigny, rétorqua Rothewell en poussant une liasse de billets vers le centre de la table.

— Oh, vous vous méprenez, *mon ami*.

Du bout des doigts, Valigny arrêta le geste de Rothewell, et la dentelle blanche de sa chemise effleura la peau bronzée du baron.

— Gardez votre argent, et retournez votre carte. Si vous perdez, je ne vous demanderai qu'une chose.

Rothewell repoussa la main du comte.

— Quelle chose ?
— Une très petite faveur, je vous assure.
— Parlez, Valigny. Vous faites traîner la partie.
— Je souhaite passer une soirée... juste une soirée, avec la délicieuse Mme Ambrose.
Rothewell éprouva de l'agacement, mais pas de réelle surprise.
— Mme Ambrose ne m'appartient pas.
— Non ? s'enquit le comte, visiblement étonné.
— Non. Elle peut accorder ses faveurs à qui elle veut.
— Et elle ne s'en prive pas, fit remarquer Enders avec désinvolture.
— Ah, mais quelles faveurs ! s'exclama Valigny en approchant les doigts de ses lèvres en un simulacre de baiser. Jouons donc pour de l'argent, dans ce cas. Je pense que j'en aurai besoin. Mme Ambrose aime le luxe, à ce qu'il me semble.
— Il faut supposer que cela en vaut la peine, commenta Enders en coulant un regard en biais à Rothewell.
Celui-ci se tourna vers lui.
— J'espère, monsieur, que vous n'entendez pas ces remarques comme des insultes, dit-il d'un ton uni. Je n'aimerais pas devoir quitter cette table trop tôt, simplement parce que je dois vous rencontrer à l'aube dans des circonstances moins conviviales.
Enders se raidit.
— Je vous demande pardon, Rothewell. Mais contrairement à vous, Mme Ambrose n'est pas nouvelle venue en ville. Nous la connaissons tous depuis des années. Quant à moi, je préfère choisir des maîtresses plus jeunes.
— Mais oui, beaucoup plus jeunes, à en croire les bruits qui courent ! s'exclama Valigny en riant. Vous aimez les écolières, hein ? Et après ? Beaucoup d'hommes ont les mêmes goûts que vous.

Enders était un veuf d'âge mûr, avec des lèvres épaisses et des doigts boudinés. Rothewell l'avait détesté au premier regard, et son opinion n'avait fait que se renforcer au fil des jours. Il n'aimait pas du tout le tour que prenait la conversation.

Enders considéra le comte d'un air sombre.

— Avec de l'argent, un homme peut obtenir ce qu'il veut, Valigny. Vous êtes bien placé pour le savoir.

Valigny rit de nouveau, mais cette fois son rire sonna faux.

Rothewell gagna finalement la partie. Plusieurs autres suivirent. Mais la conversation lui laissa une impression amère.

Toutefois, il était un peu tard pour se laisser envahir par les scrupules. Après tout, Enders pouvait coucher avec qui il voulait, et Valigny en penser ce que bon lui semblait. Il était le dernier à avoir le droit de les montrer du doigt. Cependant, cela l'ennuyait. Enders avait la réputation d'être un pervers.

Les deux hommes continuaient de se chamailler.

— Messieurs, cessons ces querelles, décréta sir Ralph, dont les pertes étaient si importantes qu'il éprouvait soudain un sentiment de charité envers tous ses semblables. La jeunesse, c'est toujours agréable dans un lit. Mais ce qui me conviendrait encore plus, maintenant, c'est une femme riche. Ma bourse est vide.

— Eh bien, je vous souhaite bonne chance, répliqua Enders d'un ton aigre. Les bons partis sont rares à cette époque de l'année.

— Oui, dit le comte en se penchant sur la table. Il n'y a rien de plus réconfortant qu'une épouse fortunée, n'est-ce pas ? J'y ai beaucoup réfléchi ces derniers temps. Mais vous êtes déjà marié, sir Ralph, non ? Et vous aussi, monsieur Calvert ?

Les deux hommes opinèrent du chef.

— *Tant pis,* déclara le comte avec une expression sinistre. Mais vous, Enders, vous n'avez pas eu la chance de trouver une épouse sur le marché, cette saison ?

— Les filles pauvres et hideuses ne manquent pas, grommela Enders. Mais celles qui ont de l'argent sont d'horribles pimbêches.

— Oui, la vie est parfois difficile, *mon ami,* admit le comte avec un sourire narquois. Ah, bien ! Jouons, messieurs !

Rothewell fut saisi par une brusque envie d'abandonner ses billets sur la table et de sortir. L'argent n'avait jamais beaucoup compté pour lui... et depuis quelque temps il comptait encore moins. Il avait juste envie de rentrer chez lui.

Pourtant il savait qu'une fois qu'il se retrouverait dans cette grande demeure, à arpenter les chambres vides, il éprouverait de nouveau le besoin de sortir. D'aller n'importe où, de faire n'importe quoi pour chasser les démons de la nuit.

Il fit signe au valet de Valigny de remplir son verre, et essaya de se détendre. Pendant l'heure qui suivit, il but plus qu'il ne joua, répugnant à tenter sa chance avec un jeu médiocre. Calvert eut la sagesse d'abandonner la partie, mais il demeura assis à la table avec un verre de porto. Sir Ralph était trop ivre pour représenter une menace.

Au cours des douze parties suivantes, l'ambiance devint enfiévrée. Le comte jouait avec une sorte de désespoir confinant à la démence. Il était visiblement sur la corde raide, et se trouvait probablement à deux doigts de finir chez les huissiers.

Soudain, il commit une grossière erreur dans son jeu, et lord Enders rafla la mise de deux mille livres.

— Hélas ! Ma reine noire m'a laissé tomber, soupira le comte. Les femmes sont des créatures inconstantes, n'est-ce pas, lord Rothewell ? Jouons, *messieurs*.

Il y eut une nouvelle donne. Très vite, sir Ralph passa le doigt à l'intérieur de son col, comme si sa cravate l'étranglait. Le geste n'échappa pas à Valigny, qui bondit comme un chat sur l'occasion, faisant monter les paris. Sir Ralph avait blêmi.

— Ralph ? lança le comte. Vous suivez ?

L'homme jeta ses cartes sur la table, et se leva en titubant.

— Au diable ! J'aurais dû m'arrêter après la dernière partie. Je vous souhaite une bonne nuit, gentlemen. Je ne me sens pas en forme…

Valigny haussa les épaules d'un air débonnaire et, craignant de voir son invité vomir sur le tapis, il se hâta de l'aider à atteindre la porte.

Cependant, Rothewell remarqua la sueur sur le front du comte. De toute évidence, Valigny avait un besoin d'argent assez urgent. Mais, dans ce cas, il commettait une folie en continuant de jouer avec Enders et lui-même. Ils étaient les joueurs les plus endurcis de Londres. En moins d'une heure, le comte serait totalement ruiné. Toutefois, cette idée n'apporta à Rothewell aucune satisfaction.

La soirée avait été décevante. Il perdait son temps. Mais n'était-ce pas ce qu'il cherchait ? L'alcool, le sexe, le jeu… tout ce qui pouvait faire oublier à un homme la réalité de la vie.

Pour être honnête, il devait admettre que la poursuite des plaisirs ne parvenait plus à lui dissimuler ce qu'il était. Et l'alcool, comme il commençait de s'en apercevoir, ne suffisait plus à lui embrumer l'esprit.

Cela avait-il coïncidé avec le départ de Xanthia ? Non, pas exactement. Toutefois, après son mariage, tout était plus ou moins parti à vau-l'eau.

Quoi qu'il en soit, il ne servait à rien de s'attarder ici. Puisque le péché n'était plus suffisant, il demeurait toujours la poudre. S'il s'agissait d'accélérer la volonté de Dieu, il serait sans doute moins douloureux de rentrer chez soi et de pointer le canon d'un pistolet sur sa tempe.

Le comte regagna la table, avec une expression à mi-chemin entre l'amusement et le chagrin.

— Hélas, messieurs, *madame Fortune* m'a abandonné ce soir, n'est-ce pas ?

Rothewell recula sa chaise et déclara :

— Messieurs, autant en rester là. Que chacun reprenne sa mise.

— Non !

Quelque chose ressemblant à de la frayeur apparut dans les yeux de Valigny. Puis son sourire réapparut.

— Je crois que *madame Fortune* va revenir, finalement. Ne me laisserez-vous pas la chance de regagner ce que j'ai perdu ?

— Avec quelle mise ? rétorqua Enders. Écoutez, Valigny, je n'accepterai pas une nouvelle reconnaissance de dette.

La tension dans la pièce était palpable. Le comte s'humecta les lèvres.

— J'ai gardé la meilleure mise pour la fin, dit-il rapidement. Quelque chose qui vous intéressera…

M. Calvert leva les mains devant lui.

— Je reste, mais simplement en spectateur.

— Très bien, fit le comte. Je m'adresse à Enders… et peut-être aussi à Rothewell.

— Alors, parlez, ordonna Rothewell d'un ton posé.

Valigny plaça les deux mains sur la table, et se pencha.

— Je propose que nous jouions la dernière manche, maintenant que sir Ralph est parti, dit-il en regardant les deux hommes tour à tour. Le gagnant ramassera tout ce qui se trouve sur la table.

— Qu'allez-vous miser ? insista Enders.

Le comte leva le doigt et lança un regard aux valets.

— Tufton ! cria-t-il. Mlle Marchand est-elle encore dans son boudoir ?

— Je l'ignore, monsieur, répondit le valet, éberlué.

— Mon Dieu, eh bien, allez la chercher ! Dépêchez-vous.

Le valet ouvrit la porte et disparut dans le couloir.

Le comte ordonna à l'autre valet de remplir les verres, et se mit à faire les cent pas. Calvert semblait mal à l'aise.

— Je ne comprends pas à quoi vous jouez, Valigny, marmonna Enders. Rothewell et moi avons gagné, et donc nous avons encore quelque chose à perdre. Vous avez intérêt à ce que votre prochaine mise soit tentante.

Le comte lui adressa un coup d'œil par-dessus son épaule.

— Oh, elle le sera, mon cher. Elle le sera. Croyez-vous que je ne connaisse pas vos goûts et vos... *appétits* ?

— Qui diable est cette Mlle Marchand ? demanda Rothewell avec impatience.

Le comte retourna à la table et souleva son verre.

— C'est ma fille, lord Rothewell. Ma fille illégitime, et à moitié anglaise. Je suppose que les vieux ragots ne sont pas totalement oubliés ?

— Votre fille ! s'exclama Enders. Seigneur !

— Vraiment, Valigny, vous allez trop loin, dit Rothewell en observant le cognac ambré dans son verre. Une jeune fille bien éduquée n'a pas sa place ici.

Leur hôte haussa les épaules avec désinvolture.

— Oh, elle n'est pas si bien éduquée que ça, *mon ami*. Cette enfant a passé la plus grande partie de sa vie en France... avec sa mère, cette tête de linotte. Elle connaît la vie.

Enders écarquilla les yeux.

— Vous voulez dire que c'est l'enfant de lady Halburne ? Êtes-vous devenu fou ?

— Non, mais vous le deviendrez sûrement en la voyant, répliqua Valigny avec son éternel sourire narquois. Vraiment, *mes amis,* c'est le portrait de sa mère. Le visage, les dents, les seins… oui, vous verrez, c'est la perfection même. Il ne lui manque qu'un homme pour lui donner la place qu'elle mérite… et l'y maintenir.

— Une beauté, hein ? marmonna Enders d'une voix pâteuse. Quel âge a-t-elle ?

— Elle est sans doute un peu plus vieille que vous ne le souhaiteriez, précisa Valigny. Néanmoins, il se peut que vous la trouviez plaisante.

— Vous feriez mieux de vous expliquer, Valigny, grommela Enders.

Au même instant, la porte du salon s'ouvrit, livrant passage à une jeune fille.

— Oui, c'est une excellente suggestion, jeta-t-elle en avançant vers le comte d'un pas ferme. Qu'avez-vous inventé cette fois, Valigny ? Un nouveau moyen de vous remplir les poches, c'est sûr.

Le comte répondit rapidement, en français. Rothewell ne put comprendre ce qu'il disait, mais son expression s'était brusquement assombrie. La jeune fille laissa à son tour fuser un torrent de paroles, agitant un doigt sous le nez du comte. Sa voix était grave, un peu rauque, avec des accents sensuels qui enflammèrent Rothewell.

Le valet se tenait au fond de la pièce, pâlissant au fur et à mesure du crescendo de la querelle. Rothewell devina qu'il était inquiet pour la jeune fille.

— *Sacrebleu !* s'écria-t-elle enfin. Faites ce que vous voulez, ça m'est égal !

Puis, avec un geste furieux de la main, elle pivota vers la table. Enders inspira vivement.

Sa réaction était compréhensible. Valigny n'avait pas menti. Rothewell fut transpercé par une étrange émotion, un désir presque viscéral. La jeune fille... ou plutôt *jeune femme,* était exquise. Ses yeux sombres lançaient des éclairs, son menton était crânement levé. Elle avait un nez fin, des yeux parfaitement écartés, et l'implantation de ses cheveux noirs formait une pointe sur son front.

Dans la lumière tamisée du salon, son teint clair paraissait animé. Elle était aussi grande que Valigny, et semblait presque le dominer. Mais ce n'était qu'une illusion. En fait, elle était simplement furieuse.

Rothewell repoussa son verre de cognac, agacé par sa propre réaction.

— Veuillez avoir l'amabilité de vous expliquer, Valigny.

Le comte s'inclina d'un air théâtral.

— Voici ma mise, *mes amis*. Je vous propose une superbe et riche épouse. Je suppose que je n'ai pas besoin de la faire monter sur la table ?

— Vous devenez fou, rétorqua sèchement Rothewell. Faites-la sortir. Ivres comme nous le sommes, nous constituons une compagnie peu reluisante pour une dame. Même moi, je sais cela.

Le comte écarta les mains.

— Mais, mon cher lord Rothewell, j'ai un plan.

— Oui, un plan extrêmement brillant ! s'exclama la jeune fille en soulevant très légèrement sa jupe pour parodier une révérence. Laissez-moi recommencer depuis le début. Je vous souhaite la bienvenue dans la maison de mon cher papa. Je vois que je dois maintenant... comment dites-vous ? être mise aux enchères, oui ? Hélas, je suis une épouvantable *mégère,* et j'ai l'accent français. Mais je suis très riche, et pas trop désagréable à regarder, non ? Alors, lequel d'entre vous fera une première proposition à mon cher papa ? J'attends votre bon plaisir, messieurs.

— Voyons, *mon chou,* gronda son père. Tu brosses un tableau bien noir de la situation.

— Je ne pense pas !

Rothewell passa une main sur sa joue ombrée de barbe. Il n'avait pas l'habitude d'être la seule personne saine d'esprit dans une assemblée.

Valigny avait toujours l'air remarquablement content de lui. La jeune femme se dirigea vers la desserte et se servit un verre de cognac, comme si elle avait l'habitude de le faire. Mais Rothewell vit que sa main tremblait lorsqu'elle reposa le bouchon sur la carafe de cristal.

Il regarda Enders. Celui-ci, la bouche légèrement entrouverte, dévisageait la jeune femme. Son attitude était celle d'un débauché. Mais valait-il mieux lui-même ? Non, car il n'avait pour ainsi dire pas détaché les yeux de la belle créature depuis qu'elle était entrée. Ses lèvres étaient fascinantes, et sa voix rauque lui enflammait les reins.

Alors, pourquoi Enders l'agaçait-il autant ? Pourquoi était-il tenaillé par l'envie de lui fermer la bouche à coups de poing ?

— Écoutez, Valigny, dit-il en écrasant son cigare d'un geste violent. Je suis venu pour boire et jouer aux cartes. Pas pour…

— Combien vaut-elle ? s'enquit Enders, lui coupant brusquement la parole. Et je ne tolérerai pas davantage son insolence, Valigny. Aussi, elle peut quitter tout de suite ses airs de mégère. Dites-moi juste combien elle me rapportera, si je la gagne.

La gagner ? Rothewell trouva l'expression hideuse.

— Comme je vous le disais, elle a une jolie dot, expliqua le comte. Sa valeur atteint largement tout ce que nous avons mis sur la table ce soir.

— Vous nous prenez pour des imbéciles ? rétorqua Enders. Halburne a obtenu le divorce avec sa femme. Après cela, elle n'avait même plus un pot de chambre qui lui appartenait ! Vous avez dû l'héberger dans Dieu sait quel vieux château au fin fond du Limousin… Nous savons très bien que sa situation était désespérée.

— Oui, c'est vrai, reconnut le comte en écartant les mains. Mais la question qu'il faut poser, mon cher lord Enders, c'est : pourquoi Halburne l'avait-il épousée ? Eh bien, parce qu'elle était une riche héritière ! Des plantations de coton ! Des mines de charbon ! Mon Dieu, nul ne le sait aussi bien que moi.

— Je ne suis pas sûr que cela nous intéresse, Valigny, fit remarquer Rothewell.

— Cela ne tardera pas à vous intéresser, *mon ami*, suggéra le comte d'un ton léger. Car, voyez-vous, une partie de cet héritage est revenue à la petite. Elle est la dernière de la lignée, du côté de sa mère. Mais avant tout, elle doit trouver un mari… un mari anglais. Et un homme qui ait… comment dites-vous ? le sang bleu ?

— Un noble, marmonna Rothewell. Par le Christ, Valigny ! C'est votre enfant.

— Oui, mais les Anglais ne considèrent-ils pas leurs filles comme des juments reproductrices ? s'exclama le comte en s'asseyant. Je dis tout haut ce que tout le monde pense tout bas, voilà tout.

— Vous êtes un porc, Valigny, dit sa fille d'un ton plat. Vous êtes maigre à faire peur, mais vous n'en êtes pas moins un porc.

— Et qu'est-ce que cela fait de vous, *mon chou* ? répliqua-t-il du tac au tac. Un porcelet, n'est-ce pas ?

Calvert, qui avait gardé le silence jusque-là, se racla bruyamment la gorge.

— Écoutez, Valigny. Si je dois tenir le rôle de banquier, je ne peux le faire sans l'accord de Mlle Marchand.

Le comte éclata de rire.

— Oh, elle sera parfaitement d'accord… n'est-ce pas, *mon chou* ?

La jeune fille se détourna de la desserte et vint se pencher au-dessus de la table, les yeux étincelants.

— Mon Dieu, je serai d'accord ! dit-elle en tapant si fort du poing sur la table que les verres tressautèrent. Il faut qu'un de ces vieux roués m'épouse sur-le-champ… avant que je tue l'un d'entre eux. N'importe lequel fera l'affaire, ils se valent tous.

Enders émit un rire proche du braiment d'un âne.

— Elle n'a pas froid aux yeux, hein, Valigny ? Oui, elle est vraiment très amusante…

La fille se tourna, et soudain son regard entra en contact avec celui de Rothewell. Il attendit qu'elle baisse les yeux, mais elle le fixa avec audace. Ses prunelles sombres semblaient deux puits sans fond, dans lesquels la rage se mêlait à une émotion indéfinissable. Était-ce du défi ? De la haine pure et simple ? Quoi qu'il en soit, cela empêcha Rothewell de plonger les yeux dans le délicieux renflement de son décolleté.

— Allons, *mon chou,* dit le comte. Redresse-toi et surveille tes paroles. Tu seras peut-être bientôt baronne, si je joue mal.

— Bah ! lança-t-elle en s'écartant brusquement de la table. Jouez donc, que nous en finissions au plus vite.

— Très bien, reprit Calvert, toujours mal à l'aise. Je suppose que nous pouvons continuer.

— Non, déclara Rothewell en repoussant ses cartes. C'est de la démence.

— Écoutez d'abord mon offre, Rothewell, suggéra le comte, d'un ton posé d'homme d'affaires. Vous avez huit mille livres sur la table. Et Enders… combien ? huit aussi ?

— À peu près, convint Enders.

— Donc, je mise la main de ma fille contre tout ce qui se trouve sur la table. Si je gagne, *très bien*. Vous repartez chez vous un peu moins riche que vous n'êtes venus. Mais si je perds, le gagnant pourra épouser ma fille. Avant la fin du mois, *s'il vous plaît*. Son grand-père lui a légué par testament cinquante mille livres qu'elle recevra le jour de ses noces. Vous les partagerez avec moi.

— Cinquante mille livres, divisées par deux ? s'exclama Enders avec un mouvement de recul. Mais vous ne pouvez pas y perdre !

— C'est vrai. Mais si vous gagnez, vous gagnez beaucoup plus que huit mille livres, rétorqua le comte.

— En effet. Mais, divisée par deux, cette somme n'est pas grand-chose.

— Allons, Enders, elle suffirait à mettre un homme à l'aise, sinon à le rendre riche. C'est assez, en tout cas, pour contrebalancer votre mise.

— Et, en dépit de sa beauté, votre fille n'est pas si jeune que ça, fit observer Enders.

Rothewell regarda tour à tour Mlle Marchand et le comte. Quelque chose clochait. Son instinct de joueur lui soufflait qu'il y avait anguille sous roche. La jeune fille se tenait dans une posture rigide, le menton levé. Mais elle lançait des regards de côté à lord Enders, et son aplomb vacillait.

Il se rendit compte tout à coup qu'elle lui rappelait vaguement quelqu'un. C'était l'accent français, et sa peau couleur de miel. Ses yeux sombres, aussi, animés par un mélange de fureur et de passion. Seigneur.

Il posa son verre de cognac, comme s'il craignait de le briser entre ses doigts.

— Je ne veux pas d'une épouse, énonça-t-il, les mâchoires serrées. Et de toute évidence, Enders non plus.

— C'est néanmoins une offre fascinante, dit Enders en se penchant sur la table. Nonobstant son âge, votre fille est charmante. Faites-la approcher, Valigny, qu'on la voie à la lumière.

Le comte prit la jeune fille par le coude et la fit avancer dans le cercle de lumière près de la table, comme un agneau qu'on mène à l'abattoir. Rothewell ne valait guère mieux qu'Enders : il ne pouvait détacher les yeux de la superbe créature. Les doigts de Valigny semblaient s'enfoncer dans la chair de son bras, comme s'il la retenait contre sa volonté. Sans prendre la peine de se lever, Enders la dévisagea de la tête aux pieds, s'attardant sans vergogne sur son décolleté.

Bon sang, quel homme fallait-il être pour faire subir cette épreuve à sa propre fille ?

Enders fit un signe du doigt pour lui demander de tourner sur elle-même.

— Très lentement, mon petit, marmonna-t-il. Oui, très, très lentement...

Quand elle lui tourna le dos, il contempla d'un œil lubrique le balancement de ses hanches sous la soie noire de la robe. Allait-il aussi demander à Valigny de soulever ses jupons, afin qu'il puisse mieux juger de sa beauté ? À cette pensée, une vague de nausée souleva le cœur de Rothewell.

Cela n'était pas bien.

Mais ce n'étaient pas ses affaires. Il pouvait sortir. Dire à Valigny et Enders ce qu'il pensait d'eux, et rentrer chez lui. Mlle Marchand était fort désirable, mais apparemment elle pouvait se défendre. Il se moquait complètement de l'argent qu'il laisserait sur la table, et ce n'était pas la morale qui le tracassait.

Cependant, il ne se décidait pas à partir. Pourquoi ?

Parce qu'elle lui rappelait quelqu'un. Parce qu'il s'était brusquement senti attiré par le puits sombre de ses yeux. Oh, quel damné imbécile il était !

Rothewell ferma les yeux afin de repousser l'idée folle qui le harcelait.

Mais il avait une autre raison de rester. Une raison encore plus douloureuse. Il savait ce que c'était d'être jeté aux chiens, comme un vulgaire morceau de viande. Seigneur, pourquoi des scrupules enfouis depuis si longtemps refaisaient-ils surface dans un tel moment ?

Parce que Enders allait prendre cette jeune fille. Il allait la mettre dans son lit et lui faire subir Dieu sait quoi, et Dieu sait avec qui… Alors qu'elle était complètement innocente. Si Rothewell en avait douté, l'expression de frayeur qu'elle avait eue en regardant Enders l'aurait convaincu.

Il fut parcouru d'un frisson glacé. Mlle Marchand était pleine d'esprit et d'énergie ce soir, mais les hommes comme Enders n'avaient pas leur pareil pour réduire une femme à leur merci, et ils prenaient en outre grand plaisir à le faire.

Mlle Marchand se retourna et ferma les yeux, comme pour se préparer au pire.

Enders lui effleura le poignet et sourit d'un air lascif.

— Alors, mon petit, il vous faut un mari pour vous apprivoiser ? chuchota-t-il de sa voix nasillarde. Je trouve cette idée absolument délicieuse.

La jeune fille garda les yeux fermés, et inspira profondément. L'espace d'un instant, Rothewell crut que ses jambes ne la portaient plus. Enders lui caressait le poignet de ses petits doigts boudinés, avec une feinte douceur, et Valigny ne faisait rien. Rothewell comprit alors ce qui allait se passer. Ce qui allait *forcément* se passer.

Et diable ! Qu'est-ce que ça pouvait bien lui faire ?

Cette idée le libéra. Ou presque. Seigneur, il n'était pas un héros. Il devait être aussi fou que les autres.

Enders et Valigny continuaient de regarder la jeune fille. Calvert avait détourné les yeux.

Rothewell croisa le regard du valet, à l'autre bout de la salle. Il posa un doigt sur ses lèvres, puis glissa son autre main sous la table, et éprouva une bouffée de triomphe. Un morceau de carton rigide était coincé dans une fente entre deux pans du plateau de chêne.

— Par Dieu, je la veux !

La voix tonitruante d'Enders brisa le silence. Rothewell retira vivement les doigts et glissa la carte de Valigny sous son gilet. Seul le valet remarqua son geste.

— Avec des hanches comme celles-ci, elle vaut largement les vingt-cinq mille livres, *et* le désagrément, continua Enders. De toute façon, j'envisageais de prendre une épouse. Nous pourrions peut-être nous entendre sans avoir besoin de jouer une autre partie, Valigny ?

Le comte était radieux.

— Non, protesta Rothewell d'une voix sourde, en ramassant les cartes de la partie précédente. Non, battez les cartes, Calvert. Nous allons jouer, parbleu.

Enders étrécit les yeux.

— Vous croyez ?

— Pourquoi pas ? répliqua Rothewell. J'ai de l'argent sur la table, et je veux le remettre en jeu. C'était la proposition de Valigny.

— Mais oui, approuva le comte. Une nouvelle partie, et un observateur neutre. Calvert distribuera les cartes.

Rothewell jeta un regard à leur hôte.

— Asseyez-vous, Valigny, et jouez. Ne perdons pas de temps, pour l'amour du Ciel.

Calvert distribua une carte à chacun, puis hésita.

— Continuez, ordonna sèchement Rothewell. Nous avons décidé de jouer le tout pour le tout.

Calvert hocha la tête, et fit une nouvelle distribution. Les hommes consultèrent leur jeu, et Rothewell en profita pour glisser la carte dans sa main.

— Lord Enders, vous tenez ? s'enquit Calvert.

Pendant un long moment le silence régna, à peine troublé par le crépitement de la lampe à pétrole.

— Je suis satisfait, merci, finit par déclarer Enders.

— Valigny ?

Le comte tapota la table de son doigt replié, et Calvert fit glisser vers lui une nouvelle carte.

— Rothewell ?

Ce dernier secoua la tête.

— Je suis servi, dit-il.

Puis, d'un mouvement rapide, il retourna ses cartes sur la table. La jeune fille poussa une brève exclamation. Valigny émit un son étrange. Sa carte porte-bonheur, la reine de pique, semblait les contempler, fronçant ses sourcils sombres d'un air désapprobateur. À côté d'elle se trouvait l'as de cœur.

— Messieurs, annonça tranquillement Rothewell, je crois que cela fait vingt et un.

3

Une proposition intéressante

Enders se mit à jurer en regardant les cartes étalées sur la table. Valigny contempla la reine noire, sans un mot, puis il fut pris d'un grand rire. La fille du comte ferma les yeux et reposa son verre en le faisant tinter bruyamment contre le plateau d'argent. Ses épaules s'affaissèrent, et sa tête retomba en avant comme si elle murmurait une prière.

Elle était soulagée, songea Rothewell. Soulagée. Il avait au moins accompli quelque chose. Enfin, peut-être.

La jeune femme se ressaisit rapidement. Le rire du comte finit par se calmer, et il se frotta les mains.

— Bien joué, mon cher lord Rothewell. *Félicitations, mon chou.* Je veux être le premier à te présenter mes vœux de bonheur. Et maintenant, emmène le baron dans ton salon. Un jeune couple a besoin de se retrouver en tête à tête, n'est-ce pas ?

Sans un regard pour Rothewell, elle sortit de la pièce comme si elle était la reine noire en personne. En proie à un trouble profond, Rothewell lui emboîta le pas dans le corridor. Au nom du Ciel, que venait-il de faire ?

Rien. Il n'avait rien fait. Il devait vingt-cinq mille livres à Valigny, et c'était la seule idée qu'il lui fallait garder en tête.

Mlle Marchand bifurqua à gauche. Son pas était ferme et rapide, comme si elle savait à quoi s'attendre et était pressée de passer cette épreuve. Les épaules fièrement rejetées en arrière, elle poussa la porte du salon, tourna la mèche de la lampe pour donner plus de lumière, et fit signe à Rothewell de s'asseoir.

Il ignora le fauteuil qu'elle lui désignait, car elle ne fit pas mine de s'asseoir elle-même. Un feu brûlait doucement dans l'âtre, et une autre lampe était posée près du fauteuil usé mais élégant. Rothewell balaya la pièce du regard, comme si cela pouvait lui permettre de deviner quelque chose de la personnalité de cette femme. Contrastant avec les dorures et la splendeur de la salle précédente, ce petit salon était décoré de meubles français de belle facture, mais loin d'être neufs. Des livres reliés de cuir occupaient tout un pan de mur, et il régnait un vague parfum de fleurs fraîches. De toute évidence, ce n'était pas le territoire de Valigny, mais celui de sa fille. Et si Rothewell ne se trompait pas, ces deux-là ne se rencontraient que rarement.

— Avez-vous un prénom, mademoiselle ? s'enquit-il en s'inclinant avec raideur. Je suppose que vous ne tenez pas à ce que tout le monde vous appelle *mon chou* ?

Elle eut un sourire amer.

— Vous pouvez m'appeler mademoiselle Marchand.

— Étant donné les circonstances, mademoiselle, je pense qu'il est nécessaire que je sache votre prénom.

Une lueur d'agacement traversa le regard de la jeune fille.

— Camille, finit-elle par répondre à voix basse.

— Et mon prénom est Kieran, annonça-t-il posément.

Ce détail ne parut pas l'intéresser, et elle se dirigea vers la fenêtre pour contempler la rue éclairée par les becs de gaz. Il se sentit étrangement blessé. Une voiture passa dans l'ombre, et Rothewell fit mine de la rejoindre près de la fenêtre. Mais elle l'arrêta d'un regard.

Il hésita. Pourquoi persister dans cette parodie ? De fait, qu'est-ce qui l'avait incité à entrer dans le jeu ? La pitié ? Le désir ? Un dernier effort pour racheter son âme au diable ? Ou encore, le besoin de connaître quelque chose à quoi il n'avait pas encore goûté ?

Et qu'est-ce qui avait poussé une si belle créature à un tel point de désespoir ? Car elle devait sans nul doute être désespérée, bien qu'elle le dissimulât parfaitement.

Le regard de Rothewell se posa sur la petite table, à côté du fauteuil. Un verre de vin rouge s'y trouvait, près d'un livre ouvert. Il jeta un coup d'œil au titre. Ce n'était pas un roman, comme on aurait pu s'y attendre, mais les *Recherches sur la nature et les causes de la richesse des nations* de l'économiste écossais Adam Smith.

Doux Jésus, cette femme était-elle un bas-bleu ? Rothewell étudia de nouveau son profil, tandis qu'elle observait la rue.

Non. Avec des lèvres aussi sensuelles, ce n'était pas possible. En outre, elle avait une allure trop sophistiquée. Trop continentale.

— Mademoiselle Marchand, demanda-t-il d'un ton neutre, pourquoi coopérez-vous avec votre père dans ce projet impossible ?

Elle se détourna enfin de la fenêtre, croisant sereinement les mains devant elle.

— Je le fais, monsieur, pour la même raison que vous, répondit-elle avec un accent français moins prononcé. Parce que j'ai quelque chose à y gagner.

— Quoi, un titre ? Le mien est peu connu, il ne vous apportera pas grand-chose.

— Je me moque de votre titre, monsieur, répliqua-t-elle en levant fièrement le menton. J'ai besoin d'un époux anglais. Un époux capable d'accomplir son devoir.

— Je vous demande pardon ?

— Il me faut un mari pour me faire un enfant. Et vite.

Elle l'examina, comme s'il était un cheval sur un marché.

— Vous pouvez sûrement accomplir cela, monsieur, en dépit de votre allure défaite ?

Il fut plus irrité par son indifférence que par l'insulte contenue dans ces paroles.

— Que diable voulez-vous dire ? Si c'est un enfant que vous voulez, mademoiselle, les bons partis ne manquent pas à Londres. Vous en trouverez bien un pour vous rendre ce service.

— Hélas, on me dit qu'ils sont tous à la campagne pour la saison de la chasse, répondit-elle avec un petit rire moqueur. Allons, monsieur ! Qui voudra de moi, avec la réputation de Valigny ? Et celle de ma mère ? Je suis un personnage scandaleux. Mais vous... vous n'êtes pas le genre d'homme à vous soucier du scandale.

— Vous avez la langue bien pendue, madame. C'est peut-être là votre problème ?

— Oui, mais vous n'aurez pas à en souffrir longtemps, rétorqua-t-elle d'un ton égal. Épousez-moi, Rothewell, et faites votre devoir. Votre mise se révélera lucrative. Il faudra déduire la part de Valigny, naturellement. Dès que mon enfant sera né, je vous donnerai une somme généreuse pour me séparer de vous. Ensuite, vous pourrez reprendre la vie de débauche que vous affectionnez.

— Bon sang, dit-il en sentant sa colère s'amplifier. Et que vaut la semence d'un homme, mademoiselle Marchand ? Avez-vous déjà fixé un prix ?

Elle n'hésita qu'une seconde.

— Pour moi, cela vaut très cher. Cent mille livres, monsieur. Est-ce que cela vous convient ?

— Seigneur… Je commence à croire que vous avez le cœur aussi froid que Valigny.

Un sourire amer étira les lèvres sensuelles de Camille.

— Et moi, je commence à croire que vous êtes inquiet pour votre fameux titre. L'arrogance des Anglais est…

— Au diable les titres et l'arrogance ! coupa-t-il en s'avançant vers elle. De toute façon, il n'y aura pas d'enfant. Il n'y aura même pas de *mariage*. Et que me chantez-vous, avec vos cent mille livres ? Valigny n'a parlé que d'une modeste dot.

— Valigny ne vous a raconté que la moitié de l'affaire. La moitié qu'il connaît.

Il s'approcha davantage… si près qu'il distinguait parfaitement les épais cils noirs qui soulignaient ses prunelles brunes comme du chocolat. Il lui posa une main sur l'épaule.

— Et si vous me racontiez l'autre moitié, mademoiselle Marchand ? Faites-le, je vous prie. *Sur-le-champ.*

Les yeux sombres lancèrent des étincelles.

— Vous n'êtes qu'un ivrogne et un débauché, Rothewell, comme tous les amis de Valigny, dit-elle d'une voix basse et vibrante de colère. Que gagnerais-je à avoir cette dot de cinquante mille livres ? Pourquoi vous épouserais-je ? Par bonté d'âme ? Je n'ai pas de bonté. Si j'en ai eu un jour, Valigny l'a réduite à néant.

Rothewell fut soudain frappé par trois idées. D'une part, l'anglais de la jeune femme était bien meilleur qu'elle n'avait voulu le faire croire. Ensuite, il éprouvait une bouffée de désir, ce qu'il trouvait étrange dans ces circonstances. Enfin, elle avait bigrement raison en ce qui concernait cet argent. Pour quelle raison l'épouserait-elle ? Qu'avait-elle à gagner dans l'affaire ? Son père prendrait une moitié de la dot, et lui l'autre moitié.

— Je veux la vérité, madame, dit-il, les dents serrées. Toute la vérité. Tout de suite.

Une lueur de haine passa dans ses prunelles brunes.

— Il y a trois mois, Valigny a découvert que mon grand-père m'avait laissé une dot dans son testament, et cette idée le ronge. Oui, il a la passion du jeu, monsieur. Et il ferait n'importe quoi pour de l'argent, afin de pouvoir jouer.

Rothewell l'observa, conscient du parfum féminin, un peu épicé, qui émanait d'elle, et du pouls minuscule qui battait juste sous son oreille.

— Continuez.

L'espace d'une seconde, le bout de sa langue rose apparut au coin de ses lèvres, mais Rothewell était presque trop furieux pour apprécier la sensualité de ce geste. *Presque.*

— Ce n'est pas tout, enchaîna-t-elle en baissant le ton. Il y a des choses que Valigny ignore. Mais je me demande… si je peux vous faire confiance.

— Non, déclara-t-il platement.

— Zut ! marmonna-t-elle. Ne puis-je même compter sur votre honneur de gentleman ?

— Il est bien faible, madame. Mais vous pouvez vous y raccrocher, si vous voulez.

Elle lui lança un regard noir.

— Mon Dieu, vous êtes un démon. Un démon avec des yeux de loup. Mais je dois peut-être prendre le risque.

— Pourquoi pas ? Je ne peux pas être pire que votre père.

— En effet.

Il vit néanmoins qu'elle hésitait encore.

— Il n'y a pas que cette dot qui doit me revenir, finit-elle par avouer. Le notaire anglais de mon grand-père m'a informée que son domaine… comment dites-vous ? sa propriété ?

— Son domaine campagnard ?

— Oui, les terres, la maison, le titre… tout cela est allé à un cousin. Mais le reste est à moi. Il y a de l'argent, mais aussi des moulins et des mines de charbon. Des choses que je ne comprends pas… pas encore. Mais cela représente des dizaines de milliers de livres.

Rothewell élargit les yeux. Valigny avait donc dit vrai. Mais apparemment, l'homme n'était pas conscient de l'importance de la fortune qu'il avait mise en jeu.

— Et Valigny ne sait rien de tout cela ?

— Non.

Elle haussa une épaule élégante, couverte de soie.

— Je ne lui ai pas tout dit. Je ne suis pas folle.

— Si vous êtes si riche, pour quelle raison voulez-vous vous marier ? s'enquit Rothewell, soupçonneux.

Mlle Marchand pinça les lèvres.

— Hélas, il y a… comment dites-vous ? il y a un hic. Mon grand-père avait l'esprit de vengeance. Je n'hériterai de rien, tant que je ne serai pas établie en Angleterre et mariée à un homme convenable. Un homme appartenant à l'aristocratie anglaise.

— Ah, oui ! Le fameux gentleman anglais.

Elle eut un sourire amer, qui ne lui ôta rien de son charme.

— *Mais oui,* dit-elle. Et pour recevoir quelque chose, en dehors de ma dot de cinquante mille livres, il faut que j'aie un enfant. Mon grand-père voulait s'assurer que le fléau qu'il redoutait, c'est-à-dire le sang français de mon père, serait totalement anéanti grâce à ma descendance.

Rothewell recula d'un pas.

— Je crains que vous ne soyez pas bien tombée avec moi, ma chère. Ce plan ne me séduit pas.

Elle lui adressa un regard méprisant.

— Cela m'étonnerait, déclara-t-elle en croisant les bras. Vous êtes un joueur invétéré, n'est-ce pas? Prenez un risque! Vous avez une chance sur deux pour que l'enfant soit une fille, et ainsi vous garderez intact votre précieux titre de noblesse.

— Oh? Et en supposant que j'attache la moindre importance à ce titre, que se passera-t-il ensuite?

— Ensuite, monsieur, vous pourrez divorcer. Je vous donnerai de bonnes raisons de le faire, s'il le faut. Je n'ai pas eu de propositions de mariage, c'est vrai, mais j'en ai eu d'une autre sorte. Ce ne sera pas un problème pour moi d'en accepter une.

Avec la vivacité de l'éclair, il lui saisit le bras, l'obligeant à se tourner vers lui.

— Vous n'oserez pas, mademoiselle. Si vous essayez ce genre de choses avec moi, ce n'est pas un divorce que vous obtiendrez.

Elle eut l'audace de lui rire au nez.

— Vous avez des principes, tout à coup?

Il lui relâcha le bras, mais elle ne fit pas mine de reculer. Il inspira son parfum chaud et poivré.

— Je me moque peut-être de mon titre de noblesse, mademoiselle Marchand, mais je n'ai pas envie d'être cocu.

— Oh, tout le monde a un prix, Rothewell, répliqua-t-elle avec un brin de mélancolie. Vous. Lord Enders. Valigny. Oui, monsieur, même moi. Est-ce que je ne viens pas de vous le prouver?

— Un prix? Je ne suis sans doute pas très honorable, mademoiselle, mais je n'ai pas besoin d'épouser une femme pour son argent. De fait, je n'ai ni le besoin ni le désir de me marier.

— Balivernes ! C'est pourtant précisément pour cela que vous êtes resté à la table de jeu, non ?

— Non, bon sang, ce n'est pas pour ça.

Mlle Marchand cligna les paupières.

— Non ? murmura-t-elle en retournant à la fenêtre. Alors pourquoi êtes-vous entré dans le petit jeu de Valigny, Rothewell ? Quelle autre raison aviez-vous ?

Il fut sur le point de rétorquer qu'il n'avait pas pu supporter l'idée que lord Enders possède une femme si jeune et si innocente. Mais non. Il ne pouvait pas dire cela. D'ailleurs, ce n'était même pas vrai. Pourquoi se serait-il soucié de ce qui arriverait à la fille de Valigny ? Oh, elle était belle, ça oui. Et tout à fait désirable. Mais elle avait une langue de vipère et des yeux perçants qui pénétraient au fond de votre âme.

Comment diable s'était-il fourré dans un tel pétrin ? Il n'avait jamais été un vrai gentleman. Il ne valait pas mieux que ce gredin de Valigny, ou ce tordu de lord Enders.

Elle l'observait avec insistance.

— Pourquoi, Rothewell ? C'est moi, maintenant, qui exige la vérité.

— La vérité ! répéta-t-il avec amertume. Je me demande si l'un de nous serait capable de la reconnaître.

Elle fit un pas vers lui, les yeux brillants.

— Pourquoi avez-vous joué avec Valigny ? Dites-moi. Si ce n'était pas pour l'argent, pour quoi était-ce ?

En proie à une folle frustration, il lui agrippa le coude et l'attira contre lui.

— Parce que je vous désire, bon sang. Pour quelle autre raison ? Je ne vaux pas mieux qu'Enders. J'aimerais vous avoir à ma merci, mademoiselle. Dans mon lit. J'aimerais vous faire ravaler votre insolence, et vous soumettre à ma volonté. C'est peut-être cela, la raison.

Une lueur de satisfaction traversa les yeux de la jeune femme.

— *Très bien,* murmura-t-elle en se dégageant. Au moins, je sais à quoi m'en tenir.

Rothewell s'efforça de refréner sa colère. Il se sentit soudain las et honteux.

— Oh, vous n'avez pas idée, mademoiselle Marchand, chuchota-t-il. Malgré votre éducation, vous ne pouvez pas savoir à quoi vous en tenir. Vous n'avez rien à faire avec un homme comme moi. Je vous libère du marché ridicule que j'ai passé avec votre père. Vous ne lui appartenez pas, et il n'a pas le droit de troquer votre liberté contre quoi que ce soit...

Mlle Marchand avait repris son poste près de la fenêtre, et lui tournait le dos. Ses épaules fines et délicates étaient affaissées, laissant percevoir sa fatigue, et son attitude avait perdu de sa morgue. Jamais un être humain ne lui avait paru aussi seul et désespéré.

Elle pivota lentement, et étudia ses traits.

— Non, dit-elle doucement. Non, lord Rothewell, je crois que je vais m'en tenir aux conditions de mon père.

Rothewell laissa échapper un rire bref.

— Je crois que vous ne comprenez pas, mademoiselle. Je n'ai nul besoin d'une épouse.

Pendant un long moment elle parut hésitante, en proie à un débat intérieur. Elle le jaugeait. Et cela le mettait extrêmement mal à l'aise.

Enfin, elle traversa la pièce et vint se planter devant lui, murmurant d'une voix rauque :

— Si vous me voulez, lord Rothewell, prenez-moi.

— Je vous demande pardon ?

Elle se pencha, posa les mains sur les revers de sa veste, et battit des cils. Fasciné, il vit ses lèvres pulpeuses former les mots :

— Prenez-moi. Donnez-moi votre parole de gentleman que nous nous marierons et que nous partagerons mon héritage. Et prenez-moi. Ce soir. Maintenant.

— Vous devez être folle, articula-t-il, la gorge nouée.

Mais il respirait son parfum, ce mélange entêtant d'orchidées et de chaleur féminine. Son corps s'enflamma.

Elle pressait ses seins contre lui, à présent. Sa voix était divinement sensuelle.

— Imaginez que je suis à vous. À votre merci. Accomplissant votre volonté. C'est votre fantasme, n'est-ce pas ?

Rothewell rassembla toute la maîtrise qu'il possédait, et plaqua une main sur sa nuque.

— Si je devais vous prendre, mademoiselle, et accomplir le moindre de mes fantasmes, cela ferait un satané raffut, que l'on entendrait d'ici jusqu'à High Holborn Street, car je commencerais par vous donner une bonne fessée.

Elle recula en écarquillant les yeux.

— Non, dit-il en ricanant. Je me doute que ce n'est pas cela que vous aviez en tête. Mais si vous insistez pour vous comporter comme une enfant capricieuse, je vous traiterai comme telle, mademoiselle Marchand. Ne jouez pas avec moi. Vous le regretteriez.

Elle baissa les yeux, et s'écarta de lui.

— *Très bien,* murmura-t-elle avec un détachement stupéfiant. Vous avez été clair. Lord Enders se trouve-t-il toujours dans le salon de mon père ?

— Je suppose, répondit Rothewell en haussant les épaules. Pourquoi ?

Elle alla vivement à la porte.

— Dans ce cas, c'est lui que j'épouserai, finalement, lança-t-elle par-dessus son épaule. Cela lui rapportera beaucoup d'argent… ainsi qu'à mon père.

Rothewell atteignit la porte avant elle, et posa la main à plat sur le battant.

— Bon sang, ne soyez pas idiote ! grommela-t-il d'une voix sourde. Enders est un débauché… et le terme est faible.

— Ah oui ? Et en quoi cela vous regarde-t-il ?

— Écoutez-moi. Cet homme-là n'a pas le moindre scrupule. Vous ne pouvez pas passer un marché avec lui. Oh, il vous épousera… et ensuite, il vous prendra en toute légalité jusqu'à votre dernier sou. Et vous lui appartiendrez… vous devrez vous soumettre à sa volonté.

Elle s'adossa à la porte, le défiant du regard, comme si elle ne redoutait personne. Ni lui, ni Enders. Comme si elle était la reine noire en personne.

Rothewell posa son autre main sur le battant de chêne.

— Vous m'avez prise au piège, il me semble, lord Rothewell, constata-t-elle d'un ton détaché. Où comptez-vous en venir ?

Il l'embrassa. Presque sauvagement, lui plaquant la tête contre le bois, envahissant avec audace la chaleur de sa bouche. Elle leva instinctivement les mains pour le repousser, mais il était trop tard.

Rothewell approfondit le baiser, pesant sur elle de tout son poids, prenant possession de sa bouche parfumée. Elle se débattit un instant, puis finit par céder et répondre à son baiser. Il l'embrassa encore et encore, et se sentit glisser dans des profondeurs sombres et incertaines. Comme si elle l'enrobait de sa chaleur. Il éprouva la rondeur de ses seins, de son ventre, les muscles de ses cuisses, et se sentit aspiré dans un tourbillon affolant.

La respiration de la jeune femme s'accéléra. Il prit vaguement conscience qu'elle lui rendait son baiser avec témérité, se haussant sur la pointe des pieds. Son corsage soyeux frottait contre sa veste de lainage.

Il était si égaré par le désir qu'il ne se rendit pas compte que ses mains avaient quitté la porte pour cueillir son visage. Un attelage passa rapidement dans la rue, brisant le silence. Le bruit pénétra la conscience de Rothewell, et le ramena au présent. Il quitta à regret les lèvres de la jeune femme, et plongea le regard dans le sien.

Elle tremblait autant que lui. Il y avait de la peur en elle, mais ce n'était pas lui qu'elle redoutait.

— Dites-moi, monsieur, murmura-t-elle en baissant les yeux. Voulez-vous toujours me prendre sur vos genoux pour me donner la fessée ?

Il y avait encore du défi dans sa voix, mais Rothewell, en joueur expérimenté, perçut aussi sa panique. Le brouillard sensuel qui les enveloppait se dissipa peu à peu, et il laissa ses bras retomber. Il contempla son joli visage en forme de cœur, ses larges yeux bruns, ses pommettes hautes.

— Dites-moi, ma chère, combien de temps vous reste-t-il ? Je crois entendre le tic-tac de l'horloge… et je ne parle pas de celle qui est sur la cheminée.

Elle eut un instant d'hésitation, puis finit par avouer dans un souffle :

— Six semaines.

— Six semaines ? Pourquoi si peu ?

Quelque chose ressemblant à de la résignation apparut dans son regard.

— J'avais dix ans devant moi, répondit-elle. Dix ans pour trouver… comment dites-vous ? le chevalier en armure blanche ?

— Quelque chose comme ça, acquiesça-t-il.

— Mon grand-père avait pris cette décision quand j'étais très jeune. Mais je n'ai découvert les papiers de son notaire que récemment... après la mort de ma mère.

— Doux Jésus ! s'exclama Rothewell, abasourdi. Elle ne vous avait donc rien dit ?

Mlle Marchand secoua la tête, évitant son regard.

— J'étais folle, dit-elle doucement. Folle de croire que Valigny pourrait m'aider. Il n'est pas reçu dans la bonne société. Il m'a fait perdre mon temps.

— Bien, marmonna Rothewell d'une voix étranglée. Vous avez six semaines. Et ensuite, que doit-il se passer ?

Elle leva imperceptiblement le menton.

— Mon vingt-huitième anniversaire...

— Quoi ? s'exclama Rothewell, incrédule. Vous devez être mariée avant votre vingt-huitième anniversaire ?

— Pour obtenir le moindre sou, oui. Il faut que je sois mariée, et que j'aie un enfant de mon mari dans les deux ans.

— Et votre père sait cela ? Il sait cela, et il s'est servi de vous ? Pour une partie de cartes ?

— Je crains que Valigny n'ait aucun scrupule, énonça-t-elle avec froideur.

Ses yeux sombres et perçants étaient toujours posés sur lui.

— Mais soyez certain, monsieur, que je me marierai. Sinon, il n'y aura rien pour moi. Je ne pourrai compter sur rien, en dehors de la générosité de Valigny.

— Je vois, soupira-t-il.

— Alors, que va-t-il se passer, Rothewell ? poursuivit-elle calmement. Vais-je vous épouser ? Ou devrai-je me contenter du lit d'Enders ?

Seigneur, elle avait donc bien l'intention d'épouser l'un d'entre eux ? Et c'était à lui de décider lequel ?

Il plongea de nouveau les yeux dans ses prunelles sombres. Elle était sérieuse. Terriblement sérieuse.

Rothewell eut l'impression de recevoir un coup en pleine poitrine. Il pouvait à peine respirer.

Mais Mlle Marchand... *Camille,* le regardait toujours. Son expression était curieusement sereine, ses mains sagement croisées devant elle. Elle attendait sa réponse.

Il inspira profondément. Elle était d'une beauté à damner un saint. Et en dépit de toutes les émotions auxquelles il était en proie, il la désirait encore. Ce baiser n'avait servi qu'à attiser le feu surgi au moment où il avait posé les yeux sur elle pour la première fois.

Eh bien, c'était lui qui s'était lancé dans cette mascarade, n'est-ce pas ? Il n'avait plus qu'à continuer. Cela ne ferait pas grande différence, dans le fond.

— Vous avez une femme de chambre ? demanda-t-il de but en blanc.

— Oui, bien sûr. Pourquoi ?

— Allons la chercher, dit-il en lui prenant brusquement le bras. Ensuite, nous irons dans votre chambre préparer vos bagages.

— Au milieu de la nuit ? Pourquoi ?

Il ouvrit la porte et la poussa dans le corridor.

— Parce qu'il n'est pas question que vous passiez une nuit de plus sous le toit de Valigny.

Moins d'une heure plus tard, Rothewell fit monter Mlle Marchand dans son carrosse. Il tint sa main douce et légère au creux de la sienne, et contempla ses doigts fins aux ongles soignés.

Depuis qu'ils avaient quitté le petit salon, il s'était comporté comme dans un rêve, donnant des instructions à la jeune femme, lançant des ordres aux domestiques, et tenant délibérément Valigny à l'écart. Et pendant tout ce temps, il avait eu l'impression d'être un autre homme transformant sa vie de manière radicale.

La femme de chambre était une petite créature frêle, au visage pâle, visiblement terrifiée par Rothewell. Quant à Mlle Marchand, ses gestes étaient mesurés, et son expression indéchiffrable. Une femme posée, songea-t-il... sauf quand elle vous embrassait à vous faire perdre la tête.

Le valet, qui répondait au nom de Tufton, descendit le dernier sac et observa le carrosse avec une inquiétude évidente. Lorsqu'il eut hissé le sac sur le toit, Rothewell s'avança sous le réverbère et lui tendit sa carte.

— Si vous avez besoin de moi, vous me trouverez à Berkeley Square, murmura-t-il. Je la protégerai de lui, vous pouvez compter sur moi.

Tufton se détendit.

— Merci, monsieur, dit-il en glissant la carte dans sa poche, avant de remonter les marches du perron.

Rothewell se tourna vers son cocher. Il n'agissait pas de gaieté de cœur, mais il savait ce qu'il avait à faire.

— Conduisez-nous à Hanover Street, ordonna-t-il.

— Hanover Street ? répéta le cocher, éberlué.

— Oui, chez Sharpe. Ne perdez pas de temps.

Le trajet dans les rues obscures s'accomplit assez rapidement. Un valet leur ouvrit la porte de la maison imposante. Ils l'avaient visiblement réveillé, car ses cheveux étaient en désordre et sa chemise sortait de son pantalon.

Sans lui donner d'explication, Rothewell lui demanda d'installer Mlle Marchand et sa servante dans une des chambres d'amis. Il n'était pas question de déranger Pamela à une heure pareille. Ensuite, il alla dans le salon, jeta son manteau sur une table basse et lança un coup d'œil à la grande horloge.

Trois heures et demie. Seigneur. Les deux dernières heures lui avaient paru durer une éternité. Rothewell se laissa tomber dans un fauteuil, posa les pieds sur son manteau et sombra dans un état d'engourdissement, à mi-chemin entre la veille et le sommeil.

Il n'en sortit qu'à l'aube, quand un domestique entra pour nettoyer l'âtre. Il se leva et constata qu'il n'était pas en proie à la nausée qu'il redoutait.

— Oh, mon Dieu ! s'exclama Pamela, deux heures plus tard.

Elle portait une robe large, rayée de rose et d'ivoire, et faisait les cent pas devant la cheminée.

— La fille du comte de Valigny, dites-vous ? Et elle est au premier ?

— Oui, je sais, c'est un sale type, marmonna Rothewell.

Pamela s'immobilisa, les sourcils froncés.

— Lorsqu'on dort avec les chiens, Kieran, on attrape des puces !

Rothewell leva les mains devant lui, comme pour s'excuser.

— Je ne me fais pas d'illusions, Pamela. Je sais ce qu'on raconte en ville. Valigny et moi avons passé du temps à boire, à jouer, et à aller au… à faire des choses innommables. Et ceci depuis des mois. Rien de tout cela n'est bon pour la réputation de cette jeune personne.

Pamela alla s'asseoir à côté de lui.

— Nous ne devons pas juger cette jeune fille d'après sa famille. Et vous ne devriez pas non plus être jugé d'après vos amis.

— Valigny n'a jamais été un ami. Quant à être jugés, nous savons tous les deux que c'est chose courante. C'est pourquoi j'ai amené Mlle Marchand ici.

— Et pourquoi pas chez Xanthia ? s'enquit lady Sharpe.

Rothewell eut un sourire désabusé. Il n'aimait pas quémander des faveurs.

— Vous êtes blanche comme neige dans cette ville, ma chère. Xanthia est très occupée. Et la réputation de Mlle Marchand serait irrémédiablement entachée si je l'emmenais à Berkeley Square.

— C'est vrai, c'est vrai, admit Pamela en se levant. Eh bien ! Que faire ? Il ne nous reste plus qu'à espérer que la conduite de sa mère est oubliée.

Rothewell eut un rire dur.

— Quoi ? La bonne société aime trop les ragots pour oublier ce genre de choses.

— Oui, je suppose que vous avez raison.

Elle posa un doigt sur sa joue, et la tapota pensivement.

— Et cette partie de cartes, Kieran… Vraiment, cette affaire est inacceptable.

— Vous croyez que je ne le sais pas, Pamela ? répondit-il d'un ton grave. Maintenant que je considère la question au grand jour, oui, je regrette. Si c'était à refaire, j'empêcherais tout cela.

Lady Sharpe eut un sourire voilé.

— Dans un sens, c'est ce que vous avez fait. Vous avez au moins soustrait cette pauvre enfant à l'emprise de son père. Mais il ne faut pas que cette sordide histoire de partie de cartes soit connue, mon cher. Cette petite serait totalement déshonorée.

Rothewell serra et desserra les poings plusieurs fois. Il avait honte du rôle qu'il avait joué dans ce désastre.

— Écoutez, Pamela, dit-il gauchement, cette idée était ridicule. Je n'aurais jamais dû débarquer ici avec elle…

Lady Sharpe agita les mains pour lui faire signe de se taire. Elle se remit à faire les cent pas, le visage soucieux. Rothewell baissa les yeux et contempla le café noir au fond de sa tasse.

Quelle mouche l'avait piqué ? Pourquoi diable avait-il fait monter Mlle Marchand dans son carrosse, au milieu de la nuit ? Pourquoi avait-il accepté de suivre ce plan fou ? Il avait simplement pensé lui rendre service, sans se donner trop de mal. Mais la vie n'était jamais aussi simple qu'on le croyait. C'était une leçon qu'il aurait dû retenir, la première fois qu'il avait demandé à une femme de lier son existence à la sienne.

Pamela marcha vers lui.

— Je veux rencontrer cette jeune fille, dit-elle. Je trouverai quelque chose de plausible pour expliquer sa présence ici, Kieran. Mais que comptez-vous faire de cette enfant, à long terme ?

— Eh bien…

Rothewell marqua une pause, et dévisagea sa cousine par-dessus sa tasse.

— Eh bien je crains, Pamela… de devoir l'épouser.

Lady Sharpe se figea et, pour la première fois de sa vie, demeura sans voix.

Rothewell sauta sur l'occasion. Il donna quelques vagues explications, la remercia abondamment, puis se dirigea vers la porte.

Il était grand temps de rentrer, songea-t-il en dévalant l'escalier. Et de signer une traite de vingt-cinq mille livres au comte de Valigny. Alors, une partie au moins de cette comédie ridicule serait réglée. Une fois que l'homme aurait touché son argent, il n'aurait plus son mot à dire dans les événements qui suivraient.

Assise parfaitement immobile dans un fauteuil, près de la fenêtre, Camille contemplait l'activité matinale dans Mayfair. Sans espoir de trouver le sommeil, elle s'était levée à l'aube pour se laver le visage et attacher ses cheveux. Puis elle s'était assise, attendant que son destin s'accomplisse. Et elle demeurait là, étrangère dans une maison inconnue, et peut-être oubliée de tous. Mais quelle importance ? N'avait-elle pas passé sa vie entière à attendre ?

Tôt ou tard, lord Rothewell reviendrait. Et s'il ne revenait pas, Camille était prête à prendre les choses en main. Elle ne pouvait se permettre de dépendre trop longtemps d'un homme. C'était du moins ce qu'elle avait appris à travers les erreurs de sa mère. Rothewell avait eu l'audace d'admettre qu'on ne pouvait lui faire confiance. C'était un point en sa faveur.

Elle ne savait pas très bien où elle allait avec Rothewell, mais elle savait à quoi elle avait échappé. Son sort ne serait pas plus redoutable si elle se retrouvait entre les mains du baron, qu'il ne l'avait été pendant les trois mois qu'elle avait passés avec Valigny. Et la situation ne serait pas éternelle. Un mariage rapide, puis, avec un peu de chance, un enfant à chérir. Et ensuite, elle serait enfin libre. Délivrée de sa mère, de Valigny... et, naturellement, de lord Rothewell.

Elle serait contente d'être débarrassée de lui. Ses yeux sombres, ses manières brusques et ses questions dures ne faisaient pas de lui quelqu'un d'agréable.

Camille se rendit compte que ses mains étaient crispées. Au prix d'un effort de volonté, elle parvint à se détendre. Les choses auraient pu être pires. Il y avait sans doute un soupçon de bonté dans le cœur de Rothewell. Elle pouvait se tromper, bien sûr. Elle avait soupesé le risque, avant de se jeter à l'eau.

L'autre homme, ce lord Enders, appartenait à un genre qu'elle connaissait bien. Un porc en rut, un dépravé de la pire espèce. Elle n'avait pas besoin de lord Rothewell pour le deviner. Elle avait passé assez de temps à Paris, entourée par la déplorable coterie de sa mère. Des femmes désespérées, dont les visages disparaissaient sous le maquillage, et les débauchés qui les courtisaient.

Elle entendit Emily bouger dans le lit, derrière elle. Elle se retourna et vit la servante s'asseoir en se protégeant les yeux d'un rayon de soleil.

— Je vous demande pardon, mademoiselle. Je ne pensais pas dormir si tard.

— Ce n'est pas grave, Emily. Vous avez eu une soirée fatigante.

— Vous aussi, mademoiselle.

Emily se demandait certainement ce qu'elles allaient devenir, et Camille n'avait pas de réponse à lui fournir.

— Il ne faut pas vous inquiéter, Emily. Je suis sûre que tout s'arrangera.

— Oui, mademoiselle. Vous savez ce que vous faites.

Camille réprima un petit rire hystérique.

— Il faut l'espérer. Mais, naturellement, j'aimerais vous garder avec moi, Emily, que je me marie ou non.

Mais il fallait qu'elle se marie. Il le fallait *absolument.*

La mort avait fini par la délivrer du fardeau qu'elle portait depuis plusieurs années. Après la longue maladie de sa mère, elle avait eu l'impression de sortir d'un cauchemar. Et elle s'était rendu compte que sa vie était vide.

À vrai dire, elle désirait beaucoup plus qu'une indépendance financière. Elle désirait *un enfant.* Le désir était devenu de plus en plus vif au fil des années, douloureux comme la lame d'un poignard s'enfonçant lentement dans son cœur.

Et alors qu'elle avait fini par croire que ce ne serait jamais possible, elle avait découvert la lettre de son grand-père. L'excentricité de son legs lui avait ouvert la voie… mais elle devrait se résigner à un mariage avec lord Rothewell, ou quelqu'un comme lui.

Elle pouvait aussi retourner dans le Limousin, la tête basse, vendre ce qui lui restait des bijoux de sa mère et peut-être survivre ainsi quelque temps. Mais elle avait presque vingt-huit ans, et l'idée de survivre ne lui suffisait plus. Retrouver son ancienne vie en France, et vivre comme une parente pauvre aux crochets d'une famille ignoble ? Non. Non, ce n'était même pas envisageable. Elle avait saisi cette opportunité au passage, il ne lui restait qu'une chose à faire : s'y accrocher.

À cette pensée, elle laissa échapper un soupir tremblant. Ses mains se crispèrent de nouveau. Lord Rothewell était réellement son dernier espoir. Malgré son attitude de défi, la veille, Camille avait été terrifiée à l'idée de tomber sous la coupe de lord Enders. Aussi avait-elle parié sur le minuscule éclat de bonté qu'elle avait cru déceler dans les yeux de Rothewell.

Mais peut-être était-il pire encore qu'Enders ? Il y avait quelque chose d'obscur chez cet homme. Une âme sombre semblait l'envelopper comme un suaire.

Cette pensée lui arracha un rire, et Emily la regarda avec curiosité.

Camille se dit qu'elle avait réellement perdu l'esprit. Elle devenait fantasque et, pire encore, mélodramatique. Encore quelques pas dans cette direction, et elle ressemblerait tout à fait à sa mère.

On frappa légèrement à la porte, et Emily alla ouvrir.

Un valet apparut, figé dans une posture rigide. La comtesse de Sharpe désirait avoir la compagnie de Camille. Cette dame était certainement tout émoustillée à l'idée que la fille illégitime d'un des pires gredins de Londres ait été installée dans une de ses chambres d'amis, pendant qu'elle dormait tranquillement sans se douter de rien…

Dix minutes plus tard, Camille se retrouva bien calée dans un fauteuil du salon de lady Sharpe, une tasse de café à la main. Remplie de vrai café. Rien à voir avec le breuvage insipide et bon marché que Valigny faisait servir chez lui quand il n'y avait pas d'invités.

Lady Sharpe la considéra avec un sourire aimable, et certainement forcé. Cependant, au cours de la brève conversation qu'elles venaient d'avoir, elle n'avait paru à aucun moment en colère ou mécontente. La comtesse était une femme au visage doux et rond, au caractère égal, et qui semblait avoir beaucoup de bon sens.

— Et vous avez donc été élevée dans la campagne française, ma chère ? demanda-t-elle en se penchant pour remplir sa tasse. Ce devait être merveilleux.

L'enfance de Camille était loin d'avoir été merveilleuse, mais la jeune femme songea qu'il serait peu judicieux de l'avouer.

— L'oncle de Valigny avait un petit château dans le Limousin, dit-elle. Il autorisait maman à y résider, ainsi que dans sa demeure parisienne lorsqu'il n'y était pas.

— C'était donc un homme généreux.

En effet, il avait été généreux… mais, comme la plupart des hommes, il attendait quelque chose en retour.

— Oui, madame. Ma mère lui en était très reconnaissante.

Lady Sharpe souleva sa tasse en la faisant tinter contre la soucoupe. Elle était nerveuse, et une légère tension transparaissait dans ses yeux.

— Eh bien, ma chère, maintenant que nous avons fait connaissance, parlez-moi de... de vos fiançailles avec mon cousin.

Camille leva imperceptiblement le menton.

— Vous les désapprouvez, madame, j'en suis sûre.

Lady Sharpe écarquilla les yeux.

— Non, je ne crois pas. Je serais presque reconnaissante que vous acceptiez de le prendre. Mais Rothewell n'a jamais manifesté le moindre penchant pour la vie de famille.

Camille parvint à esquisser un faible sourire.

— Vous en parlez comme d'un... d'un petit chien, non ?

— Oui, il a quelque chose d'un chiot, admit la comtesse, les yeux pétillants. Bien qu'il soit loin d'être petit, ou mignon.

Un long silence suivit ces mots, et la gravité reprit le dessus. La comtesse tenait à obtenir une réponse à sa question. Camille soutint son regard sans ciller.

— Lord Rothewell a dû vous dire que cet arrangement a été conclu entre mon père et lui ?

Lady Sharpe détourna les yeux.

— Il me l'a laissé entendre, en effet. Vous ne l'aviez jamais rencontré avant hier soir ?

— Non.

— Et vous acceptez de l'épouser ?

— Oui, madame. Je m'y suis engagée.

— Mais... mais pourquoi ? s'enquit lady Sharpe en pinçant les lèvres.

— Pourquoi ? Je suis largement en âge de me marier, madame. Et ici, en Angleterre, mes origines sont jugées douteuses. Rothewell m'a acceptée tout de même. Je ne peux que lui en être reconnaissante, vous ne pensez pas ?

Lady Sharpe fronça les sourcils.

— Mais tout cela semble si... si terriblement *pratique*.

— J'ai le sens pratique, madame, répliqua Camille en croisant les mains sur les genoux. Il me faut un mari. Je ne m'intéresse pas aux histoires d'amour, ni aux banalités de ce genre.

— Oh ! s'exclama tristement lady Sharpe. Cela dit, reprit-elle en s'égayant soudain, vous irez très bien avec Rothewell, car je n'avais jamais vu un homme aussi peu romantique que lui. Et, puisque vous attendez si peu de lui… je suppose que vous ne pourrez pas être déçue.

Camille esquissa un sourire empreint de sérénité.

— Oui, madame. C'est une solution très pratique, n'est-ce pas ?

Sur le point d'approuver, lady Sharpe hésita.

— Cependant, ma chère, je crains que la route ne soit pas aisée pour vous. Rothewell est quelqu'un que j'apprécie énormément. Je vois le bien qui est en lui, vous comprenez. Mais il ne sera pas facile à aimer.

— À vrai dire, madame, je n'envisage pas d'amour entre nous, répondit Camille en élargissant les yeux. Ceci n'est qu'un arrangement.

La comtesse parut horrifiée.

— Oh, ma chère enfant ! soupira-t-elle en posant une main sur sa poitrine. Il ne faut surtout pas se marier avec quelqu'un qu'on ne peut pas aimer.

— Pardon, madame ?

— Je sais, les gens le font couramment, reconnut la comtesse en se penchant en avant. Mais si un homme n'est pas digne de votre affection, il ne faut l'épouser sous aucun prétexte. Vous vous destineriez tous deux à une vie misérablement vide.

Camille fut déconcertée.

— Comme je vous l'ai dit, madame, je ne recherche pas le grand amour.

— Oh, mon enfant, pour l'amour de Dieu ! s'exclama lady Sharpe en levant les yeux au ciel. Il ne s'agit pas du grand amour, mais d'affection, tout simplement. C'est entièrement différent.

— Oui, madame. Puisque vous le dites, répliqua Camille, perplexe.

— Vous n'avez donc pas de considération pour lui ? s'enquit la comtesse d'un air un peu peiné.

— De la considération ? Lord Rothewell me paraît honnête. C'est admirable, n'est-ce pas ? Et je vous assure, madame, que je serai une bonne épouse, tant que nous vivrons ensemble.

Apparemment rassérénée, lady Sharpe remplit de nouveau les tasses.

Qu'est-ce que Camille aurait pu dire de plus ? Elle ne connaissait Rothewell que depuis quelques heures, et celui-ci n'avait pas essayé de lui donner une bonne impression. Ses mots résonnaient encore dans sa tête :

— *J'aimerais vous avoir à ma merci, mademoiselle. Dans mon lit. J'aimerais vous soumettre à ma volonté.*

Camille ferma les yeux, la gorge nouée. Seigneur, était-elle en train de commettre une terrible erreur ? Elle n'avait pas oublié sa mise en garde, ni la chaleur de son corps quand il l'avait plaquée contre la porte. Ni l'étrange sensation qu'elle avait alors éprouvée.

La comtesse l'observait avec attention.

— Rothewell a besoin d'un héritier, mademoiselle Marchand, dit-elle en versant un peu de crème dans son café. Vous souhaitez avoir des enfants, j'espère ?

— Oui, madame. Le plus vite possible.

— Eh bien, ma chère, vous me semblez être une femme intelligente. Maintenant, parlons des détails pratiques. Je pense qu'un mariage au début du printemps serait…

— Non, coupa vivement Camille. C'est-à-dire… je vous demande pardon, madame, mais je souhaite me marier tout de suite. Lord Rothewell m'a donné son accord.

— Vraiment ? fit lady Sharpe avec un brin de curiosité. Eh bien, je suppose que cela doit se décider entre vous. Dans ce cas, je vais être directe, si vous permettez. Mon rôle, si j'ai bien compris, est de… comment dire ? de maintenir un peu de distance entre votre père et vous ?

— Oui, madame. Valigny n'est pas considéré comme quelqu'un de respectable, à ce que je crois.

— Oh, ma chère, ce n'est pas tout à fait cela.

— Si, c'est précisément cela. Je n'en prends pas ombrage, madame. Il y a encore trois mois, je connaissais à peine Valigny. Je n'avais jamais passé plus de quinze jours en sa compagnie. Mais je voulais venir en Angleterre, et j'ai pensé qu'il valait mieux me trouver avec lui plutôt qu'être seule.

— Et vous avez eu raison, déclara lady Sharpe en tapotant la main de Camille d'un air réconfortant.

Elle semblait si gentille. Camille prit une profonde inspiration.

— Madame, puis-je… vous poser une question ?

— Absolument, ma chère. Allez-y.

Camille soupesa soigneusement ses mots.

— Lord Rothewell vous a-t-il parlé de ma mère ?

— Oui, bien sûr, répliqua gentiment lady Sharpe. Je ne l'ai jamais rencontrée, mais on m'a dit qu'elle était d'une beauté remarquable.

— Et son… son ancien mari ? Lord Halburne ? Le connaissez-vous ?

Lady Sharpe secoua lentement la tête.

— Sharpe a eu l'occasion de lui parler une fois, il me semble. Mais Halburne mène une vie de reclus, on ne le voit presque jamais en ville.

Camille poussa un soupir.

— Oui, c'est ce que m'a dit Valigny, chuchota-t-elle. Mais je n'étais pas sûre…

— De pouvoir le croire ? acheva la comtesse. Si c'est cela, je suppose que vous le pouvez, oui.

— *Bon,* murmura Camille. Je ne verrai pas Halburne, donc ? Je ne pourrai pas… comment dit-on ? tomber contre lui ?

— Tomber sur lui, rectifia lady Sharpe. Non, ma chère. Je ne le pense pas.

— Merci, madame. Merci.

Mais lady Sharpe paraissait pensive. Son esprit s'était visiblement égaré vers d'autres préoccupations.

— J'avais une gouvernante française quand j'étais petite, dit-elle enfin. Son nom était Vigneau, et sa famille était de Saint-Léonard. Votre village se trouvait-il par là ?

— Oui, madame. Nous n'étions pas très éloignés de Saint-Léonard, et il y a beaucoup de Vigneau dans la région.

— Mlle Vigneau n'est pas restée longtemps avec moi, hélas. Je l'aimais beaucoup, mais sa famille l'a rappelée assez rapidement en France. On avait arrangé un brillant mariage pour elle, avec un noble de la région.

— C'est une chance pour elle.

— Et aussi pour nous, peut-être, dit lady Sharpe en se tapotant la joue du bout des doigts. Je pourrais inventer sans trop de mal un vague lien de parenté entre elle et vous. Quelque chose qui expliquerait que vous soyez venue passer quelque temps chez moi.

À cet instant, il y eut du bruit à la porte. Camille se tourna et vit entrer une femme grande et mince, vêtue d'un costume bleu foncé.

— Oh, mon Dieu ! s'exclama celle-ci. Vous avez de la visite. Je pensais vous trouver seule à cette heure-ci. Pardonnez-moi.

Lady Sharpe se leva et alla vers la jeune femme en lui tendant les mains.

— Ma chère, entrez. Mlle Marchand est mon invitée pour quelques jours. Venez faire sa connaissance.

La jeune femme défit d'un geste vif les rubans de son chapeau. Elle semblait enceinte de quelques mois.

— Je vous demande réellement pardon, reprit-elle en soulevant son chapeau, pour révéler un savant arrangement de boucles noires et brillantes. Je suis passée devant ce pauvre vieux Strothers sans lui laisser le temps de m'annoncer. J'espérais que le petit serait déjà descendu.

— Dans un moment, dit lady Sharpe. Xanthia, je vous présente Mlle Marchand. Et voici ma cousine, lady Nash.

La jeune femme tendit la main à Camille en souriant.

— Vous êtes française, n'est-ce pas ? Cela se voit à la coupe de vos habits. Je me sens un peu gauche, à côté de vous... et très grosse.

— Vous êtes trop bonne, madame, murmura Camille.

— Asseyez-vous, ma chère, dit lady Sharpe en allant prendre une autre tasse sur la desserte.

— Je ne peux rester qu'un instant, annonça lady Nash en s'asseyant dans un fauteuil. Ma voiture m'attend, je me rends à Wapping.

— Oui, je vois, répondit lady Sharpe, visiblement mal à l'aise. Et votre frère ne vous a pas parlé de... de mon invitée ?

— Kieran ? Mon Dieu, non.

Camille sentit son cœur sombrer. *Kieran ?* Cette dame était donc la sœur de Rothewell !

Lady Nash continua de bavarder en laissant tomber plusieurs morceaux de sucre dans son café.

— De toute façon, je ne l'ai pas vu depuis mercredi. Pourquoi ? A-t-il fait la connaissance de Mlle Marchand ?

— Eh bien, oui, fit la comtesse. Et il m'a mise dans une position délicate. J'espère que vous aurez la gentillesse de le réprimander.

— Je ne laisse jamais passer une occasion de le faire, assura lady Nash en regardant les deux femmes tour à tour. Allons, mesdames. Il est clair que le chat a mis le nez dans le bol de crème. L'une de vous aura-t-elle la gentillesse de me dire de quoi il s'agit ?

— Je vais le faire, dit la comtesse d'un ton manquant de conviction. Mais votre frère m'en voudra certainement d'avoir gâché son effet de surprise. Mlle Marchand vient d'accepter la demande en mariage de Rothewell.

La jeune femme se figea, plaquant une main sur son ventre arrondi.

— Je… vous demande pardon ?

— Kieran et Mlle Marchand… je veux dire, Camille, vont se marier. Il faut que vous la félicitiez.

— C'est une plaisanterie ? s'exclama Xanthia, l'air horrifié.

Camille sentit son visage s'enflammer. Seigneur, comment avait-elle pu imaginer que son plan fonctionnerait ? Tout le monde savait qui elle était, et tout le monde allait la détester. Elle n'aurait jamais dû traverser la Manche.

— Xanthia ! protesta lady Sharpe d'un ton gentiment grondeur. Vous devriez vous réjouir pour eux.

Lady Nash avait perdu toute couleur.

— C'est sérieux, alors ? Eh bien… naturellement, mademoiselle Marchand, je vous souhaite d'être heureuse. C'est juste que… que je suis un peu choquée. Oui, c'est le premier mot qui me vient à l'esprit.

— Merci, madame, dit Camille en se levant avec raideur. C'est un mariage de convenance, en réalité. Nous venons tout juste de nous rencontrer. Je vous laisse, à présent. Je suis sûre qu'il y a des choses dont vous préférez vous entretenir en privé.

Lady Nash lui prit la main.
— Je vous demande pardon. Je suis abasourdie, mademoiselle Marchand, voilà tout. Ma réaction n'a rien à voir avec vous.
— Rasseyez-vous, ma chère, décréta lady Sharpe. Xanthia a été surprise, rien de plus. Je dirai ma façon de penser à Kieran, soyez-en certaine. La situation dans laquelle il nous a laissées est diablement gênante.
Camille se tourna vers lady Sharpe et esquissa une brève révérence.
— Je vous remercie, madame, pour votre bonté et votre hospitalité. Je souhaite me retirer dans ma chambre, à présent.
Elle sentit le regard brûlant des deux femmes la suivre tandis qu'elle gagnait la porte.
Une fois dans le couloir, elle referma et s'adossa au battant de chêne. Ses jambes la portaient à peine. Mais elle aurait entendu l'exclamation horrifiée de lady Nash même si elle avait été à l'autre bout du corridor.
Lady Nash la détestait. Tout le monde allait la détester.
Camille parvint toutefois à ravaler ses larmes et à redresser les épaules. Il ne servait à rien de céder à la panique, ou de s'apitoyer sur soi. Les fautes des parents rejaillissaient sur leurs enfants. C'était même écrit dans la Bible, n'est-ce pas ?
Elle ne pouvait rien changer à ce qu'elle était, ni obliger les gens comme lady Nash à l'aimer. De toute façon, elle avait déjà vécu de pires épreuves que celle-ci. Elle devait tenir bon, et espérer que lord Rothewell tiendrait sa promesse. Il ne semblait pas être un homme très fiable, mais existait-il dans le monde un homme sur qui l'on pouvait compter ?

Trammel était dans le hall et faisait descendre le lustre pour le dépoussiérer, lorsque Xanthia fit irruption dans la maison de Berkeley Square. Elle n'avait même pas pris la peine de frapper à la porte. Bien qu'elle soit mariée maintenant, elle se sentait toujours chez elle ici.

— Bonjour, mademoiselle Zee, dit Trammel en jetant un coup d'œil par-dessus son épaule. Arrêtez ! Arrêtez ! Inutile d'aller plus loin.

Xanthia sursauta.

— Comment ?

Tout le monde marchait donc sur la tête, aujourd'hui ?

— Puis-je vous rappeler, Trammel, que mon nom figure toujours sur l'acte de propriété de cette maison ?

Le majordome détourna les yeux de la masse de cristal étincelant, puis son visage s'éclaira.

— Oh, non, pas vous, mademoiselle Zee. C'est le lustre... J'ai dit d'arrêter, bon sang ! hurla-t-il en levant la tête vers l'escalier.

Les tintements du verre cessèrent aussitôt. Trammel s'écarta de l'escalier et adressa à Xanthia un regard désolé.

— Je vous demande pardon, madame. Tout va à la dérive, aujourd'hui.

— Et comment, marmonna Xanthia en observant les pampilles de cristal qui se balançaient à hauteur de ses yeux. Mais pourquoi avez-vous descendu le lustre ? Nous ne nous en servons jamais. Personne ne le regarde.

Le majordome leva ses mains brunes dans un geste d'impuissance.

— Une idée du maître, madame.

— Il a encore un verre dans le nez, je suppose ? dit-elle en posant les mains sur ses reins douloureux. Peu importe, Trammel. Je suis venue pour discuter avec lui.

— En fait, madame, je crois qu'il est plus ou moins sobre. Du moins, il l'était quand il a donné ses ordres au sujet de la maison.

— Quels ordres, exactement ? s'enquit Xanthia, soupçonneuse.

Trammel leva les yeux au ciel, l'air accablé.

— Nous sommes censés la nettoyer « du sol au plafond et de fond en comble ». Secouer les tapis, enlever les tentures, polir l'argenterie. Il faut même aérer le grenier... et tout cela avant la fin de la semaine ! Et si nous oublions le moindre grain de poussière, il nous enverra tous au bagne.

— Et vous l'avez cru ?

— Oh non, mademoiselle Zee. Je connais le maître depuis trop longtemps. Mais certaines nouvelles servantes l'ont cru, elles. La semaine dernière, il a lancé un livre à la tête de Mme Gardener quand elle est entrée dans la bibliothèque pour faire la poussière. Il s'était endormi dans le fauteuil rouge. Comment aurait-elle pu le voir, là-bas au fond ?

— Oui, comment ?

Xanthia serra les poings. Si son frère l'obligeait à engager encore une nouvelle gouvernante, c'était lui qu'elle expédierait au bagne !

— Où est-il ?

— Dans son bureau, madame. Mais soyez prudente, je vous en prie. Obelienne m'a dit qu'il était d'une humeur bizarre, aujourd'hui.

— Oh, ça ne m'étonne pas, marmonna-t-elle en s'engageant dans le couloir.

Obelienne était leur cuisinière depuis presque dix ans. Kieran et elle avaient beaucoup de chance que Trammel et Obelienne aient accepté de quitter La Barbade pour les accompagner à Londres. Ils étaient les seuls, parmi les domestiques, à supporter son frère. Les autres avaient tous pris la poudre d'escampette après le mariage de Xanthia.

Malgré son agacement, Xanthia ne manqua pas de remarquer les odeurs familières tandis qu'elle traversait la maison. Le parfum du bois de cèdre et des épices, et quelque chose d'indéfinissable, qui rappelait irrésistiblement les Antilles. Les senteurs de leur enfance. Ils les avaient ramenées de La Barbade jusqu'à Londres, comme des souvenirs.

Elle trouva Kieran debout devant l'une des fenêtres donnant sur le jardin, sa silhouette massive absorbant presque toute la lumière. Il tenait un verre de cognac dans sa main.

— Mon Dieu, il est à peine onze heures du matin ! lança Xanthia en dénouant les rubans de son chapeau. Un peu tôt pour se mettre à boire, tu ne crois pas ?

Il se retourna lentement. Il semblait parfaitement sobre.

— Onze heures ? répéta-t-il en prenant une gorgée de cognac. Je dirais plutôt qu'il est tard. Je ne me suis pas encore couché, tu vois.

Elle tira avec agacement sur les rubans qui s'étaient emmêlés.

— Franchement, Kieran, aurais-tu perdu l'esprit ? s'écria-t-elle, son chapeau de guingois sur la tête. Je reviens juste de chez Pamela ! Sais-tu ce que j'ai découvert là-bas ? Le sais-tu ?

Une émotion étrange traversa les yeux de Kieran, et son expression s'adoucit.

— Ah, dit-il en posant son verre sur le bureau d'acajou. Tiens-toi tranquille, tu vois bien que tu fais des nœuds dans tes rubans.

— Kieran ! répéta-t-elle tandis qu'il se penchait pour l'aider. Où avais-tu la tête ? Une femme que tu ne connais même pas ! De toute façon, tu n'as pas envie de te marier.

Il haussa un épais sourcil noir.

— Tu crois ? Aurais-tu un pouvoir de divination que tu m'aurais caché jusqu'ici, Zee ?

Il finit par démêler les rubans, et souleva délicatement le chapeau de sa sœur. Celle-ci lui adressa un regard noir, et posa sa coiffe à côté d'elle.

— Tu n'as jamais manifesté le moindre intérêt pour le mariage. On ne t'a jamais vu en compagnie d'une femme respectable… et je ne compte pas Christine ! Et maintenant cette pauvre, pauvre petite !

— Pourquoi « pauvre » ? demanda-t-il en allant prendre un cigare dans le tiroir de son bureau.

Xanthia agita la main.

— Oh, pour l'amour du Ciel, n'allume pas cette chose, cela me donne la nausée.

— Je vois, dit-il en laissant retomber le cigare dans le tiroir.

— Non, tu ne vois pas ! rétorqua-t-elle d'une voix un peu stridente. Je l'ai regardée d'une telle façon qu'elle croit que je la déteste. Elle était horrifiée, et moi aussi.

— Et est-ce qu'elle te déplaît vraiment ?

Il y avait un vague avertissement dans ces mots.

— Je ne sais pas. En tout cas, je ne veux certainement pas que tu l'épouses !

— Pour quelle raison ?

Il haussa de nouveau les sourcils, comme pour l'intimider.

— Parce que cela gâcherait sa vie, Kieran. À moins que tu n'aies l'intention de renoncer à tes mauvaises habitudes. Et ce n'est pas le cas, n'est-ce pas ?

— Je pense qu'il est trop tard, ma vieille. Je ne suis qu'un vieux dépravé, habitué à vivre dans le péché.

Xanthia contourna le bureau et s'assit dans un fauteuil. Cette conversation ne se passait pas comme elle l'aurait souhaité. Depuis que le bébé avait grossi, elle se sentait nerveuse, irritable. Tout lui parvenait de façon amplifiée : les pensées, les bruits, les odeurs, les contrariétés. Toutefois, elle ne devait pas passer sa colère sur son frère, même s'il le méritait mille fois.

— Comment as-tu fait pour rencontrer la fille de Valigny ? demanda-t-elle doucement. Il ne vous a tout de même pas présentés ?

— Non. Je l'ai gagnée aux cartes, annonça-t-il en reprenant son verre.

— Oh, mon Dieu !

Xanthia ferma les yeux et posa une main sur son ventre. Elle se sentait un peu moite, et envahie d'une étrange faiblesse.

— Oh, je crois que je vais accoucher avant terme. Et ce sera ta faute.

À son grand étonnement, Kieran pâlit un peu, et prit un magazine pour l'éventer.

— Tu es à bout de forces, Zee. Respire, je t'en prie. Tu ne peux pas avoir cet enfant maintenant… si ?

— Je ne le crois pas. Mais j'ai l'impression que je vais m'évanouir… Kieran, je t'en prie, dis-moi la vérité. Tu n'as pas gagné Mlle Marchand au cours d'une partie de cartes, n'est-ce pas ?

— Eh bien, j'ai gagné le droit de l'épouser, expliqua-t-il. Ce n'est pas tout à fait la même chose, je suppose ?

Xanthia se redressa.

— Tu es sérieux ?

— Tout à fait. Je me trouvais chez Valigny hier soir.

— Oui, je sais. Pamela me l'a dit. Qui d'autre était présent ?

— Enders et Calvert.

— Lord Enders ! Quelle horreur ! Cet homme affreux… Oh, mon Dieu ! Est-ce que l'un d'entre eux risque de parler ? Si c'est le cas, la réputation de cette enfant sera détruite.

— J'ai réfléchi à cela, dit Kieran d'un ton détaché. Calvert est encore un peu un gentleman. Quant à

Enders, il faudra que je le menace pour qu'il tienne sa langue. Valigny aussi, je pense.

Comment pouvait-on envisager un mariage aussi froidement ? se demanda Xanthia.

— Son propre père ! chuchota-t-elle. Et avec lord Enders ! Comment a-t-il pu…

Kieran haussa les épaules, et avala d'un trait le reste de son cognac.

— Valigny n'a pas de scrupules. Et il a de mauvaises fréquentations. Moi, par exemple.

— Eh bien, dans le domaine de la dépravation, tu n'es qu'un amateur, comparé à lord Enders.

— Je te remercie pour ta foi inébranlable dans mon mérite.

— Et tu comptes vraiment aller jusqu'au bout ?

Kieran ouvrit de nouveau le tiroir, en sortit un document et le lança sur le bureau. Xanthia le prit pour l'examiner. C'était une licence spéciale, signée et en règle.

— Comment as-tu fait pour l'obtenir si vite ? s'enquit-elle en secouant la feuille de papier.

— Ton vieil ami, lord Vendenheim. Il connaît des gens qui connaissent des gens. Et comme il se trouve qu'il me doit une faveur, je me suis rendu à Whitehall ce matin pour lui rappeler sa dette.

— Il me doit aussi une chose ou deux, fit remarquer Xanthia d'un ton offensé. J'ai bien failli me faire tuer, dans son affaire de contrebandiers.

— Oh non, ma chère ! s'exclama Kieran en s'appuyant au bureau. Tu t'es mariée, et tu t'es retrouvée enceinte. Et probablement pas dans cet ordre. Rien de cela n'est la faute de Vendenheim.

Xanthia leva les mains devant elle, comme si elle était sur le point de s'arracher les cheveux.

— Il n'est pas question de moi !

— Je préfère parler de toi que de moi, ma chère, rétorqua son frère. Cela me paraît moins… indiscret.

— Mais pourquoi, Kieran ? Dis-moi seulement pourquoi tu fais cela ! J'ai des soupçons, vois-tu. Et je veux… j'ai *besoin* de savoir que je me trompe.

— Fais attention, Zee. Tu as tendance à dramatiser un peu.

— Réponds à ma question, répliqua-t-elle sèchement. Les femmes enceintes ont parfois de drôles d'idées, et en ce moment je suis fascinée par ce coupe-papier en argent, sur ton bureau.

Rothewell considéra l'objet en question, et haussa les épaules.

— Il faudra que tu me poignardes dans le dos, dit-il en se dirigeant vers la desserte. Mon envie de cognac est assez forte pour me pousser à risquer la mort. Mais, pour en revenir à ta question, je suppose que tu ne me croiras pas si je te dis que cette jeune femme m'a fait de la peine ?

— Elle t'a fait de la peine au point de vouloir l'épouser ? Je n'en crois pas un mot.

Kieran ôta le bouchon en cristal de la carafe, et se servit à boire d'une main sûre. Ses gestes étaient toujours précis. Seul son caractère semblait subir les conséquences de ses habitudes déplorables. Il ne dormait jamais quand il le fallait, ne mangeait pas aux heures des repas. Le mot « modération » ne faisait pas partie de son vocabulaire. Le mot « mariage » non plus.

Soudain, il posa la carafe, mit les mains à plat sur la desserte, et regarda Xanthia dans le miroir.

— Tu vas avoir un enfant, dit-il. Ce sera l'héritier de Nash. Pamela a fait la même chose pour Sharpe. Il arrive parfois, Zee, qu'un homme… même aussi dépravé que moi, s'interroge sur sa descendance. Qu'il se demande si… s'il demeurera quelque chose de lui après sa mort.

Il finit par se retourner. Elle le contempla longuement, avec circonspection. Descendance, mon œil ! songea-t-elle. Elle avait deviné dès la première seconde. Maintenant, elle était presque sûre d'avoir compris.

— Non, finit-elle par dire. Non, tu ne me feras pas avaler ça. Tu n'as jamais songé une seconde à ta descendance. N'oublie pas, Kieran, que je l'ai *vue*. Ce qui n'est pas le cas de Pamela.

Kieran la dévisagea avec curiosité.

— Ne sois pas ridicule. Tu viens de me dire que tu étais avec Pamela quand tu l'as vue.

Xanthia secoua lentement la tête.

— Non, je ne parle pas de Mlle Marchand. Je parle d'Anne-Marie.

Son frère se figea.

— Que diable veux-tu dire ?

Mais il savait fort bien ce qu'elle voulait dire. Elle le vit à son expression, et au nerf qui tressauta sur sa joue lorsqu'il crispa les mâchoires.

— Je fais allusion à notre chère belle-sœur, malheureusement disparue, dit-elle d'une voix douce. Oui, Mlle Marchand a certains traits communs avec la femme de Luke. Les cheveux et les yeux sombres, la peau mate. L'accent français. Elle ne ressemble pas à Anne-Marie comme sa fille, non… mais il y a des points communs.

Les yeux gris de son frère étincelèrent.

— Je te prie de ne pas t'aventurer plus loin dans ce genre de conversation, Xanthia. Va-t'en. Rentre chez toi. Je suis fatigué, et je n'ai pas envie d'écouter de pareilles sornettes.

Xanthia posa les mains sur les accoudoirs pour se lever.

— Tu ne veux pas l'admettre, n'est-ce pas ? Il le faut pourtant, Kieran. Cette pauvre petite a le droit de se marier par amour. Et non parce que tu as pitié d'elle. Ou parce qu'elle te rappelle quelqu'un que tu as aimé autrefois.

Son frère ne la laissa pas aller plus loin.

— Sors, bon sang ! hurla-t-il en jetant son verre dans la cheminée.

Le cristal se brisa en mille morceaux qui s'éparpillèrent autour de l'âtre.

— Sors, Xanthia ! Les morts sont morts, ils ne reviendront pas. Tu crois que je ne le sais pas ?

Son visage se tordit de rage. Le cognac s'était enflammé sur les braises, et de délicates flammes bleues léchaient les parois du foyer. Mon Dieu. Elle l'avait vraiment poussé à bout.

— Kieran, je ne voulais pas...

— Sors ! ordonna-t-il d'une voix tonitruante. Oui, tu le voulais, Xanthia. Tu n'arrêtes pas de revenir sur cette histoire.

Il plaqua une main sur sa tempe, comme si celle-ci était douloureuse.

— Luke est mort. Sa femme est morte... et j'ai fait tout ce que je pouvais pour sa fille. J'ai fait mon devoir, bon sang.

— Et Martinique sait que tu as toujours pris soin d'elle. Mais tu ne peux pas te résoudre à la regarder, Kieran. Bon sang, tu l'as envoyée à deux mille kilomètres de La Barbade, parce qu'elle te rappelait trop sa mère. Anne-Marie. Cette pauvre Camille a le droit d'épouser quelqu'un qui l'aimera pour ce qu'elle est. Et non parce que c'est une autre beauté brune qui a besoin d'être secourue.

Kieran se dirigea vers elle d'un pas lourd.

— Mais je n'ai pas secouru Anne-Marie, n'est-ce pas ? C'est Luke qui a eu ce plaisir... et cette peine.

Xanthia posa une main tremblante sur le bras de son frère.

— Attends un peu, Kieran, chuchota-t-elle. C'est tout ce que je te demande. Attends de mieux connaître Mlle Marchand.

— Pourquoi ? Pour qu'elle puisse me repousser ? Pour qu'elle trouve une autre issue ? C'est ce que tu veux dire, n'est-ce pas ?

Xanthia retira sa main, et laissa tomber son regard sur le tapis.

— Je suis désolée. Tu as raison, cela ne me regarde pas. Je m'en vais, Kieran. Promets-moi seulement de... de te reposer.

Il ne répondit pas, et elle se décida à le regarder. Le visage de son frère était blême. Il avait fermé les yeux, et la souffrance déformait ses traits.

— Kieran ? dit-elle en lui pressant le bras. Kieran, qu'y a-t-il ?

Il fut parcouru d'un long frémissement. Poussant un cri de douleur, il s'effondra sur les genoux, une main agrippant le bord du bureau, l'autre crispée sur sa poitrine.

Xanthia courut à la porte, qu'elle ouvrit à la volée.

— Trammel ! cria-t-elle. Trammel ! Pour l'amour du Ciel, venez vite !

Le majordome surgit dans l'instant. La panique s'inscrivit sur son visage quand il vit Kieran. Il s'agenouilla à côté de lui, et passa un bras autour de sa taille.

— Pouvez-vous vous relever, monsieur ? Je vais vous aider à vous mettre au lit.

Xanthia observa les deux hommes. Les boucles grises et serrées de Trammel contrastaient avec la tignasse brune de son frère. Celui-ci essaya de se redresser en gémissant. Le majordome le soutint, et se tourna vers elle.

— Ce n'est rien, mademoiselle Zee. Cela lui arrive parfois.

— Depuis quand ?

— Quelque temps, répondit-il vaguement. Votre frère a besoin d'un bon repas chaud et de repos, voilà tout. Il ne s'est pas couché depuis trois jours... Pas dans cette maison en tout cas, précisa-t-il avec un bref sourire.

Xanthia dévisagea son frère avec inquiétude. Kieran avait dû boire plus que de raison. Mais il semblait tenir un peu mieux sur ses jambes, à présent. L'expression d'intense souffrance avait disparu, remplacée par une grimace.

— Oh, rentre chez toi Zee, je t'en prie, parvint-il à articuler. Tu n'as pas un mari dont tu dois t'occuper ?

Xanthia les regarda s'éloigner. Kieran s'appuyait lourdement sur Trammel, mais sa démarche était régulière.

Elle était inquiète. Très inquiète. Cette affaire avec Mlle Marchand n'avait aucun sens. Kieran avait un esprit clair et logique. Il ne cherchait pas à se dissimuler la vérité, même si celle-ci était douloureuse.

C'était un pécheur, certes, mais il portait le fardeau de ses péchés comme une pénitence. Quant à son amour pour Anne-Marie… c'était une lourde chaîne suspendue à son cou.

Qu'est-ce qui avait changé, depuis que Xanthia avait quitté cette maison ? Kieran. C'est lui qui avait changé.

Elle se rendit compte qu'elle le connaissait très peu… Et, pire encore, que Kieran lui-même connaissait très peu les profondeurs de son propre cœur.

4

Une promenade dans le jardin

Finalement, lord Rothewell ne retourna pas chez sa cousine avec un prêtre dès le lendemain matin. Lady Sharpe parvint à le convaincre qu'un délai d'une quinzaine de jours ne ferait pas de mal, et serait même bénéfique.

Camille n'aurait su expliquer pourquoi, mais elle se moquait désormais de l'opinion de la bonne société. Il était clair que la comtesse, elle, était de son côté. Et donc, Camille l'accompagna dans une visite tourbillonnante du Londres à la mode, ou du moins ce qu'il en restait à cette époque de l'année.

Le mardi, il y eut un après-midi à Oxford Street, avec lady Sharpe et sa fille lady Louisa. Le vendredi, une visite à la Royal Academy avec lord Sharpe. Un homme affable et corpulent qui ne connaissait rien à l'art, mais fut heureux de l'escorter et de la présenter à toutes ses connaissances. Entre les deux furent casés une petite soirée à Belgravia, un salon littéraire à Bloomsbury et une visite à Kew Gardens.

À chaque sortie, lady Sharpe lui présentait une foule de gens, dont certains s'éloignaient en chuchotant. C'était inévitable. L'anecdote de la comtesse concernant son ancienne gouvernante passait bien, mais il était impossible de ne pas évoquer complètement les parents de Camille.

— Ne vous inquiétez pas, ma chère, disait la comtesse pour la consoler. La saison prochaine, votre nom suscitera tout au plus un haussement de sourcils.

Lady Sharpe semblait connaître tous les gens qui comptaient, et les invitations surgissaient comme par magie. Lord Rothewell était peut-être indésirable dans la bonne société, mais sa famille avait des relations.

Rothewell étonna Camille en lui rendant brièvement visite chaque après-midi. Il parlait peu, et se contentait de fixer son regard gris et brillant sur elle, tandis que lady Sharpe servait le thé et lui exposait leurs projets de sortie.

Il avait toujours l'air aussi sombre et aussi dissolu, et paraissait aussi furieux qu'un lion en cage. Et, au profond agacement de Camille, les coups d'œil qu'il lui coulait avaient toujours le pouvoir de lui faire battre le cœur. Elle aurait désespérément voulu oublier ce baiser fou et brûlant qu'ils avaient échangé dans son petit salon, et cesser de penser à son corps viril la pressant impitoyablement contre la porte.

Mais elle n'y parvenait pas, et elle avait même le plus grand mal à détacher les yeux de cet homme diabolique. Oh, il ne fallait pas qu'elle tombe amoureuse de lord Rothewell. Il lui donnerait son nom et, peut-être, un enfant à aimer. Mais jamais, jamais il ne lui donnerait son cœur. Il ne fallait pas qu'elle ait la faiblesse, et la naïveté, d'en espérer autant.

Le samedi, Camille fut invitée à une promenade dans le parc avec lord Nash, le beau-frère de Rothewell. Un homme si élégant qu'il aurait fait de l'ombre au plus raffiné des dandys parisiens. Il conduisait un phaéton si haut et si délicat que Camille craignait de le voir se briser à la première ornière du chemin. Mais lord Nash était un conducteur admirable et, n'étant lui-même qu'à moitié anglais, il avait un esprit analogue au sien.

Il la mit immédiatement à l'aise en lui racontant son enfance sur le Continent, et la mort de son oncle, qui avait obligé sa famille à revenir en Angleterre.

— Est-ce que ce fut très difficile, monsieur ? Vous êtes-vous senti comme un poisson hors de l'eau ?

— Oui, avoua-t-il en riant. La bonne société représentait un défi. Et puis, j'ai compris que la meilleure solution était de les snober.

— Les snober ? répéta Camille.

— En effet. Si vous les regardez de haut, ils vous respecteront. Voyez-vous, mademoiselle Marchand, il faut considérer le *beau monde* comme l'arrière-train d'un cheval.

Camille étouffa une exclamation amusée.

— C'est vrai, continua lord Nash avec une feinte solennité. C'est une chose bien musclée, et potentiellement dangereuse, capable néanmoins de respecter bien plus petit que soi.

Il fit une démonstration en donnant un léger coup de fouet à ses deux superbes chevaux noirs.

— Mais il faut leur faire sentir votre supériorité, en se comportant avec condescendance.

— Oh, mon Dieu ! s'exclama Camille en riant de bon cœur. Oserai-je suivre ce conseil ?

— Ma chère, vous êtes à moitié française. Personne ne peut réussir mieux que vous.

— *Très bien,* concéda-t-elle. J'essayerai.

Lord Nash la regarda en souriant. Il ne semblait pas du tout la détester. De fait, sa femme était venue prendre le thé, la veille. Rothewell serait sans doute un mauvais époux, mais les membres de sa famille étaient bons.

Lord Nash ramena le phaéton devant la maison de Hanover Street, et l'aida à descendre de voiture.

— Votre épouse m'a dit que vous attendiez un heureux événement, reprit-elle en posant le pied à terre. *Félicitations,* monsieur.

Il sourit encore, mais l'inquiétude perça dans son regard.

— Félicitations à vous aussi, dit-il doucement. J'ai cru comprendre qu'il y aurait une annonce dans les jours à venir.

— *Merci,* monsieur. Le mariage est une perspective effrayante, n'est-ce pas ? Votre avis me serait précieux, si vous aviez la bonté de me le donner.

Lord Nash parut hésiter.

— Je suis désolé, je ne connais pas très bien lord Rothewell. J'ai épousé sa sœur il y a à peine quelques mois. Je sais qu'elle l'adore, et qu'il fait son désespoir. Je vous souhaite bonne chance, mademoiselle Marchand.

Bonne chance.

Tout en montant les marches du perron, Camille songea aux paroles de lord Nash. Il ne l'avait pas félicitée. Il n'avait pas dit : « Vous passerez de nombreuses années heureux ensemble. » Non, juste « bonne chance ». Comme si elle venait de miser sur un cheval boiteux, ou d'investir dans une mine de plomb.

Lord Rothewell était un peu plus compliqué que les autres membres de la bonne société. Elle aurait probablement besoin d'un très grand fouet pour en venir à bout.

Dès son deuxième jour à Hanover Street, Camille eut la chance de découvrir la nursery, dans laquelle régnait le petit lord Longvale. Si elle avait été déconcertée d'apprendre que lady Sharpe venait de mettre au monde un enfant, elle ne fut nullement étonnée de constater que celle-ci raffolait du bébé. La vie entière de la maison tournait autour des besoins de l'enfant et, au bout de quelques jours, Camille fut au diapason.

La comtesse fut heureuse quand Camille lui demanda de passer du temps avec le petit garçon. La gouvernante, expliqua lady Sharpe, serait contente d'avoir une heure pour se reposer, car elle était âgée et avait renoncé à sa retraite pour revenir auprès de la comtesse à la naissance du bébé. Lord Longvale dormait encore beaucoup, mais Camille aimait s'asseoir à côté du berceau, avec son ouvrage.

Lorsque la gouvernante avait quelque course à faire, Camille prenait sa place dans la nursery. De temps en temps, l'enfant s'agitait, et agrippait le doigt que la jeune femme lui tendait. Puis, fixant sur elle ses grands yeux d'un bleu limpide, il battait joyeusement des jambes, rejetant la couverture qui lui couvrait les pieds. Camille trouvait ces instants captivants… et se sentait émue parfois jusqu'aux larmes.

Ce jour-là, Camille avait pris un livre, mais avait rapidement renoncé à sa lecture. Un rayon de soleil matinal s'insinua entre les tentures, illuminant le visage du bébé. Lord Longvale était un petit être délicieux, et elle aurait donné cher pour qu'il soit à elle. Elle était amère et irritable, certes. Peut-être était-ce sa nature, peut-être la vie l'avait-elle rendue ainsi. Mais elle n'en était pas moins femme, et éprouvait des désirs de femme.

Camille ferma les yeux et se concentra sur les doigts minuscules du bébé, s'agrippant aux siens. Elle espéra qu'elle n'avait pas trop attendu. Si elle avait essayé, elle aurait sûrement pu trouver un mari plus tôt. Elle n'aurait pas eu besoin d'en arriver à ce mariage arrangé, avec un homme qu'elle ne connaissait pas. Un homme qui l'épouserait pour son argent, sans même feindre l'affection.

Bon. Les sentiments larmoyants ne changeaient rien.

Camille extirpa ses doigts de la main du bébé, et arrangea la couverture sur ses petits pieds. Un mariage. Un enfant. Peut-être aurait-elle bientôt les deux.

Elle se rappela la scène que sa mère lui avait faite quand elle lui avait annoncé, à l'âge de dix-sept ans, son intention de s'enfuir avec le fils du jardinier. Cela lui avait valu une semaine d'emprisonnement dans sa chambre.

La mère de Camille n'avait pas estimé que sa fille était trop jeune... ni que le fils du jardinier n'était pas digne d'elle. En fait, elle s'occupait rarement de Camille, jusqu'à ce que celle-ci lui annonce son intention de partir. Alors, il y avait eu la maladie, l'irascibilité. Les évanouissements. Les frissons. Les maux sournois qui, elle en était certaine, ravageraient sa beauté et la laisseraient privée de tout, excepté de l'amour et de la compagnie de sa fille.

Lorsqu'on était jeune, on se laissait facilement convaincre par de telles balivernes, car on avait besoin de l'affection de ses parents... ou de n'importe qui, d'ailleurs. À ces moments-là, Camille se retrouvait enfin au centre des préoccupations de sa mère. Elle devenait son plus grand trésor. Jusqu'à ce qu'un beau gentleman passe par là, ou que sa mère rassemble assez d'argent pour aller s'amuser quelques mois à Paris.

Et donc, son amour pour le fils du jardinier s'était évanoui... tout comme son intérêt pour un noble campagnard au visage grave, ou encore pour un jeune prêtre, qui avait sérieusement remis en doute sa vocation en apercevant les chevilles de Camille alors que celle-ci sautait par-dessus un ruisselet. Aucun de ces hommes ne constituait un bon parti pour elle… mais n'importe lequel d'entre eux aurait été préférable au débauché sur lequel elle avait fini par tomber. N'importe lequel aurait pu lui donner l'enfant qu'elle désirait.

Et cependant, elle avait laissé filer le temps.

Lord Rothewell pensait sûrement qu'elle voulait un enfant pour des raisons financières… en supposant qu'il lui arrivât de penser à elle. S'il était comme Valigny, ce qui était probable, il ne devait songer qu'à l'argent qu'elle allait lui rapporter.

Ses sombres ruminations furent interrompues par le grincement de la porte tournant sur ses gonds. Lady Sharpe entra et annonça d'une voix grave :

— Rothewell est là. Il souhaite faire une promenade dans le jardin avec vous.

Camille éprouva une soudaine vague de panique.

— Mais, le bébé…

— Levez-vous, ma chère, dit la comtesse en lui tendant la main. Prenez votre châle. Je resterai jusqu'au retour de Thornton.

Camille obéit, et lady Sharpe lui pressa gentiment la main.

— Vous n'êtes pas obligée de l'épouser, Camille, ajouta-t-elle doucement. Personne ne vous fera de reproches, si vous refusez. Mais il faut que vous lui parliez.

Camille rejeta les épaules en arrière.

— Je n'ai pas peur de lui, madame. Il aboie fort, mais je peux mordre, moi aussi.

La comtesse sourit.

— Mon Dieu, mon Dieu, murmura-t-elle en prenant la place de Camille dans le fauteuil. Mon cousin aurait-il enfin trouvé quelqu'un à sa mesure ?

Camille saisit son châle et son livre, et descendit retrouver son futur époux. Elle espéra qu'il serait un peu plus sobre, et moins débraillé que la dernière fois qu'ils s'étaient vus. Il lui avait paru irascible, aussi. Mais il est vrai que le fait de passer ses nuits à jouer aux cartes et à boire devait avoir des conséquences sur le caractère et sur l'allure vestimentaire. Camille espéra également qu'il ne lui lancerait pas un de ces longs regards en biais qui la faisaient défaillir. Mon Dieu, comment pouvait-elle être aussi idiote ?

Lord Rothewell l'attendait dans un petit salon ensoleillé, à l'arrière de la maison. Il avait le regard perdu dans le jardin. Il tenait d'une main une cravache qu'il faisait claquer impatiemment contre le revers de sa botte, et son autre main était posée sur ses reins. Elle fut frappée une fois de plus par sa stature impressionnante.

Elle s'était dit qu'elle était si furieuse, lors de leur première rencontre, qu'elle l'avait vu plus grand et plus massif qu'il n'était en réalité. Mais elle se trompait. Rothewell était grand, et il avait une allure impérieuse. Son costume sombre mettait en valeur ses épaules incroyablement larges, et ses bottes de cuir noir montaient bien au-dessus du genou.

Cependant, nul n'aurait trouvé cet homme élégant, en dépit de ses habits luxueux. Lorsqu'elle briserait le charme de cet instant en prononçant son nom, et qu'il pivoterait vers elle, serait-elle déçue ? Elle savait que son teint était trop brun, ses cheveux trop noirs et beaucoup trop longs. En fait, lord Rothewell avait l'allure d'un homme de la campagne. Il était simplement trop massif et trop austère pour les environs élégants de Mayfair. En le regardant, elle sentit les battements de son cœur s'accélérer.

Elle s'attarda une seconde de trop sur le seuil.

— Bonjour, mademoiselle, dit-il sans se retourner. J'espère que vous allez bien ?

Camille se figea. Puis elle comprit qu'il avait aperçu son reflet dans la vitre.

— Oui, je vous remercie, dit-elle d'un ton distant. Et vous, monsieur ?

Il laissa sa main libre retomber, et se retourna.

— Je vais assez bien, je crois, grommela-t-il en s'écartant de la fenêtre pour lui offrir le bras. Puis-je avoir le plaisir de votre compagnie, dans le jardin ?

Camille posa son livre sur une table près de la porte, et replaça son châle sur ses épaules.

Rothewell jeta un coup d'œil au livre et haussa les sourcils. C'était un traité d'économie.

— Vous avez des lectures remarquables, mademoiselle Marchand, dit-il en passant le bout de son doigt sur la reliure de cuir.

— Vous préféreriez que je lise des romans, monsieur ? Après tout, l'argent fait tourner le monde. Et ceux qui en ont un peu devraient essayer de comprendre comment ça marche.

Il eut un sourire sardonique, qui éclaira son regard.

— Ah, mais vous finirez par en avoir beaucoup, fit-il remarquer. Si tout fonctionne selon vos plans.

— Oui, mais à quoi servirait une fortune dans les mains d'une ignorante ? Si je suis fortunée un jour, monsieur, j'entends gérer ce que le Bon Dieu m'a donné.

À son grand étonnement, il hocha la tête avec gravité.

— Vous êtes très sage, mademoiselle. Ne faites jamais confiance à quelqu'un d'autre en ce qui concerne votre richesse, ou votre avenir.

Camille le dévisagea avec surprise. Elle s'était attendue à ce qu'il exprime son désaccord. D'après ce qu'elle savait de la loi anglaise, ses revenus lui appartiendraient une fois qu'ils seraient mariés. C'était un risque qu'elle était obligée de prendre.

Ils descendirent les marches du perron en silence, et Rothewell accrocha sa cravache au portail en passant. Dans le jardin, la brise était fraîche. Déjà, une odeur de fumée flottait dans l'air d'automne. L'hiver arrivait, songea Camille en jetant un regard à la dérobée à lord Rothewell. Il arrivait peut-être aussi dans sa vie…

Son instinct lui souffla de faire machine arrière. Cet homme était sans doute aussi dangereux qu'il était dépravé. Mais elle ne reviendrait pas sur ce qui avait été conclu. Elle n'avait pas le choix.

Une allée de pierre traversait la pelouse, mais les dalles étaient inégales et glissantes. Rothewell passa devant elle, souple comme un chat, et se retourna pour glisser une main sous son châle et lui agripper la taille.

— Merci, monsieur, mais je…

Trop tard. Il la souleva sans difficulté. Elle s'accrocha instinctivement à ses épaules, et quand ils tournoyèrent ensemble, le temps parut se suspendre. Elle demeura une seconde parfaitement immobile entre ciel et terre. Leurs corps étaient tout proches, ses doigts s'enfoncèrent dans la laine douce du manteau de Rothewell. Ses yeux gris, fascinants, étaient juste à la hauteur des siens, et elle sentit son cœur battre à grands coups.

Sans la quitter des yeux, Rothewell la déposa sur le sol. Mais elle garda les mains sur ses épaules. Celles de Rothewell demeurèrent plaquées sur sa taille, et elle perçut leur chaleur à travers sa robe. Elle resta là, les yeux dans les siens, jusqu'à ce que le silence soit brisé par le bruit d'un attelage dans la ruelle.

Rothewell la relâcha.

— *Merci,* murmura-t-elle en laissant ses mains retomber.

Mais son cœur continuait de battre la chamade, et son parfum frais et masculin l'enveloppait d'un nuage sensuel. Étourdie par une foule de pensées tourbillonnantes, elle avait une conscience aiguë de sa présence virile.

Ils se dirigèrent vers le centre du jardin, et elle mit ces quelques secondes à profit pour se ressaisir. Un peu plus loin, une haie de buis assez haute dissimulait un cercle de rosiers dont les fleurs commençaient de se faner. Rothewell s'immobilisa.

— Je suis venu vous dire, mademoiselle Marchand, que j'ai envoyé à votre père un chèque de vingt-cinq mille livres, annonça-t-il avec douceur. Ceci vous libère de toute obligation envers lui.

Elle tressaillit.

— *Mon Dieu!* murmura-t-elle. Où avez-vous trouvé vingt-cinq mille livres ?

— Ah, ça... dit-il après une seconde d'hésitation. J'ai attaqué une diligence sur la route.

— Vraiment, monsieur? Vous avez donc dépouillé un lâche. Moi, j'aurais attendu de voir si vous saviez tirer, avant de m'arrêter.

— Je n'en doute pas. Les Français sont réputés pour leur témérité au combat. Mais je suis bon tireur, mademoiselle Marchand. Vous auriez donc pris un grand risque.

Camille jugea plus prudent de changer de sujet.

— Et vous désirez toujours m'épouser, monsieur? Sinon, voyez-vous, je n'ai pas les moyens de vous rembourser.

Il posa sur elle un regard direct.

— Je suis là, n'est-ce pas ?

— Vous devez savoir que votre sœur désapprouve notre mariage. Je me demande si elle sait tirer, elle aussi...

— Il se trouve que oui. Mais son opinion est sans importance, ajouta-t-il. En outre, ce n'est pas vous qui lui déplaisez, mais moi... Et je saurai m'en accommoder.

Ah, une querelle de famille. Camille décida qu'il était plus prudent de tenir sa langue. Lord Rothewell se remit à marcher. Son expression était indéchiffrable.

Pourquoi diable voulait-il l'épouser, songea Camille, s'il était capable de trouver vingt-cinq mille livres en quelques jours pour contenter le caprice d'un ivrogne ? Mais il l'avait fait, et elle était enfin débarrassée du contrat qu'elle avait passé avec Valigny. Elle fut surprise d'en éprouver un soulagement aussi intense. Cela faisait deux fois que Rothewell venait à son secours.

Non. Camille se redressa fièrement. Elle ne devait pas considérer les choses de cette façon. Cet homme n'était pas un héros, et elle ne devait sous aucun prétexte se montrer romantique. Rothewell n'était pas l'ami de son père, mais il faisait partie de sa cohorte. Ils étaient faits du même bois, avaient les mêmes vices. Les mêmes victimes. Et Rothewell avait une bonne raison de l'épouser, car elle lui avait révélé – sans doute imprudemment – ce qu'elle avait caché à Valigny... la véritable étendue de la fortune qui lui revenait en héritage.

L'allée s'étrécit alors qu'ils atteignaient l'extrémité du jardin. Lord Rothewell était si proche d'elle, à présent, qu'elle percevait le parfum de son eau de Cologne, avec des arômes d'agrumes et de bois de santal. C'était un parfum infiniment masculin, qu'elle avait gardé en tête après cette nuit fatidique, chez Valigny.

Le bras du baron effleura le sien, et son cœur fit un bond. Elle eut soudain envie de fuir.

Mais pour aller où ? Elle disposait de très peu d'argent, n'avait pas de véritable éducation, et aucune famille en dehors de celle de Valigny, qui l'avait toujours ignorée.

Rothewell sembla lire dans ses pensées, car il s'arrêta et la fit pivoter vers lui. Elle éprouva une soudaine nervosité.

— Mademoiselle Marchand, j'ai eu le temps de réfléchir, dit-il en posant ses mains chaudes et lourdes sur les épaules de la jeune femme. Vous n'êtes pas obligée de m'épouser. C'est Valigny qui a conclu ce marché avec moi, ce n'est pas vous.

— Oui, mais où irai-je, monsieur ? Et avec quel argent ?

— Vous avez un cousin, n'est-ce pas ? L'homme qui a hérité du titre de votre grand-père ? Il a peut-être assez de relations pour arranger un mariage ?

Camille eut un petit rire amer.

— Je ne connais même pas son nom, et je suis sûre qu'il ne veut pas entendre parler de moi. Réfléchissez, monsieur. Je suis la fille illégitime d'une femme qui a déshonoré sa famille, *n'est-ce pas* ? Et si je ne me marie pas, si je n'ai pas d'enfant, il héritera probablement de tout. Non, il ne serait pas content si j'allais frapper à sa porte.

Rothewell grimaça.

— Je crains que vous ne soyez un bon juge de la nature humaine, admit-il à mi-voix. Nous pourrions peut-être vous trouver une situation ?

— Un emploi ? Dame de compagnie ou... gouvernante ?

— Gouvernante, oui. Mais cela vous condamnerait à une vie de pauvreté, je pense.

— Le travail ne me fait pas peur, monsieur. Utiliser mon intelligence... oui, ce serait un rêve. Mais aucune femme ne serait autorisée à faire les choses qui m'intéressent. Et les choses que la société permet aux femmes de faire pour gagner leur vie... Non, cela n'arrivera pas à la fille du comte de Valigny, celui-ci a trop mauvaise réputation.

Il la scruta un moment de ses yeux gris, comme s'il cherchait quelque chose.

— Pamela m'a dit que vous adoriez les enfants. Est-ce vrai, Camille ?

— Oui, répondit-elle avec détachement. Qui ne les aime pas ? Mais personne n'engagera la fille bâtarde de Valigny pour veiller sur ses enfants.

— Non, probablement pas, concéda-t-il avec l'ombre d'un sourire. Mais, en dehors de ce qui est stipulé dans le testament de votre grand-père, ne souhaitez-vous pas avoir des enfants à vous ?

— Oui, cela me plairait beaucoup.

Un enfant à aimer... Oh, c'était son souhait le plus cher ! Son seul espoir, songeait-elle parfois.

L'espace d'un instant leurs regards se croisèrent, et elle eut une fois de plus l'impression qu'il cherchait quelque chose. Qu'il jouait avec une idée qu'elle ne pouvait soupçonner. Cet homme à l'aspect sévère, qui se maîtrisait parfaitement, était beaucoup plus imprévisible qu'elle ne l'avait cru.

— Vous avez parlé un jour de vivre seule, Camille, poursuivit-il. Cette idée ne me plaît guère, mais seriez-vous assez forte pour élever seule un enfant ?

— Je suis assez forte, énonça-t-elle avec fermeté. N'ayez aucun doute là-dessus, monsieur. Je suis assez forte. Pour persévérer, survivre. Pour faire tout ce qu'il y a à faire.

Elle se tut, et Rothewell l'entraîna vers un banc qui se trouvait au milieu de la roseraie. Elle se rendit compte qu'il l'avait appelée spontanément par son prénom.

— Je veux comprendre quelque chose, reprit-il. Je veux que vous me disiez comment vous vous êtes retrouvée en Angleterre. Qu'est-ce qui vous a amenée jusqu'ici ?

Ce n'était pas une demande déraisonnable, étant donné les circonstances. Lord Rothewell souhaitait en savoir davantage sur elle. Il allait l'épouser. Selon toute vraisemblance, elle lui donnerait un enfant. Alors, pourquoi sa curiosité la gênait-elle ?

Soudain, elle réalisa que ses questions, et ses explications, créaient entre eux une sorte d'intimité. Mais elle n'avait pas envie de partager les détails de sa vie avec qui que ce soit. Elle refusait de se sentir liée à un homme de cette façon. Elle avait peur de lord Rothewell. Elle ne voulait pas qu'il lui vienne en aide. Elle ne voulait pas avoir le cœur brisé, comme c'était arrivé à sa mère. Tout ce qu'elle voulait, c'était un enfant. Quelqu'un à aimer. Et ensuite, que Rothewell et le reste du monde la laissent seule. De toute façon, c'était ainsi que cela se terminait toujours.

Mais Rothewell continuait de la fixer, et Camille éprouva de nouveau cette drôle de sensation au creux de l'estomac. C'était quelque chose qu'elle avait rarement ressenti, mais elle savait ce que cela signifiait. Lord Rothewell n'était pas beau, non. Mais il avait une allure saisissante, avec ses yeux gris et ses traits bien dessinés. Elle comprit à son expression qu'il fallait qu'elle lui donne une réponse.

— Très bien, dit-elle en baissant les yeux. Que désirez-vous savoir, monsieur ?

— Je suppose... que je voudrais savoir ce qui s'est passé entre votre mère et Valigny, répliqua-t-il avec une légère hésitation. Elle était comtesse de Halburne, n'est-ce pas ?

Camille hocha la tête.

— Oui, du moins c'est ainsi qu'elle se faisait appeler. Mais Halburne avait demandé le divorce lorsque j'avais deux ou trois ans. Elle n'aurait sans doute plus dû utiliser son nom, *n'est-ce pas* ?

— Je n'en sais rien, admit Rothewell en haussant les épaules. Le divorce n'existait pas dans le pays où je vivais.

— Le pays où vous viviez ? répéta-t-elle, surprise. Vous n'avez pas toujours vécu ici, monsieur ?

— Non, j'ai passé presque toute ma vie dans les Antilles. Il n'y a pas un an que je suis revenu à Londres. Je ne m'y sens toujours pas chez moi.

Cela fit réfléchir Camille. Rothewell et elle avaient peut-être plus de points communs qu'elle ne le croyait.

— Ma mère est morte au printemps, expliqua-t-elle. Je suppose que le nom qu'elle portait n'a plus d'importance à présent.

— Je suis désolé pour vous. De quoi est-elle morte ?

— D'avoir eu une vie trop dure, monsieur. D'avoir vu sa beauté décliner et... d'avoir eu le cœur brisé.

Il esquissa un demi-sourire, et Camille se demanda à quoi il ressemblerait s'il souriait tout à fait. Il aurait l'air plus jeune, probablement.

— Le cœur brisé par qui ? Sûrement pas par Valigny ?

— Elle l'adorait. Il était la seule chose qu'elle désirait et qu'elle n'a jamais pu avoir... ou jamais très longtemps.

— Ah. Vous ne formiez pas une famille ?

Camille fut envahie par une vague de nostalgie.

— Pendant une période assez brève, oui. Ensuite, *maman* ne fut plus pour lui qu'une maîtresse occasionnelle. Il ne restait jamais longtemps au même endroit, et il avait beaucoup de femmes. *Maman* aussi avait des amants. Mais je me dis toujours qu'elle voulait seulement le rendre jaloux.

— Cela marchait ?

— Oui, parfois. Il revenait vers elle, et alors il y avait de l'argent pour acheter des vêtements et des bijoux. Quelquefois, un cadeau pour moi. Il la cajolait un peu, puis il s'ennuyait de nouveau et repartait.

— Ils ne se sont jamais mariés ? Valigny avait-il déjà une épouse ?

Camille secoua la tête.

— Il avait épousé une fille de son village, à ce que m'a dit *maman,* mais ils avaient divorcé. Pendant quelques années, le divorce fut assez répandu en France. *Maman* croyait vraiment que Valigny l'épouserait un jour ou l'autre.

— Ils auraient pu le faire, après son divorce avec Halburne.

Camille eut un sourire amer.

— Oh, mais, à ce moment-là, Valigny avait concocté une nouvelle histoire. Il prétendait que l'Église ne l'autoriserait pas à se marier une troisième fois…

Rothewell la considéra avec incrédulité.

— Valigny serait donc un fervent catholique ?

— Non, répondit-elle avec un rire narquois. C'est un fieffé menteur. Des années plus tard, *maman* découvrit que sa deuxième femme était morte peu après leur mariage. Valigny était donc libre, même selon l'Église. Mais, pour lui, le divorce de lord Halburne fut… comment dites-vous ? la goutte d'eau dans la mare ?

— La goutte d'eau qui fait déborder le vase, suggéra Rothewell en souriant.

— Oui. Car, quand Halburne demanda le divorce, mon grand-père écrivit à *maman* pour l'avertir qu'il lui coupait les vivres et la rayait de son testament. Et Valigny comprit qu'elle ne serait jamais héritière. Il avait misé sur elle, et ça ne lui rapportait rien. À partir de ce moment, il se mit à aller et venir à sa guise dans la vie de *maman*. Nous avons eu de la chance que sa famille nous accepte, nous autorise à demeurer sous leur toit et nous accorde une maigre pension.

— Et maintenant, vous apprenez que votre grand-père vous a légué une partie de sa fortune, murmura Rothewell. Mais avec des conditions très dures.

— Oui, il avait pris cette décision il y a très longtemps, lorsqu'il avait coupé les vivres à *maman*. Mais c'est mieux que rien, je suppose.

Le regard de Rothewell se perdit dans les ombres de la haie, derrière la roseraie.

— Parlez-moi de votre mère. Comment s'est-elle liée à Valigny et exilée en France ?

— *Maman* a fait sa connaissance pendant sa première saison de débutante. Valigny disait qu'il l'avait aimée au premier regard.

Rothewell arqua un sourcil incrédule.

— Et elle l'a cru ?

— Certains jours, elle le croyait, admit Camille avec un haussement d'épaules. Elle l'aimait. Désespérément. Elle ne voyait pas... ou ne voulait pas voir ce qu'il était en réalité.

— Pourquoi sont-ils allés vivre en France ?

— *Maman* était fiancée à Halburne. Contre son gré, bien sûr, puisqu'elle prétendait aimer Valigny. Mais son père détestait Valigny, et il lui interdisait de le voir. Elle finit par accepter d'épouser Halburne, afin d'échapper à l'autorité paternelle, je pense. Puis, quelque temps après, elle s'échappa pour aller retrouver Valigny. Halburne défia celui-ci en duel.

— Et ils se sont battus pour votre mère ?

— Oui. Lord Halburne fut gravement blessé, mais Valigny en sortit indemne. *Maman* trouva cette histoire *très romantique*.

— Ce n'est pas votre avis ?

— Non, répliqua-t-elle avec irritation. Je trouve cela stupide. Lâche, et irresponsable.

— Je vois, fit Rothewell sans la quitter des yeux. Qu'arriva-t-il ensuite ?

— Ils s'enfuirent en France.

— Mon Dieu, marmonna Rothewell. Halburne était mourant ?

— On pensait qu'il allait mourir, oui. Et qu'à cause de cela, Valigny ne pourrait plus jamais revenir en Angleterre. Mais, finalement, Halburne survécut et demanda le divorce.

Rothewell siffla tout bas.

— Cela a dû causer un fameux scandale.

— Oui, et lord Halburne était terriblement embarrassé, chuchota-t-elle. Mon retour va sûrement susciter des commérages... et réveiller de vieilles rancœurs.

— Vous ne le rencontrerez pas, déclara Rothewell en secouant la tête. En outre, il ne peut rien vous reprocher : vous n'êtes pas responsable de ce qui s'est passé. En revanche, il en va autrement de Valigny.

Camille haussa les épaules.

— Valigny est revenu plusieurs fois en Angleterre depuis la fin de la guerre. S'il y a eu des problèmes, je n'en ai pas entendu parler.

— Lord Halburne est probablement moins rancunier que je ne le serais à sa place.

Rothewell garda le silence un moment, puis posa les mains sur ses genoux, comme pour se lever.

— Bien. J'ai une décision à prendre, il me semble. Souhaitez-vous poursuivre cette histoire de mariage, Camille ?

— Mais, oui, je pensais que c'était décidé.

Il l'observa sous ses paupières mi-closes.

— Vous accepteriez d'épouser un débauché ? demanda-t-il, reprenant le mot qu'elle lui avait lancé à la figure la première fois.

Elle détourna les yeux sans répondre.

— J'ai quelques années de plus que vous, Camille, et j'ai mené une vie très différente.

— Vous ne savez rien de la vie que j'ai menée, monsieur. Je ne suis pas une jeune fille naïve et innocente, et je ne souhaite pas être traitée comme une enfant.

— Je préférerais savoir, étant donné toutes les piques que vous me lancez.

Camille sentit ses joues s'enflammer.

— Je vous demande pardon, répliqua-t-elle vivement. Je suis trop brusque. Quel âge avez-vous, monsieur ?

Il sembla décontenancé et prit quelques secondes de réflexion, avant d'annoncer :

— Environ trente-cinq ans.

— *Ça alors !* fit-elle en écarquillant les yeux. Pas plus ?

— Ma chère, vous avez l'art de manier le compliment.

— Pardon, monsieur. C'est juste que vous paraissez…

— Oui, je sais. Vieux et défait.

— Non, ce n'est pas tout à fait ça, murmura-t-elle en rougissant davantage. Vous êtes très beau, et je suis sûre que vous le savez, mais vous avez l'allure d'un homme qui connaît la vie.

— Oui, sans doute plus que je ne le voudrais, dit-il, pensif. Quand voulez-vous vous marier ?

— Demain. Je n'ai pas de temps à perdre.

— Je vous comprends, rétorqua-t-il sèchement. Mais il vaudrait sans doute mieux, Camille, que je vous fasse la cour quelque temps.

— Cela vaudrait mieux pour qui, monsieur ?

Il pinça les lèvres un instant.

— Pour votre réputation, répondit-il enfin.

— Mais qu'est-ce que cela peut vous faire ?

— Madame, vous allez être ma femme.

— Et vous ne voulez pas faire l'objet de ragots ?

Une lueur d'irritation passa dans les yeux de Rothewell.

— Si vous connaissiez ma réputation, Camille, vous n'envisageriez même pas de m'épouser. Mais pour mon épouse… et pour mes enfants, oui, je me soucie des commérages.

Il fit mine de se lever. Sans réfléchir, elle lui posa la main sur le bras.

— Monsieur, je vous le demande encore une fois. Pourquoi faites-vous cela ?

— On me dit qu'à mon âge, il faudrait que j'aie une épouse et un héritier, éluda-t-il en se levant brusquement.

— Pardon, monsieur, mais vous ne semblez pas être le genre d'homme qui fait ce qu'on lui dit, déclara-t-elle en le suivant dans l'allée ombragée. Soyons au moins honnêtes l'un envers l'autre.

Il ne répondit pas, et elle lui saisit le bras, sentant ses muscles puissants sous l'étoffe de sa veste. Il pivota, et leurs regards se croisèrent.

— Ma sœur s'est mariée il y a peu, et je n'ai personne pour tenir ma maison. C'est simple, non ?

Camille l'étudia un moment avec circonspection. Il mentait. Elle le devinait.

— Alors, ce sera vraiment un mariage de convenances ? Je m'occuperai de tenir votre maison, et vous me donnerez un enfant ?

Il fit un bref signe de tête.

— *Très bien,* dit-elle. J'accepte. Mais n'essayez pas de me convaincre de vous accorder ma confiance, Rothewell. Tous les hommes sont déloyaux. Je ne veux pas dépendre de vous.

Il demeura silencieux, et elle attendit les mensonges. Peut-être même une promesse de fidélité, donnée à contrecœur. Mais ce ne fut pas le cas.

— De fait, il vaudrait mieux pour vous que vous ne dépendiez pas de moi, répondit-il. Vous devez vous construire une vie bien à vous, Camille. Je ne serai pas disponible.

Voilà. Elle était prévenue.

Peut-être qu'en dépit de sa fierté, Rothewell serait content de la laisser partir une fois qu'il aurait perçu l'héritage promis, songea-t-elle.

Sentant son regard brûlant sur elle, elle leva les yeux. Son expression était dure. Il leva la main et lui caressa la joue, avec une familiarité qui la surprit.

— Malgré toutes vos piques et vos airs brusques, vous êtes une beauté, Camille, murmura-t-il. Le premier soir... oui, je le savais. Mais on doute, parfois.

— *Mon Dieu,* croyiez-vous que j'allais me transformer en monstre pendant la nuit, monsieur ? Ou bien étiez-vous trop ivre pour vous rappeler ensuite à quoi je ressemblais ?

Elle soutint son regard. Elle n'était ni timide ni innocente, et ne se comporterait pas comme telle.

— J'avais bu, et j'étais fatigué, en effet, reconnut-il. Il m'est arrivé d'avoir mal évalué la beauté d'une femme au cours d'une nuit, je l'admets.

Camille rit de bon cœur.

— Cela doit causer un choc, de s'éveiller à côté d'un laideron le lendemain matin !

Il sourit doucement, comme pour lui-même. L'espace d'un instant, une émotion indéchiffrable passa dans son regard. Le regret, peut-être ? Non, les hommes comme Rothewell n'éprouvaient pas de regret. S'ils désiraient quelque chose, ils le prenaient.

— Bon, finit-il par dire. Un homme obtient généralement ce qu'il mérite, Camille. Mais vous... ah, votre beauté ne pourrait décevoir personne, quelle que soit l'heure du jour.

— *Merci bien,* répliqua-t-elle.

Elle se rendit compte que quelque chose avait changé. Ils se tenaient près du mur du jardin à présent, et Rothewell la fixait. Ses prunelles d'un gris argenté étaient fascinantes.

Soudain, le monde lui parut s'estomper. Le présent se limitait à ce petit jardin où ils se trouvaient seuls. Et lord Rothewell était... différent. Dangereux. Oh, oui, cet homme était dangereux. Pour son esprit, et sans doute aussi pour son cœur.

Quand il posa les deux mains sur ses joues, Camille eut la sensation que la terre basculait.

— Ce ne sera pas une déception de vous avoir dans mon lit, Camille, murmura-t-il en repoussant les petites mèches de cheveux sur ses tempes. Avez-vous un peu d'expérience ? Serai-je le premier ?

Camille tremblait, en proie à une émotion inconnue.

— *Ça alors!* lança-t-elle d'un ton vif. Quel genre de question est-ce là ?

— Une question logique, je crois, répliqua-t-il en ramenant une mèche derrière son oreille.

Son léger parfum d'eau de Cologne l'enveloppa. Elle ferma les yeux.

— Ne vous trompez pas, monsieur, parvint-elle à articuler. Je ne suis pas comme ma mère. Je connais trop bien la valeur de ma virginité pour la brader.

— Je vous trouve très désirable, Camille.

Elle frissonna, et cependant une vague de chaleur parut tourbillonner autour d'eux.

— Vous n'avez pas besoin de flirter avec moi, monsieur. Je connais le devoir d'une épouse, et je l'accomplirai.

— Je ne flirte pas, dit-il, la voix rauque. Embrassez-moi, Camille.

— Mais... pourquoi ?

— Parce que, pour la deuxième fois de ma vie, j'ai envie de goûter à l'innocence.

L'emprise de sa main sembla se resserrer sur le bras de Camille. Celle-ci ne dit rien. Bien qu'elle ait gardé les yeux clos, elle avait conscience de ses lèvres au-dessus des siennes. Leurs corps se rapprochèrent inexorablement, tandis que ses pensées s'évaporèrent dans une volute de fumée.

C'était inévitable. Enivrée par la chaleur, le parfum de son corps, ses paroles douces, Camille ne tenta pas de résister. Elle le désirait. Elle glissa les bras autour de sa taille. Rothewell promena ses lèvres sur sa joue.

— Montrez-moi, Camille. Apprenez-moi à être tendre.

Elle plaqua son corps contre le sien. Il captura ses lèvres, dans un baiser doux et enivrant. Enjôleur.

Ses mains étaient solides, son corps massif, et son baiser d'une douceur exquise. Elle sentit son pouls s'accélérer, et eut l'impression de fondre.

Elle se demanda, vaguement, si elle n'avait pas perdu l'esprit. Mais cet homme représentait son destin, elle avait donné son accord. Alors, pourquoi résister ? Son corps répondait malgré elle, et il le savait. Elle renversa la tête en arrière pour mieux s'offrir à ses baisers. Avec un grognement sourd, il la pressa contre lui et plongea dans la chaleur de sa bouche. Alors, elle fut emportée dans le tourbillon de la passion.

Ses mains s'insinuèrent sous le manteau de Rothewell et lui caressèrent le dos, le faisant frissonner voluptueusement. Il s'écarta, posant les lèvres sur sa joue.

— Camille, chuchota-t-il.

Puis il reprit ses lèvres, en un baiser plus ardent que délicat. Elle répondit à son étreinte avec une ferveur renouvelée. La flèche brûlante du désir lui transperça le corps. Percevant sa réaction, il approfondit le baiser.

Camille se rendit compte que sa respiration s'accélérait. Rothewell avait plaqué une main sur sa hanche. Son autre main s'aventura sur un sein, doucement tout d'abord. Ses lèvres glissèrent le long de son cou, puis effleurèrent le renflement du sein qu'il tenait au creux de sa paume. Camille se pressa contre lui, brûlant de sentir ses lèvres sur elle. Le sang lui battait aux tempes, un désir insensé lui contractait le ventre.

Camille n'était pas naïve. Elle savait comment les hommes et les femmes faisaient l'amour. Quand il immisça son pouce sous le ruché de son corsage, elle ne protesta pas. Le tissu retomba sur son épaule, libérant un sein. Avec un soupir, Rothewell aspira la pointe dans la chaleur de sa bouche. Camille fondit de plaisir. Elle ne pouvait plus rien lui refuser. Elle voulait cet homme de toutes ses forces.

À ce moment, le vent prit de la puissance, s'insinuant entre les branches flétries des rosiers, soulevant des brassées de feuilles mortes dans l'allée. Camille fut brusquement ramenée à la réalité. Ils étaient dans le jardin. Il faisait grand jour !

Rothewell la repoussa d'un mouvement abrupt, et la brise effleura son mamelon nu. Elle ouvrit les yeux et recula, effrayée par l'intensité de sa propre réaction. Elle avait du mal à calmer sa respiration. La panique l'envahit.

Rothewell lui saisit promptement le coude et la ramena vers lui, remettant de l'ordre dans ses vêtements.

— Pardonnez-moi, dit-il d'une voix rauque. Pardonnez-moi, Camille. Je suis trop audacieux.

La joue de la jeune femme se posa sur le revers de sa veste. Il offrait une merveilleuse impression de solidité. Cependant, sa panique laissa place à une peur glacée. Il lui caressait gentiment le dos en murmurant des paroles apaisantes. Mais il n'en était pas moins dangereux. N'était-ce pas ainsi qu'un homme pouvait entraîner une femme sur les rivages de la ruine ?

Seigneur, il n'était qu'un gredin, tout comme le père de Camille. Et en un instant, il l'avait réduite à sa merci.

Ce n'était pas raisonnable. Voulait-elle mener le même genre de vie que sa mère ? Elle inspira profondément, un peu tremblante. Le mariage était une chose… inévitable. Mais ceci… cette passion échevelée… oh, ça n'allait pas du tout !

Elle redressa la tête et s'écarta vivement.

— C'était très intéressant, parvint-elle à dire avec froideur. Mais ce n'est pas nécessaire, *cher monsieur,* n'est-ce pas ? Pour avoir des enfants ?

— Que voulez-vous dire ?

— Je veux parler de ce… badinage. De ces baisers.

Il garda le silence un instant.

— Non, admit-il enfin. Non, ce n'est pas à proprement parler nécessaire. Je pense que vous le savez.

Oui, elle le savait. Elle savait aussi qu'elle devait préserver son cœur. Son bon sens. Se protéger de cet homme.

Les rafales de vent se succédèrent. Un froid glacial se répandit dans ses membres. La peur lui serra le cœur.

— *J'ai froid,* murmura-t-elle en français, ramenant le châle sur ses épaules.

Lord Rothewell lui offrit son bras.

— Alors, il faut rentrer.

— Vous parlez français ?

— Oui, assez bien, répondit-il d'un ton neutre. Venez, Mlle Marchand. Laissez-moi vous ramener à l'intérieur, vous y serez plus en sécurité.

Elle lui prit le bras, encore un peu troublée. Pour lui, elle était redevenue « Mlle Marchand ». Elle n'avait pas voulu l'insulter, mais il ne fallait sous aucun prétexte qu'elle s'entiche de cet homme. Où avait-elle eu la tête quand elle l'avait embrassé avec tant de passion ? Était-elle aussi stupide que sa mère ? Elle baissa les yeux, honteuse de s'être montrée si imprudente.

Ils atteignirent la porte de derrière, et Rothewell reprit la cravache qu'il avait accrochée au portail.

— Pourrions-nous nous marier tout de suite, monsieur ? insista-t-elle en l'observant avec méfiance. Je ne souhaite pas attendre.

Il demeura un long moment silencieux, faisant claquer la cravache contre sa botte.

— Laissons passer encore une semaine, finit-il par dire. Par respect pour les convenances. J'avertirai Pamela.

— *Très bien,* acquiesça-t-elle. Je vous remercie, monsieur. Allez-vous entrer ?

— Non, je ne crois pas.

— *Alors, je vous souhaite le bonjour, monsieur,* dit-elle en esquissant une brève révérence. Et merci encore.

— Merci de quoi ?

— Pour l'argent que vous avez donné à Valigny, répliqua-t-elle, la main sur la poignée de la porte.

— Ah. L'argent. Oui, il ne faut pas oublier ça...

Les mâchoires serrées, lord Rothewell s'inclina avec raideur, puis redescendit l'escalier et franchit le petit portail du jardin.

Lady Sharpe n'avait pas passé plus de cinq minutes avec son fils lorsque Thornton revint, avec l'eau chaude pour le bain du bébé. La comtesse rendit son précieux ballot à la nourrice, et se consola en se disant que la routine était importante pour l'enfant.

— Si vous avez besoin de moi, vous me trouverez dans le bureau, dit-elle en embrassant le bébé sur le front.

Une pile de lettres et d'invitations l'attendait sur le bureau, comme tous les jours. Lady Sharpe était pétrie d'habitudes, et elle s'en flattait. Elle parcourut toutes les missives concernant la propriété du Lincolnshire, dicta certaines réponses et demanda à M. Bigham, le secrétaire de son mari, de transmettre le reste à Sharpe.

Elle s'apprêtait à s'occuper des invitations, quand une voix familière dans le hall la fit tressaillir.

— Flûte ! marmonna-t-elle, vivement contrariée.

— Je vous demande pardon, madame ? fit Bigham en se tournant vers elle avec stupéfaction.

Lady Sharpe sentit son visage s'enflammer.

— Ce n'est rien, Bigham. Nous avons de la visite. C'est tout.

Et quelle visite ! Le valet apparut dans le bureau.

— Mme Ambrose, madame, annonça-t-il avec gravité.

La belle-sœur de lady Sharpe passa devant lui. Elle avait le teint animé, et un grand chapeau vert était perché sur ses boucles d'un blond pâle.

— Pam, ma chérie ! s'exclama-t-elle en venant embrasser la comtesse. Je rentre juste de Brighton et… Oh, mon Dieu ! Vous faites encore le travail de Sharpe, je vois ? À votre place, je ne ferais pas cela.

La comtesse désigna un fauteuil à Christine.

— C'est très dur pour lui de devoir rester loin du domaine, à cette époque de l'année. Alors je suis heureuse de l'aider.

Christine haussa une épaule mince et anguleuse.

— Vous pouviez difficilement voyager, grosse et boursouflée comme vous l'étiez, dit-elle en se laissant languissamment tomber dans le fauteuil. Franchement, Pamela, vous ne retrouverez *jamais* votre silhouette d'autrefois. C'est terrible, à votre âge.

Lady Sharpe eut un sourire en coin. Inutile d'expliquer à cette jeune et belle veuve sans enfant qu'elle se moquait complètement de sa silhouette perdue. Elle avait gagné en échange un fils et un héritier.

En outre, il fallait qu'elle chasse coûte que coûte Christine de la maison.

— J'allais justement sortir. Vous ne voulez pas m'accompagner dans le Strand ? J'ai besoin de nouveaux, euh… chenets. Oui, il me faut une paire de chenets.

Christine fit la moue.

— Quel ennui. En revanche, je pourrais peut-être vous persuader de pousser jusqu'à Burlington Arcade ? J'ai bien envie d'un réticule assorti à ce chapeau. Oh, attendez ! Où est Sharpe ? J'aimerais lui emprunter cent livres.

Pamela était prête à tout pour faire déguerpir Christine au plus vite.

— Je vais voir si j'ai cet argent, dit-elle en se levant.

Au même instant, M. Bigham posa une nouvelle carte sur la pile.

— Qu'est-ce que c'est ? demanda-t-elle distraitement.

— Une invitation que lady Nash a apportée en personne, madame. Un dîner demain soir, en l'honneur de son frère et de sa fian...

— Oui, oui, Bigham, merci ! coupa la comtesse d'un ton sec.

— Un dîner en l'honneur de Rothewell ? s'écria Christine en prenant la carte. Comme c'est choquant ! Cela ne lui plaira pas, j'en suis sûre. Mais j'irai, bien entendu, ne serait-ce que pour pouvoir le taquiner.

Lady Sharpe lui retira la carte des mains, et retomba dans son fauteuil. Christine la considéra d'un air soupçonneux.

— Pourquoi ne voulez-vous pas que je lise cette invitation, Pam ?

— Vous pouvez la lire, assura lady Sharpe en soupirant. Mais je crains, Christine, que vous ne soyez pas invitée.

Christine arqua les sourcils.

— Je vous demande pardon ? Xanthia s'est-elle élevée dans l'échelle sociale au point de ne plus me connaître ? Son mari n'est que comte, pour l'amour du Ciel... et il n'est même pas anglais.

Lady Sharpe fit la moue.

— Xanthia vous aime beaucoup, Christine.

C'était le deuxième mensonge en l'espace de quelques minutes ! Toutefois la comtesse poursuivit :

— Mais il y a une nouvelle… choquante. Elle ne vous plaira pas, j'en ai peur… et ce n'est pas à moi de vous l'apprendre.

Christine se figea.

— Oh, mon Dieu ! Je savais que je n'aurais pas dû partir à Brighton ! Il est malade, n'est-ce pas ?

— Malade ? répéta lady Sharpe en arrondissant les yeux de surprise.

Christine se leva et se mit à arpenter nerveusement le bureau.

— Rothewell… a un comportement très étrange, expliqua-t-elle d'un ton chagriné. Parfois, il refuse de me voir. Il ne veut pas manger. Il devient distant. Il annule nos projets de sortie. Une fois, il m'a paru souffrant. Oh, mon Dieu, quelle barbe !

— Pardon ?

Christine virevolta sur elle-même, l'air boudeur.

— Nous sommes invités à une partie de campagne dans le Hampshire. Il va saisir ce prétexte pour ne pas y aller.

— En effet, il n'ira pas à cette partie de campagne, acquiesça lady Sharpe. Christine, ma chère… je dois vous annoncer que… eh bien, que Rothewell est sur le point de se marier.

Camille regarda le portail se refermer derrière lord Rothewell. L'allure rigide, il s'éloigna d'un pas déterminé. Camille se rendit compte qu'elle n'avait pas été très gentille, et elle eut honte d'elle-même.

C'était à elle qu'elle en voulait, pas à lui. Mais ce baiser l'avait laissée sans force, désorientée. Elle s'était sentie fondre aux pieds de lord Rothewell… comme pour mieux lui permettre de la piétiner, avant d'aller trouver une autre femme à mettre dans son lit.

Elle referma lentement la porte, et entendit un hurlement à glacer le sang dans le bureau de lord Sharpe.

— Madame ? s'écria-t-elle.

Son châle flottant sur les épaules, elle se précipita dans le couloir. Elle manqua heurter une jeune femme mince et blonde, qui surgit du bureau et s'engouffra en sens inverse dans le couloir, lady Sharpe dans son sillage.

Camille s'immobilisa brusquement, laissant son châle glisser sur le sol. La femme blonde s'arrêta et la regarda, vibrante d'indignation.

— C'est pour *ça* qu'il m'a abandonnée ? cria-t-elle en pointant un doigt vers Camille. Pour cette... cette insipide petite souris qui court dans tous les sens ?

La comtesse pressa le bout de ses doigts sur ses tempes.

— Christine, pour l'amour du Ciel, gardez un semblant de dignité !

— Que s'est-il passé ? demanda Camille en se tournant vers lady Sharpe. Madame, vous n'êtes pas blessée ?

Les yeux brillants d'irritation, lady Sharpe secoua la tête.

— Je vais bien, ma chère.

Tout à coup, les paroles de la femme blonde résonnèrent dans la tête de Camille. *C'est pour ça qu'il m'a abandonnée ?*

Elle se redressa de toute sa hauteur.

— *Pardon, madame,* dit-elle en s'adressant à l'inconnue. Je ne crois pas que nous ayons été présentées ?

La femme étrécit les yeux.

— Et en plus, elle est française ! hurla-t-elle. Cette petite coquine est française ! Comment ose-t-il me faire ça ?

— Christine, calmez-vous ! ordonna lady Sharpe.

L'air à la fois fâché et embarrassé, elle lança un regard d'excuse à Camille. Cependant, il n'y avait pas trente-six façons de réagir. Camille décida de se lancer dans la bagarre et sourit à la femme blonde, levant crânement le menton.

— Ainsi, vous êtes sa maîtresse ? Et vous venez juste d'apprendre mon existence ? *Quel dommage !* C'est terriblement injuste, n'est-ce pas ?

— Quoi… Que… Qui êtes-vous ?

Camille afficha un air étonné.

— Eh bien, je suis… comment avez-vous dit ? la petite souris, *c'est cela* ? Je crains de ne pas connaître le mot « coquine ». Que signifie-t-il ?

Le visage de la femme s'empourpra. Elle tremblait d'indignation.

— À votre place, je ne m'inquiéterais pas trop, madame, poursuivit Camille avec un sourire malicieux. Le monde est assez grand, *n'est-ce pas* ? Vous êtes sa maîtresse, et cela ne changera peut-être pas. Mais soyez certaine que je ne partirai pas.

— Comment osez-vous…

Camille haussa les épaules, et ramassa son châle.

— J'ose, madame, dit-elle tranquillement. Il faudra vous y faire. Car, dans une semaine, vous serez peut-être encore la maîtresse de Rothewell… mais la petite souris que je suis sera sa femme.

Lady Sharpe semblait hésiter entre le rire et les larmes. Tout à coup, elle regarda par-dessus son épaule, et son visage s'éclaira.

— Oh ! s'exclama-t-elle en tendant la main vers la fenêtre. Rothewell est là. Il doit attendre son cheval. Si vous avez un compte à régler, Christine, vous devriez le faire…

La jeune femme tourna les talons et disparut.

— *Au revoir,* madame ! lança Camille. *Et bonne chance !*

Rothewell se retourna, et blêmit aussitôt. Camille lui fit un petit signe de la main, avant de claquer la porte que Mme Ambrose avait laissée ouverte.

Lady Sharpe laissa fuser un petit rire nerveux et plaqua une main devant sa bouche.

— Eh bien, madame, dit Camille d'un ton ironique. La petite souris prendrait volontiers un verre de sherry, si vous lui en offrez un. Et peut-être même quelque chose de plus fort. Ensuite, si vous voulez bien, vous me direz qui était cette dame ?

Lady Sharpe la regarda, et se remit à rire.

— Venez, je vais prendre un verre de sherry avec vous, tout en pensant au châtiment que Rothewell doit subir en ce moment.

— Un homme devrait mettre sa maîtresse à l'écart avant de faire une demande en mariage, ne pensez-vous pas, madame ?

Lady Sharpe attrapa deux verres dans un placard et les posa sur un plateau.

— Oui, dit-elle gaiement. Du moins, s'il a envie de la garder.

— Mais quel homme n'en aurait pas envie ?

La mine de la comtesse s'allongea.

— Ma chère enfant ! murmura-t-elle. Beaucoup d'hommes n'en ont pas envie… et vous devez veiller à ce que Rothewell en fasse partie.

Camille cligna les paupières.

— *Mon Dieu,* madame, mais comment dois-je faire ?

— Oh, vous trouverez bien un moyen, dit la comtesse, pensive. J'en suis même persuadée.

— Persuadée de quoi, madame ?

La comtesse leva son verre.

— Je suis persuadée que vous saurez très bien vous débrouiller avec lui.

Camille aurait aimé en être aussi sûre. Au cours des deux jours suivants, elle pensa souvent à la maîtresse de Rothewell. En fait, elle éprouvait presque de la gratitude pour cette femme. Leur rencontre malencontreuse avait tué dans l'œuf la passion naissante que Camille avait senti naître dans son cœur pour son futur mari.

La comtesse lui expliqua plus tard que cette dame s'appelait Mme Ambrose, et qu'elle était la demi-sœur de lord Sharpe. Camille sentit son cœur sombrer. Il aurait été plus facile de se dire que la maîtresse de son mari appartenait au demi-monde. En réalité, son sang était plus noble et plus anglais que celui de Camille.

Ce qui faisait surgir une question. Pourquoi lord Rothewell n'épousait-il pas sa belle maîtresse blonde ?

Il ne pouvait y avoir qu'une seule explication.

L'argent.

5

Une fête de fiançailles chez lord Nash

— Quelqu'un a dit que le mariage était une entreprise désespérée, déclara lord Rothewell en levant le menton pour permettre à Trammel de lui nouer sa cravate. Et je commence à penser qu'il avait raison.

— Il me semble que c'est Selden, le célèbre juriste anglais, qui a dit cela, répondit Trammel en reculant pour admirer son travail.

— Vraiment ? C'est humiliant pour un noble, Trammel, de penser que son majordome est plus cultivé qu'il ne le sera jamais lui-même.

Le regard de Trammel se posa sur un fil qui pendait au poignet droit du baron.

— J'espère que vous trouvez encore plus humiliant d'être habillé par votre majordome, répliqua-t-il en allant chercher une paire de ciseaux. Vous devriez songer à engager un valet, monsieur, puisque vous allez vous marier.

— Inutile, marmonna Rothewell. Aidez-moi simplement pour le dîner de ce soir, et pour le mariage, Trammel. Ensuite, vous pourrez retourner surveiller le personnel, avec votre fouet.

Trammel coupa le fil, puis tendit au baron son gilet de brocart. Tout en l'aidant à l'enfiler, il serra les lèvres d'un air désapprobateur.

— Quoi encore ? grommela Rothewell. On voit mon jupon ?

Le majordome fit un pas de côté, et examina le visage de Rothewell.

— Vous avez encore perdu du poids, monsieur. Vous devriez faire des repas réguliers.

— Passez-moi ma veste, bon sang. J'imagine qu'Obelienne s'est encore plainte ?

Trammel prit la veste en haussant les épaules.

— Quand les assiettes repartent pleines à la cuisine, monsieur, il est normal que la cuisinière se sente offensée.

— Vous n'avez qu'à faire venir les chiens à l'heure du dîner. Cela résoudra le problème.

Le majordome lui lança un regard désapprobateur, et se dirigea vers le dressing.

— Vous serez bientôt marié, monsieur. Il vous faudra apprendre à supporter les remarques d'une femme.

Rothewell ferma les yeux et se pinça l'arête du nez. Inutile de rembarrer Trammel alors qu'il se contentait d'énoncer une vérité. Quelle mouche l'avait piqué, de s'engager dans ce projet idiot ? Et s'il voulait commettre une telle folie, pourquoi ne l'avait-il pas fait tout de suite, comme le souhaitait Mlle Marchand ? Maintenant il serait déjà marié, il aurait couché avec elle, et son désir serait satisfait.

— Lady Sharpe a envoyé un message ce matin, annonça Trammel. Slocum vous l'a donné ?

— Oh, oui.

Il n'était manifestement pas dans les petits papiers de Pamela, et il l'avait bien mérité.

Trammel lui apporta un mouchoir soigneusement plié.

— Ce sera tout, Trammel, dit Rothewell. Vous pouvez prendre votre soirée. Ou plutôt, non... emmenez les serviteurs au King's Arms, boire une pinte de bière. Autant que quelqu'un s'amuse ce soir. Dieu sait que ce ne sera pas mon cas.

— Bien, monsieur.

Trammel sortit. Rothewell alla à la desserte et ôta le bouchon de la carafe de cognac. Puis il se ravisa, et le remit en place. Vu son humeur, il lui serait difficile de s'arrêter de boire une fois qu'il aurait commencé. Et il préférait être parfaitement sobre en présence de Mlle Marchand.

Il avait besoin d'avoir les idées claires pour l'affronter. Elle avait déjà réussi à le persuader de l'épouser. De lui donner un enfant. De l'embrasser et de la cajoler en plein jour. Et dès qu'il fermait les paupières, il croyait sentir son parfum chaud et exotique. Dieu seul savait quelle serait la prochaine étape. Eh bien, il n'y en aurait peut-être pas. Ils ne se parleraient même pas.

Bon sang, il détestait ce genre de situation ! Il détestait se demander ce qu'un autre être humain pensait de lui. Il finirait certainement par en avoir assez. Mlle Marchand ne tarderait pas à comprendre quel homme elle avait épousé, et elle serait contente d'être débarrassée de lui.

Quoi qu'il en soit, mieux valait laisser le cognac où il était. Rothewell traversa la pièce pour consulter la pendule, sur la cheminée. Il était attendu chez Nash dans une heure, or il ne fallait que dix minutes pour se rendre à Park Lane à pied.

Il se campa devant la fenêtre et regarda au-dehors. Une voiture faisait le tour du square, une vieille voiture de louage délabrée, tirée par un cheval à l'allure fatiguée. Elle tourna deux fois, puis trois fois autour du jardin, comme si le cocher s'était égaré dans les allées opulentes de Mayfair. Rothewell éprouva une soudaine pitié pour le pauvre bougre. Il connaissait ce sentiment… l'impression d'être une chose insignifiante. De se sentir *perdu*.

Il quitta la fenêtre et balaya du regard la vaste pièce vide. Au bout d'un an, il ne se sentait toujours pas chez lui dans cette maison. Il ne s'était pas senti chez lui à La Barbade non plus. On l'avait expédié là-bas avec Luke et Zee, après la mort de leurs parents. Et dans cette plantation du diable, ils avaient vécu des horreurs inimaginables… Des horreurs que seuls les esclaves subissaient.

Ils avaient travaillé, Luke et lui, jusqu'à avoir les doigts en sang. Ils avaient supporté les coups d'un ivrogne, et des tourments si fréquents qu'il avait préféré les enfouir tout au fond de sa mémoire et les oublier.

La nourriture et les vêtements étaient du luxe. Ils n'avaient pas de chaussures… non parce que leur oncle n'avait pas les moyens de leur en acheter, mais parce qu'il prenait plaisir à priver ses pupilles de tout. Ils n'avaient pas eu droit à une éducation, et ce qu'ils savaient ils l'avaient appris seuls, dans les livres de la bibliothèque qu'ils chipaient lorsque leur oncle s'était enfin endormi, ivre mort. Ils n'avaient connu ni joie ni espoir. Ils n'avaient survécu que parce qu'ils s'étaient aimés et accrochés désespérément les uns aux autres.

Rothewell ne savait pas très bien comment cela leur était arrivé. Leurs parents les avaient aimés, cela il s'en souvenait.

Les Neville étaient pauvres. Leur père était un simple noble de campagne, et leur mère la sixième fille d'un baronet. Ils étaient morts tous deux d'une fièvre qui avait décimé le village.

Personne, parmi leur famille en Angleterre, n'avait voulu se charger de leurs enfants. Même pas la mère de Pamela, lady Bledsoe. Tante Olivia était une femme au cœur froid. Ils avaient donc été envoyés aux Antilles, où le frère aîné de leur père, un homme violent et ivrogne, s'était exilé quelques années plus tôt.

Dans sa jeunesse, le sixième baron de Rothewell avait étranglé un homme dans un accès de colère. L'amant de sa sœur, pour être précis. Un idiot de valet, qui avait eu la mauvaise idée de vouloir faire chanter tante Olivia quelques semaines avant son mariage. La future lady Bledsoe avait très mal réagi. Connaissant le penchant de son frère pour la boisson et la violence, elle avait laissé entendre que le valet était la cause de son manque d'argent.

Le valet, bien entendu, n'avait rien volé en dehors de la vertu d'Olivia. Quand il fut mort, Olivia se mit à pleurer et prétendit que l'homme avait voulu l'agresser. Son père étouffa l'affaire du mieux qu'il put, et paya à son balourd de fils un aller simple pour La Barbade.

Une fois qu'il eut cuvé son vin en arrivant au large du Portugal, leur oncle comprit qu'il avait été le dindon de la farce. Cette constatation l'avait rendu encore plus mauvais. À deux ou trois reprises ensuite, il s'était plaint de la duplicité de sa sœur. C'est ainsi que l'histoire était venue à la connaissance de Luke. Rothewell gardait le secret de tante Olivia, et il se montrait de ce fait plus généreux qu'elle ne l'avait jamais été.

Et donc, après avoir vécu une telle enfance, il s'était retrouvé ici. Trente ans plus tard, il n'avait toujours pas de foyer. Était-il assez idiot pour espérer que le mariage ferait disparaître la terrible obscurité dans laquelle il vivait ?

Cette idée lui arracha un rire, et il songea brièvement à la carafe de cognac. Si son existence était vide, c'était parce qu'il l'avait décidé ainsi, en toute connaissance de cause. Et la douleur qu'il éprouvait parfois au creux de l'estomac était le résultat d'une vie d'excès de toute sorte.

Il n'était pas homme à se repentir. Ce n'était pas par charité chrétienne, ni dans un souhait de rédemption, qu'il avait conclu ce marché avec Valigny. La jeune fille lui avait fait de la peine, certes. Mais c'était le désir pur et simple qui l'avait poussé à agir. Il ne devait pas essayer de se persuader du contraire.

Les nerfs à vif, Rothewell s'enfonça dans un fauteuil et reprit la lettre de Pamela. Les expressions *position extrêmement délicate* et *manque total de réflexion* lui sautèrent aux yeux. Il y avait aussi *odieuse insulte*, suivie de *incroyable humiliation*. Les unes concernaient Christine Ambrose, les autres Mlle Marchand.

Il avait réussi à se mettre tout le monde à dos.

Rothewell jeta la lettre sur le sol, et se passa une main sur la joue. Il ne supportait pas très bien les critiques, même lorsqu'elles étaient justifiées. Mais celles-ci venaient de Pamela. Et Christine était sa belle-sœur. Il aurait dû penser à cela avant de déposer Mlle Marchand sur le perron de sa cousine.

Et cependant, cette idée ne l'avait pas effleuré. Ils ne formaient pas un vrai couple, lui et Christine. Il leur arrivait couramment, à l'un comme à l'autre, d'avoir des liaisons. Et ces derniers temps, leur relation était devenue fade. Confortable, certes, mais un peu comme une vieille chaussure qui commence à s'user.

Malheureusement, Christine ne semblait pas du même avis. Elle avait descendu les marches du perron de Sharpe, les yeux étincelants de colère, et avait martelé d'une voix dure :

— Tu vas me le payer, Rothewell. Cela, tu peux en être sûr !

Christine avait eu la chance de le prendre au dépourvu. Il était obsédé par ce qui venait de se passer dans le jardin. Il avait encore le goût des lèvres de Mlle Marchand sur les siennes. Et ses paroles brûlantes le poursuivaient. Elle ne voulait pas être embrassée. Ni caressée. Ni courtisée. Fort bien. Il se contenterait de coucher avec elle. D'ailleurs, c'était tout ce qui l'intéressait.

Rothewell se pinça l'arête du nez. Oui, il craignait fort de devoir payer... mais pas comme Christine le prévoyait. Camille Marchand serait une adversaire beaucoup plus redoutable que Mme Ambrose. Avec elle, il n'y aurait pas d'explosion de colère, pas d'affectation. Elle était dure, impitoyable. C'était bizarre, de reconnaître ses propres traits de caractère chez quelqu'un d'autre.

Quoi qu'il en soit, ce n'était pas de l'argent qu'il allait risquer cette fois, mais sa paix de l'esprit. Ou du moins, le peu qui lui en restait. Il se pouvait qu'il soit obligé de vivre ses derniers jours avec une mégère hautaine. Une mégère qui ne voulait pas être embrassée, mais qui voulait un enfant. Seigneur, dans quel pétrin s'était-il fourré ?

Ce soir, ils allaient recevoir les vœux et félicitations des membres de sa famille, rassemblés par Pamela et lord Nash. Il faudrait qu'ils se sourient, et même qu'ils dansent ensemble. Qu'ils aient l'air fiers et heureux. Mais il n'en était rien. Mlle Marchand allait lui lancer des regards noirs pendant toute la soirée, elle s'attendrait à ce qu'il recherche ses faveurs, son pardon. Au diable.

Plus tôt elle saurait qui elle épousait, plus sa vie serait facile. Peut-être renoncerait-elle ?

Finalement, il aurait bien besoin de ce verre de cognac. Rothewell jeta un coup d'œil à la pendule. Allons bon, il était en retard maintenant. Bon sang. En retard pour son dîner de fiançailles !

Personne ne s'en étonnerait, naturellement.

Ce soir-là, à Park Lane, une file de carrosses élégants s'étendait de la porte de lord Nash jusqu'à

Upper Brook Street. Camille était assise face à lord et lady Sharpe, dans leur cabriolet. Le trajet de chez eux jusqu'à Park Lane était très court.

— Il faudra faire attention aux volants de nos robes, avait déclaré lady Sharpe au petit déjeuner. Il y aura de la pluie avant la fin de la soirée, vous pouvez me croire.

Camille se tordit le cou pour apercevoir un petit coin de ciel. Lady Sharpe ne s'était pas trompée. Aussi avait-elle pris soin de revêtir sa robe la plus foncée, en satin vert sombre, qui avait appartenu à sa mère. Sans argent pour renouveler sa garde-robe, Camille avait conservé les vêtements de sa mère qui étaient encore à la mode, délaissant toutefois les tenues les plus extravagantes. Ce vert, tout en étant audacieux, demeurait convenable pour une jeune femme de son âge.

Camille passa anxieusement les paumes de ses mains sur les plis de sa jupe, attendant de pouvoir descendre. Elle était impatiente de revoir lord Rothewell. Elle lui devait peut-être des excuses, mais, en tout état de cause, il lui devait, lui, des explications.

Oh, elle ne pouvait pas l'empêcher d'avoir une maîtresse. Mais elle ne tolérerait pas que cette chatte enragée vienne encore lui cracher au visage. Plus tôt Rothewell le saurait, mieux cela vaudrait pour tous les deux.

Elle n'était pas jalouse de Mme Ambrose. Elle ne lui enviait ni sa peau pâle comme l'ivoire ni ses boucles blondes.

Mais quand elle songea aux lèvres de Rothewell, l'étrange sensation au creux de son ventre reparut. Elle s'efforça de la chasser, et se tourna vers lady Sharpe.

— Lord Nash est très bon de nous recevoir pour dîner, madame. Mais je me sens… oh, mon Dieu, je ne trouve pas le mot exact…

— … nerveuse, je suppose, murmura lady Sharpe. Pauvre petite. Dans quelques jours, vous deviendrez la femme d'un homme que vous connaissez à peine. Et ce soir, vous allez faire la connaissance de plusieurs membres de la famille.

— Oui, madame. C'est intimidant.

— Mais nécessaire, répondit lady Sharpe en hochant la tête, faisant tressauter les plumes de son chapeau. La belle-mère de Nash, la douairière lady Nash, et sa sœur lady Henslow seront là. Ce sont les pires commères de Londres.

— Des commères ? répéta Camille. *Ça alors !* Cela rendra les choses encore plus difficiles.

La comtesse agita un doigt.

— Non, non, ma chère petite. Les commérages sont inévitables. Demain, tout le monde parlera des fiançailles de Rothewell, et naturellement on évoquera la malheureuse histoire de votre mère. Cela durera cinq minutes. Mais, ensuite, les commères seront bien obligées de reconnaître que la famille vous a accueillie comme n'importe quelle fiancée de sang noble.

Camille dut reconnaître que le raisonnement de la comtesse était sensé.

Le carrosse s'arrêta, et Camille sentit ses joues et son cou s'enflammer. Elle allait le voir.

Oh, mais quelle dinde elle était ! Rothewell ne serait jamais un mari fidèle. Et Camille, de son côté, savait comment tournait le monde. Elle devait se rappeler qu'elle ne voulait qu'une seule chose de lord Rothewell… et ce n'était pas son cœur.

Ils furent accueillis à la porte par la sœur de Rothewell, qui sourit et prit les mains de Camille. Lady Nash avait fini par accepter, semblait-il, le mariage de son frère. Camille s'efforça de sourire et embrassa son hôtesse sur la joue.

Un tourbillon de présentations suivit, accompagné par l'histoire sans cesse répétée de la gouvernante française de lady Sharpe. La première à l'entendre fut la belle-mère de Nash, une personne gentille mais assez stupide, et sa sœur, une femme d'une soixantaine d'années, forte et pleine d'entrain. Son mari, lord Henslow, les accompagnait, ainsi que deux jolies jeunes filles, les demi-sœurs de lord Nash. Il y avait aussi un beau gentleman aux cheveux dorés, l'associé de lady Nash, et son épouse, une femme discrète et d'une grande beauté : le duc et la duchesse de Warneham. Lord Nash avait aussi un demi-frère, Anthony Hayden-Worth, un politicien charmant qui flirtait avec toutes les dames.

Camille s'était préparée à être snobée. Mais ces gens se montraient extrêmement aimables. Et même chaleureux.

Elle entra au bras de lord Nash dans la salle à manger, où elle aurait dû passer deux heures agréables. Mais ce ne fut pas le cas. Elle ne put détacher les yeux de Rothewell. Elle savait quel genre d'homme il était. Alors pourquoi ne cessait-elle de repenser au baiser échangé dans le jardin ? À la chaleur de sa bouche ? À la façon dont il l'avait touchée, faisant surgir en elle une foule d'émotions compliquées ?

Elle ferma brièvement les yeux. Oh, il n'était pas fait pour elle, ce démon au visage mince et dur, aux paupières lourdes. Elle pouvait l'épouser, mais elle ne pouvait se permettre de se laisser séduire. Elle connaissait ce type d'homme, et elle était bien placée pour savoir quelles étaient les conséquences d'un cœur brisé.

Malgré cela, elle était incapable de le quitter des yeux. Elle n'y parvint même pas lorsque M. Hayden-Worth lui posa une question sur la politique française. Camille dut lui demander de répéter ce qu'il venait de dire. Le gentleman s'exécuta de bonne grâce, et poursuivit sur le sujet du commerce des esclaves, son cheval de bataille. Camille fut obligée de lui répondre. Finalement, sa mère sembla lui lancer un coup de pied sous la table pour lui rappeler que la politique faisait partie des sujets à éviter pendant un dîner.

Et le regard de Camille se dirigea de nouveau vers Rothewell, presque malgré elle. Il mangeait du bout des lèvres. Cela lui sembla étrange, car il avait l'allure d'un homme ayant de gros appétits dans tous les domaines.

Il était arrivé tard ce soir, bien après les autres invités, et Camille avait été saisie d'un mauvais pressentiment. Le sourire de sa sœur s'était un peu crispé au fur et à mesure que les minutes passaient, et elle avait gardé les yeux fixés sur la porte. Tandis que les invités riaient et bavardaient en buvant du champagne, Camille avait fini par se convaincre que Rothewell ne viendrait pas.

Elle se demandait si elle devait se sentir soulagée qu'il l'ait laissée tomber, quand il était entré brusquement, vêtu d'une longue cape noire et portant une canne à pommeau d'or. Camille avait regardé le valet prendre la cape. Rothewell portait son habituel costume noir, agrémenté d'un gilet gris anthracite, et d'un regard aussi rébarbatif que dans le souvenir de la jeune femme.

Toutefois, en la voyant, il avait immédiatement traversé la salle, et elle avait éprouvé un choc lorsqu'il avait pressé les lèvres sur ses mains. Camille avait senti ses joues s'empourprer, à la grande joie de la belle-mère et de la tante de Nash.

À présent, le dîner était terminé, et les dames attendaient les gentlemen dans le long salon bleu et or. Camille regarda la sœur de Rothewell servir le café, à l'autre bout de la salle. Elle se dirigea alors vers le grand piano qu'elle avait remarqué en arrivant. C'était un superbe instrument orné de dorures, aux pieds étonnamment fins pour son poids. Un peu intimidée, elle s'assit sur le banc et effleura le bois verni.

— Il est beau, n'est-ce pas ?

Camille tressaillit en reconnaissant la voix de Rothewell. Elle n'avait pas vu les gentlemen entrer dans le salon, après avoir bu leur porto.

— Oui, répondit-elle froidement.

Pendant un moment, il garda le silence. Le regard de Camille se durcit, et ils se dévisagèrent brièvement. Il savait qu'elle était en colère, bien sûr. Elle était tenaillée par l'envie de laisser éclater sa fureur. De lui dire, en termes clairs, que sa relation avec Mme Ambrose était condamnée. Mais c'était impossible : tous les yeux étaient braqués sur eux. De toute façon, l'avertissement aurait été vain.

Rothewell s'accouda au piano et se pencha.

— Je ne connais pas grand-chose en musique, enchaîna-t-il. Mais je sais reconnaître un bel instrument.

— Les dorures ont dû à elles seules coûter une fortune, répliqua-t-elle d'une voix sourde.

Rothewell l'observa en silence un moment.

— Vous êtes très belle ce soir, Camille, murmura-t-il. Est-ce que tout va bien ? Tout le monde ici s'est montré aimable, j'espère ?

Rêvait-elle, ou y avait-il une réelle note de sollicitude dans sa voix ?

— *Merci, monsieur,* dit-elle d'un ton apaisé. Tout le monde a été très courtois. Et ce baiser sur la main n'était pas nécessaire, mais... mais très attentionné.

— Attentionné ? répéta-t-il d'un ton plat.

À cet instant, lord Nash s'approcha, une tasse de café à la main. Camille réprima un vague sentiment de déception.

— Vous jouez, mademoiselle Marchand ?

— Oui.

— Cet instrument a été commandé à des artisans de Vienne par ma belle-mère. C'est un Böhm. Essayez-le, je vous en prie. Vous en tomberez amoureuse, je crois.

Camille fut parcourue d'un étrange frisson. Elle essaya de se concentrer sur le piano. Consciente du regard de Rothewell, elle releva délicatement le couvercle et posa les mains sur le clavier. Le son qui s'éleva était à la fois riche et léger. Extraordinaire.

— Et maintenant, vous voyez la vraie beauté du Böhm, ajouta lord Nash. Les dorures et le bois ne sont rien, comparés à ce son.

Camille fit courir ses doigts sur les touches.

— Oui, le son… la résonance… C'est la perfection, monsieur.

— Je sais qu'on ne demande pas à l'invitée d'honneur de jouer, mademoiselle Marchand, continua Nash. Mais j'espère que vous le ferez tout de même ?

Camille leva les yeux vers Rothewell. Celui-ci ne dit rien, mais inclina imperceptiblement la tête. Elle inspira profondément et sourit. Puis elle souleva les mains et les laissa retomber sur les touches. Elle ne choisissait jamais un morceau à l'avance, c'était la musique qui la choisissait. Les notes s'élevèrent dans la salle, en longues vagues successives.

La jeune femme ne fut plus consciente de rien, excepté du regard de Rothewell sur ses mains. Très vite, elle se laissa absorber par la musique. C'était son réconfort. Ce qui l'aidait à survivre. Au cours des trois dernières années, alors que la maladie de sa mère se prolongeait, la privant de toute distraction extérieure, elle s'était consacrée au piano.

Quelques minutes plus tard, lorsque la dernière note s'éteignit, Camille leva les yeux et constata que la sœur de Rothewell se tenait près de lui. Quelqu'un se mit à applaudir lentement.

— Très bien ! s'exclama le frère de lord Nash en se levant. C'était magnifique, mademoiselle Marchand !

Des murmures appréciateurs parcoururent la petite foule d'invités, puis peu à peu les conversations reprirent. L'expression de Rothewell était étrange, presque sinistre. Puis il pivota et alla se camper devant la fenêtre. Il demeura là, seul, rigide, le regard rivé sur l'obscurité de la rue.

— C'était extraordinaire, mademoiselle, dit Nash en posant sa tasse de café. Une sonate de Haydn, n'est-ce pas ?

— Oui, la 54, en sol majeur, répondit Camille, dont l'attention demeurait fixée sur la silhouette de Rothewell.

— *Allegretto innocente,* murmura Nash. Un morceau remarquable.

Camille se força à se tourner vers son hôte.

— Oui, ses sonates sont moins populaires que ses symphonies, je crois.

— Vous avez joué à la perfection, mademoiselle Marchand. Vous n'avez pas cédé à la tentation d'aller trop vite, comme beaucoup le font quand ils jouent du Haydn.

— Vous êtes trop bon, monsieur. Merci.

— Oui, c'était magnifique, lança la sœur de Rothewell. Merci, mademoiselle Marchand. Mon cher, enchaîna-t-elle en lançant un coup d'œil à son mari, Gareth aimerait te parler. C'est au sujet d'une pouliche qui va arriver bientôt à Tattersall, je crois.

— Ah, oui. Nous irons lui jeter un coup d'œil jeudi. À moins qu'il n'ait changé d'avis ?

— Tu n'as qu'à lui poser la question.

Lord Nash s'excusa et alla rejoindre le duc aux cheveux d'or, de l'autre côté de la salle. Lady Nash sourit.

— Voulez-vous jouer encore, mademoiselle Marchand ?

— Je vous en prie, appelez-moi Camille.

— Camille, donc.

— Je ne veux pas monopoliser le piano, dit-elle en se levant. Les autres dames doivent jouer à leur tour.

Lady Nash émit un rire cristallin.

— Je ne pense pas que l'une d'entre nous souhaite se couvrir de ridicule en jouant après vous. Et je vois que Tony a commencé une partie de whist avec les autres invités. Aimeriez-vous visiter notre nursery ?

C'était un rameau d'olivier qu'on lui tendait, et Camille le saisit.

— Merci. Cela me ferait un immense plaisir.

Rothewell n'aurait su dire combien de temps il demeura devant la fenêtre, à contempler la rue plongée dans une profonde obscurité. En réalité, il contemplait le reflet imprécis de la salle dans la vitre. Son reflet à *elle*. La reine noire. Aussi fière et belle que la première fois qu'il avait posé les yeux sur elle.

La musique ne reprit pas. Il en fut heureux, et même soulagé. Il se rendit compte qu'une sueur glacée perlait sur son front, et il s'essuya à l'aide de son mouchoir. Il se sentait un peu malade, comme un jeune garçon sur le point de se battre pour la première fois, et conscient qu'il allait se faire rouer de coups.

Bon sang, ce n'était que de la musique ! Une belle femme jouant du piano. Mais jouant avec une sorte de sensualité, l'esprit transporté par les notes. Ses mains délicates se mouvaient sur le clavier avec une élégance sans pareille, et il n'avait pu s'empêcher d'imaginer ces mêmes mains le caressant avec passion. Aurait-elle envie de le toucher comme elle touchait ce piano ?

Non. Non, pourquoi en aurait-elle envie ? Ce mariage était une terrible erreur. Camille était tout ce qu'il n'était pas. Délicate. Raffinée. Gracieuse. Et, sous ces dehors réservés, la passion incarnée. Il n'avait jamais connu une femme aussi pleine de chaleur et de lumière. Sa voix grave le faisait frissonner, et son parfum l'enveloppait, bien qu'il se soit écarté du piano.

Elle avait relevé ses cheveux haut sur sa tête, révélant un point délicat derrière son oreille, où il avait cru voir battre son pouls. Elle le fascinait.

Il avait l'impression d'être sur le point de livrer un combat perdu d'avance.

— Rothewell ? fit une voix impatiente. Réveille-toi, mon vieux.

— Quoi ?

Il se tourna au moment où son ami Gareth lui saisissait le bras.

— Je crois que tu deviens sourd, se moqua le duc de Warneham en souriant. Nous t'avons appelé. Zee s'est éclipsée avec ta fiancée.

— Je vois, marmonna Rothewell en regardant autour de lui. Probablement pour la mettre en garde ?

— Probablement, confirma Gareth sans se départir de son sourire. Tu ne la mérites pas, tu sais.

C'était dit sur le ton de la plaisanterie, mais Gareth était tombé si près de la vérité que Rothewell tressaillit.

— Écoute, poursuivit Gareth, je pense me rendre à Tattersall jeudi matin avec Nash. Il veut acheter une pouliche. Tu viendras ?

— Non, désolé. J'ai des choses à faire.

— Oui, je sais, le départ a lieu trop tôt le matin pour toi. En plus, la fin de ton célibat approche, n'est-ce pas ? Je suppose que tu as beaucoup de choses en tête.

Gareth posa une main sur l'épaule de Rothewell, et son sourire s'effaça.

— Nous sommes heureux pour toi, Antonia et moi. Nous te souhaitons de longues années de bonheur, Kieran.

De longues années de bonheur. Eh bien, cela ne risquait pas de se réaliser.

Il repensa à la colère de la jeune femme, à sa nervosité. Comment avait dit Xanthia ?

— *Si tu l'épouses, cela gâchera sa vie, Kieran.*

Il y avait une pointe de vérité dans ces paroles, mais elles l'avaient blessé tout de même. Sa sœur avait-elle raison ? Allait-il entraîner Camille dans sa propre détresse, au lieu de l'arracher à ses souffrances ?

Repoussant ces réflexions, il reporta son attention sur Gareth, le remercia, et demeura à sa place près de la fenêtre.

Camille suivit la sœur de Rothewell dans l'étroit escalier en colimaçon. Tout en gravissant les marches, lady Nash lui parla des prénoms qu'ils avaient choisis. Milaho pour un garçon, ou Katerina pour une fille, car c'étaient les noms des grands-parents de Nash.

À mi-chemin dans le couloir, elle s'arrêta et poussa une porte. Camille pénétra après elle dans une vaste chambre bien aérée, avec de hauts plafonds et trois larges fenêtres. Il y régnait une odeur de cire et de savon. Un solide rocking-chair et un fauteuil garni de gros coussins étaient disposés devant les fenêtres. Au centre de la pièce se trouvait un vieux berceau de bois. La cheminée était protégée par un pare-feu. En dehors de cela, la chambre était vide.

Lady Nash tourna sur elle-même en écartant les bras.

— Voilà, Camille. Il y a beaucoup à faire pour rendre cette pièce agréable. Je ne sais pas par où commencer.

— Vous n'avez pas invité la bonne personne si vous cherchez des conseils, madame. Vos amies sauront peut-être vous aider ?

— Je n'ai personne, en dehors de Pamela, dit doucement lady Nash. Et de la belle-mère de Nash, naturellement. Elle est gentille, mais un brin farfelue. Non, en réalité, j'ai pris ce prétexte pour passer un moment en tête à tête avec vous, Camille. Je voulais… m'excuser.

— Pardon, madame ? Vous excuser pour quoi ?

Avec un sourire voilé, lady Nash s'installa dans le rocking-chair et posa une main sur son ventre arrondi.

— J'avoue que je n'ai pas montré beaucoup d'enthousiasme quand Kieran m'a annoncé votre mariage. Mais cela n'a rien à voir avec vous. Je vous le jure.

Camille prit place dans l'autre fauteuil.

— Merci, madame. Je suis soulagée.

— Au début, j'ai cru… Mais n'en parlons plus. Vous êtes une femme intelligente, Camille. Exactement ce qu'il faut à mon frère, en fait. Mais est-il, *lui,* l'homme qu'il vous faut ?

— J'ai besoin d'un mari, déclara sobrement Camille.

Lady Nash secoua la tête.

— Une femme veut plus que cela. Elle veut tomber amoureuse d'un prince. Être séduite. Il ne faut pas renoncer à vos rêves.

— Je n'ai pas de rêve, madame. Ma décision est prise.

Lady Nash fit la moue.

— Alors, vous devrez mettre Kieran au pas. Ne tolérez pas ses mauvaises habitudes. Il faudra que vous l'aimiez, et que vous le protégiez contre lui-même. C'est le seul espoir.

Camille la regarda d'un air perplexe.

— Le seul espoir pour quoi, madame ?

Lady Nash appuya la tête contre le dossier.

— Appelez-moi Xanthia. Ou Zee.

— *Merci,* Xanthia.

— J'aime mon frère, Camille. Je l'adore. C'est un homme extraordinairement fort, doté d'une capacité d'aimer que vous ne pouvez imaginer.

— Je… je vous crois sur parole, madame.

Lady Nash se tourna pour la regarder.

— Il n'a pas toujours été froid et sévère, tel que vous le voyez aujourd'hui, vous savez… Il n'a pas toujours mené un train d'enfer, ne s'est pas toujours noyé dans l'alcool et… et la débauche. Au fond de lui, Camille, il n'est pas comme ça.

— Vous aviez une famille bonne et affectueuse, madame. Cela ne suffit pas toujours à retenir un garçon qui ne veut en faire qu'à sa tête.

Lady Nash éclata d'un rire amer.

— Oh, mon Dieu, non ! Je n'ai même pas connu mes parents. Votre père laisse peut-être à désirer, Camille, mais au moins vous le connaissez. Vous savez qu'il vous aimait.

Camille était certaine que Valigny n'avait jamais aimé quiconque, en dehors de lui-même, mais ce n'était pas le moment d'en parler.

— Si vous n'aviez pas de parents, comment avez-vous grandi ?

Le regard de lady Nash se fit encore plus lointain.

— Nous fûmes envoyés à La Barbade, chez le frère aîné de mon père. Il était le sixième baron de Rothewell, et sûrement le pire de tous.

— À La Barbade ? répéta Camille. Était-il… gouverneur ? Ou diplomate ?

Lady Nash secoua la tête.

— Non, non, rien de tel. Je crois qu'il y avait eu un scandale quand il était jeune, et son père a dû l'éloigner. Il lui a donné une plantation… une vieille propriété presque en ruine, qui lui rapportait tout juste de quoi s'acheter du cognac et jouer aux cartes avec des gredins de son espèce.

— Oh, *je vois*. Vous avez eu une enfance difficile ?

Lady Nash se concentra sur un point invisible, au loin.

— C'était horrible, avoua-t-elle. Et cela aurait même pu être pire pour moi. Mes frères m'ont protégée. Surtout Kieran. Il ne savait pas se taire. Et notre oncle n'était pas… indulgent.

— Mais pourquoi vous a-t-on envoyés chez un homme aussi horrible ?

— Cette décision fut prise par ma tante… la mère de Pamela. Car Luke était l'héritier de notre oncle, qui n'avait ni femme ni enfant.

— Et Luke… c'était aussi votre frère ? s'enquit Camille. Je vous demande pardon, mais j'ai des difficultés à suivre.

— Oui, Luke était notre frère aîné. Mais il est mort il y a quelques années. Un accident. Kieran hérita alors de presque tout. Les plantations… il y en avait trois, à l'époque, et une grande partie de la société Neville Shipping. Et naturellement, le domaine du Cheshire, qui est vaste.

Camille élargit les yeux d'étonnement.

— Vraiment ? murmura-t-elle. Rothewell possède un domaine ? Et des plantations ?

Lady Nash parut déconcertée, puis se mit à rire.

— Bien sûr !

Rothewell n'était donc pas, comme Camille l'avait supposé, un gredin sans le sou ?

— Et cette société Neville, est-elle… importante ? prospère ?

— Et comment ! s'exclama lady Nash. J'ai travaillé comme une esclave pour cette société pendant la plus grande partie de ma vie. Kieran et moi en possédons un quart chacun, notre nièce un autre quart, et Gareth… c'est-à-dire le duc de Warneham, le reste.

— Vous avez une nièce ? L'enfant de votre frère disparu ?

— Sa fille adoptive, oui. Martinique. Elle est mariée et vit dans le Lincolnshire. Luke avait épousé sa mère quand elle était enfant. Mais je vous donne trop de noms à la fois. N'essayez pas de retenir tout cela.

Camille sentit la tête lui tourner. Rothewell avait un domaine et des plantations. Un frère disparu trop jeune. Une sœur qui s'inquiétait pour lui. Ce mariage devenait terriblement concret. Ces gens formaient une famille, avec tous les drames et les histoires que cela impliquait. Il ne s'agissait pas uniquement de Rothewell. Et d'ailleurs, ce dernier ne lui avait pas révélé la vérité sur sa fortune.

Au début, elle s'était dit qu'elle ne voulait pas le connaître. Elle n'en avait pas envie. Elle avait besoin de son nom et de sa semence, rien de plus. Alors, pourquoi était-elle suspendue aux lèvres de sa sœur ? Pourquoi en voulait-elle autant à Mme Ambrose ?

Soudain, lady Nash se redressa dans le fauteuil et plaça les mains sur les accoudoirs.

— Promettez-moi une chose, Camille, dit-elle d'un ton posé. Promettez-moi que vous serez pour lui une bonne épouse. Je l'aime, vous comprenez. Et… et je voudrais que vous l'aimiez. Promettez-moi que vous serez bonne pour lui. Que vous l'aimerez.

Camille détourna les yeux, incapable de soutenir le regard de lady Nash. Que pouvait-elle dire ? Comment pouvait-elle faire une telle promesse ?

— Nul ne sait ce que nous réserve l'avenir, répondit-elle. Je… je serai une bonne épouse, Xanthia. Je ferai de mon mieux.

Son hésitation ne passa pas inaperçue. Lorsque lady Nash se leva, la tristesse imprégnait ses traits. Comme sur une impulsion, elle serra Camille dans ses bras, puis s'écarta.

— Je crains d'avoir négligé mes invités trop longtemps. Venez, Camille. Redescendons.

De retour dans le salon, lady Nash s'excusa et alla s'entretenir avec l'un des valets au sujet du café. La plupart des invités, réunis autour de deux tables disposées au centre de la pièce, jouaient aux cartes. Camille fit le tour de la salle, admirant une belle collection de paysages français exposés sur les murs. Elle sentit une main se poser légèrement sur son bras.

— Les cartes sont ennuyeuses, n'est-ce pas, mademoiselle Marchand ? s'enquit l'une des sœurs de Nash.

— En effet, répliqua Camille en souriant.

— Je suis lady Phaedra Northampton, dit la jeune femme en lui tendant la main. Vous n'avez certainement pas retenu tous les noms que vous avez entendus ce soir.

— C'est exact, avoua Camille.

Lady Phaedra devait avoir un peu plus de vingt ans, et son allure enjouée contrastait avec sa robe terne et ses lunettes cerclées d'or. Elle désigna le mur.

— Vous admirez le classicisme français, mademoiselle ?

— J'aime Poussin, admit Camille. Son utilisation subtile de la couleur donne de la lumière à ses tableaux.

— Vous êtes sûre que c'est un Poussin ? demanda lady Phaedra d'un ton léger. Ce peintre ne signe jamais ses œuvres.

Camille la regarda, comprenant que, sous ses airs aimables, la jeune fille la soumettait à une épreuve.

— Je peux me tromper. Mais je ne le pense pas. J'ai eu la chance de voir un grand nombre de ses tableaux.

À cet instant, Rothewell s'approcha.

— Ne laissez pas cette jeune personne vous harceler, murmura-t-il en se penchant vers Camille. Elle se croit plus intelligente que le commun des mortels.

Lady Phaedra se redressa.

— Eh bien, je sais au moins distinguer différentes sortes de roses, et tout le monde ne peut pas en dire autant, rétorqua-t-elle.

Puis, d'un ton radouci, elle s'adressa de nouveau à Camille.

— Quant à ce tableau, mademoiselle Marchand, je n'ai aucune idée de son auteur. Les deux derniers experts engagés par mon père n'ont pas réussi à se mettre d'accord. Et comme Nash l'aime beaucoup, il se moque de savoir par qui il a été peint.

La mère de lady Phaedra s'avança vers eux.

— J'ai toujours trouvé celui-ci particulièrement joli, dit-elle. Les collines, les arbres, ces chevaux minuscules. Mais je préfère ceux du premier étage. Les coupes pleines de fruits.

— Ce sont des natures mortes, maman, précisa lady Phaedra avec un soupçon de condescendance. La mère de Nash était russe, expliqua-t-elle. Elle avait très bon goût en matière de peinture, et elle a réuni une belle collection de natures mortes flamandes dans la bibliothèque, si cela vous intéresse.

— C'est une idée épatante, déclara Rothewell.

Camille se retourna et constata qu'il examinait le Poussin comme si la toile contenait le secret de l'univers. Son regard était si intense qu'elle en eut le souffle coupé.

— Très bien ! s'exclama lady Phaedra joyeusement. Montons tout de suite.

La douairière lui donna un petit coup d'éventail sur le bras.

— Ne sois pas obtuse, Phaedra. Les jeunes fiancés désirent peut-être y aller seuls.

— Excellente idée, madame, répondit Rothewell. Je commence à m'intéresser aux œuvres d'art.

— Et aux roses, ajouta lady Phaedra avec un sourire narquois. Le saviez-vous, mademoiselle Marchand ? Lord Rothewell a une passion pour les roses. Il faudra lui demander de vous en parler, un jour.

— Merci, Phae, dit Rothewell en s'inclinant avec raideur. Mais, pour le moment, je suis fasciné par la peinture.

La douairière prit Camille par la main.

— Les tableaux se trouvent tout au bout de la bibliothèque. Si la pièce est fermée, vous trouverez la clé sous le vase, à côté de la porte. Nous n'enverrons personne à votre recherche, si vous vous attardez, ajouta-t-elle avec un sourire de connivence.

Lord Rothewell observa Camille du coin de l'œil pour voir sa réaction. L'idée de ce tête-à-tête était à la fois séduisante et perturbante. Il lui offrit son bras.

— Que voulait dire Phaedra, avec ce discours sur les roses ? demanda-t-elle en montant l'escalier.

— Phae ? fit-il, l'air vaguement embarrassé. Rien. Elle voulait juste me taquiner.

— Ah oui ? À quel sujet ?

— Un pieux mensonge que j'ai fait une fois… pour échapper à un thé qui m'ennuyait.

— Je vois. Et… dites-moi, monsieur, mentez-vous aussi en ce moment ?

Rothewell s'immobilisa.

— À quel propos ?

— À propos de votre intérêt pour la peinture, bien entendu.

Il scruta son visage, et répondit avec franchise :

— Oui, j'ai menti. Je me moque complètement des roses et de la peinture, si vous voulez le savoir.

— Ah. Vous ne connaissez vraiment rien à la peinture ?

Rothewell hésita. Elle devait le prendre pour un lourdaud de la pire espèce. Mais tant pis.

— Je sais reconnaître le bleu du rouge, marmonna-t-il. Et je fais la distinction entre la peinture à l'huile et… et les autres.

— Et cependant, vous désirez admirer ces tableaux ?

— Ce que je désire surtout, c'est vous parler en privé. Et je ne vois pas d'autre moyen de le faire. Mais pardonnez-moi… vous préférez peut-être ne pas vous trouver seule avec moi ?

— Cela me convient très bien. Car j'ai quelque chose à vous dire, monsieur. Et je n'ai pas peur de vous. Je pense que vous l'avez compris, maintenant.

Elle aurait pourtant dû avoir peur. Si elle avait deviné les pensées qui lui traversaient l'esprit tandis qu'il regardait sa jupe de soie se balancer au rythme de ses hanches, oui, elle aurait certainement eu très peur…

Ils trouvèrent la bibliothèque facilement. De grands vases encadraient la porte. Rothewell prit la clé sous l'un d'eux, et referma ensuite le battant. Une odeur d'humidité régnait dans la salle. Des appliques éclairaient l'entrée, mais le reste de la pièce était plongé dans l'obscurité. Il trouva une bougie, l'alluma, et avança lentement. Tout un mur était occupé par les tableaux, qui alternaient avec des appliques.

— Voulez-vous que j'allume les autres lampes ? proposa-t-il.

— *Merci,* mais la bougie suffira. Je suppose que nous ne sommes pas là pour admirer les toiles ?

— Non, dit-il en posant la bougie sur une des tables de lecture. Nous sommes là, car je vous dois des excuses.

Elle arqua ses fins sourcils noirs.

— Mon Dieu, tout le monde veut donc me présenter des excuses, ce soir ? Vous faites allusion à Mme Ambrose, *n'est-ce pas* ?

Rothewell la suivit, alors qu'elle passait le long de la paroi couverte de tableaux.

— En effet. Cette scène, hier, chez Pamela… j'en suis responsable. C'était injuste envers vous.

— Et injuste aussi pour Mme Ambrose, je suppose ?

— Aussi, admit-il, la mine sombre.

Camille se tourna, et il crut distinguer une lueur de détresse dans ses grands yeux sombres. Elle hésita un bref instant.

— Je ne peux pas vous empêcher d'avoir une maîtresse, monsieur. Mais, tant que nous vivrons ensemble, je ne veux pas entendre parler de cette *affaire d'amour.* Vous avez compris, lord Rothewell ? Je ne me laisserai pas humilier comme ma mère. C'est hors de question.

Camille se tenait bien droite face à lui, aussi exquise qu'une statue de verre placée hors de sa portée. Il éprouva un léger pincement au cœur, et eut soudain envie de l'embrasser. De la serrer dans ses bras et de l'embrasser à perdre haleine. Il voulait voir ses cheveux noirs comme l'encre se déployer et glisser entre ses doigts. Ses lèvres s'entrouvrir, s'offrir sans réserve. Sa propre faiblesse l'agaça, et il repoussa ces images troublantes.

— Le sujet de Mme Ambrose est clos, Camille, déclara-t-il en posant les mains sur ses frêles épaules. Je me suis excusé.

Le regard de la jeune femme se durcit.

— C'est loin d'être fini, monsieur. J'exige que vous me donniez votre parole de gentleman.

— Quoi ? Vous êtes jalouse ?

Ses yeux sombres étincelèrent.

— Oh, cela vous plairait, n'est-ce pas ? Vous aimeriez avoir un tel pouvoir sur moi. Tenir mon cœur entre vos mains. Mais je ne suis pas aussi stupide, Rothewell. Je ne vous donnerai pas mon cœur. Je ne puis me le permettre.

Les doigts de Rothewell se crispèrent sur ses bras.

— Je vous ai demandé de devenir ma femme. Et je vous demande d'être fidèle et honorable. Je n'exige rien de plus, *mademoiselle.*

— Très bien, répliqua-t-elle d'un ton sec. Dans ce cas, vos aventures doivent rester secrètes, *monsieur.*

Il lui donna une légère secousse.

— Appelez-moi au moins par mon nom, bon sang. Cessez de me dire « monsieur » comme si j'étais un inconnu.

— Très bien. Lord Rothewell.

— Non. *Kieran.* La pensée que je puisse avoir une maîtresse ne provoque donc même pas votre indignation ? Très bien. Mais croyez-vous que vous pourrez au moins m'appeler par mon prénom ?

— Oh, parce que vous avez l'intention d'être un mari fidèle ? lança-t-elle d'un air moqueur. Ne mentez pas, *monsieur.* Vous êtes un gredin, et un libertin dans l'âme. Et nous le savons tous les deux.

Quelque chose au plus profond de lui se rompit. Il l'attira brutalement à lui et captura ses lèvres avec rudesse. Une flèche de désir brûlante lui transperça le corps. Il voulait la mettre en colère. Il voulait qu'elle le repousse, qu'elle le gifle. Faire oublier la vérité que contenaient ses paroles. Il pénétra la chaleur de sa bouche, lui renversant la tête en arrière, l'obligeant à se soumettre à son étreinte.

Quand ils se séparèrent, elle était haletante, et ses yeux lançaient des éclairs.

— Voilà, dit-il, le souffle court. Ne prétendez pas que je vous laisse indifférente, Camille. Cessez d'agir comme si vous étiez l'agneau du sacrifice qu'on mène de force dans mon lit.

La jeune femme s'enflamma.

— Vous êtes très imbu de vous-même, *Kieran,* rétorqua-t-elle de sa voix rauque. Mais, croyez-moi, je ne suis pas un agneau.

— Non, n'est-ce pas ? Nous allons nous marier, Camille. Nous devrions au moins essayer d'être… je ne sais pas… aimables, je suppose ?

Aimables ? À peine le mot eut-il franchi ses lèvres que Rothewell eut envie de le ravaler. Il n'était pas aimable.

Mais Camille l'observait, et l'espace d'un instant le masque de dureté tomba. Elle était seule, songea-t-il, mais elle avait sans doute peur de vivre autrement. Il éprouva pour elle une vague de compassion. Dans d'autres circonstances, à un autre moment, les choses auraient pu être différentes entre eux.

— Camille, chuchota-t-il, ne pourrions-nous pas essayer de nous entendre ?

Les mots étaient si simples à prononcer… et jusqu'ici, c'était la seule chose qu'il ait jamais demandée à une femme. Cette pensée lui fit un peu honte.

— Je… je ne sais pas.

Elle croisa les mains devant elle, et eut soudain l'air très las.

— Mais je sais une chose, reprit-elle. Je ne peux pas me permettre de m'attacher à vous. Je ne veux pas devenir dépendante de vous. Vous l'avez dit vous-même, et… Mon Dieu, à ce moment-là, je vous ai admiré pour votre franchise.

— Non, ce que j'ai dit, c'est que…

Levant les mains, Camille lui imposa le silence.

— Laissez-moi finir, *s'il vous plaît.* Ne cédez pas à cette… culpabilité qui vous tourmente. Vous me désirez, mais n'essayez pas de me faire croire que vous ressentez autre chose pour moi.

— Mon Dieu, s'exclama-t-il en se passant une main dans les cheveux. Je voudrais juste…

— Quoi ? chuchota-t-elle en baissant les yeux, comme pour dissimuler son émotion. Que voulez-vous, Rothewell ? Que la vie soit plus juste ? Vous savez qu'elle ne l'est pas.

Il secoua la tête.

— J'aurais aimé que nous nous rencontrions en d'autres circonstances. Avant que je ne sois devenu… ce que je suis. Avant que vous ne soyez aussi froide.

— C'est ce que vous pensez de moi ? demanda-t-elle doucement. Que je suis froide ?

— Oui, froide et dure. Vous avez été endurcie par la vie, Camille. Vous vous attendez… au pire, je suppose.

Et sans doute allait-elle obtenir le pire, reconnut-il intérieurement. Il était loin d'être le mari idéal, et ce pour un grand nombre de raisons. Il ne serait probablement pas fidèle. N'aurait pas une conduite très honorable. Bon sang, il avait triché aux cartes, juste pour avoir une chance de coucher avec elle. Mais son esprit revenait sans cesse à cette scène : Camille tapant du poing sur la table et mettant les joueurs au défi de l'épouser. Elle s'était offerte en sacrifice… et c'était lui qui allait porter le coup fatal.

Elle était plus belle que jamais, ce soir. La peau crémeuse de ses seins était en partie dissimulée par le tissu vert sombre de sa robe, qui mettait en valeur toutes ses courbes. Il posa les yeux sur son cou gracieux, sur ses boucles d'oreilles d'émeraude, et il eut envie de l'embrasser. Ses mains lui agrippèrent plus fermement les épaules, et il l'attira contre lui.

— Camille, vous m'épousez car vous n'avez pas le choix, dit-il doucement. Croyez-vous que je ne le sais pas ? Mais, avant de vous présenter devant l'autel avec moi, il faut que vous sachiez ce que j'attends.

— Et qu'attendez-vous ?

— Des baisers. Beaucoup de baisers.

— Ah… vous voulez m'embrasser encore ?

— Oui. Camille, il ne s'agit pas simplement de faire un enfant. Vous méritez mieux qu'un homme qui se contente de prendre son plaisir.

— Je vois. Vous avez l'intention de me séduire.

— Oui. Oui, je crois, admit-il.

Elle détourna les yeux, dans une expression de soumission qui ne lui ressemblait pas.

— J'ai besoin d'un mari, monsieur, dit-elle en battant des paupières. Et je vous ai déjà laissé voir ma faiblesse. Oui, je vous désire. Vous n'aurez pas de mal à me séduire, je le crains.

Rothewell secoua la tête. Il était loin de se sentir satisfait, et il n'aurait pas su dire pourquoi. Il éprouvait le même genre de frustration que le premier soir, quand elle lui avait froidement offert son corps en échange d'une promesse de mariage. Il avait été diablement tenté d'accepter et de la posséder sur-le-champ.

Il songea à une autre beauté qui avait eu besoin qu'on vienne à son secours, mais cette fois-là c'était lui qui avait fait la proposition. Le corps d'Anne-Marie, en échange de son amour éternel et de son support financier. Il n'était pas le premier à lui proposer ce genre d'arrangement. Et elle ne s'était pas fait prier pour conclure le marché… d'une façon qu'il ne pourrait jamais oublier. Après de longues années d'obscurité, sa vie s'était soudain emplie de lumière. Ensuite, son frère s'en était mêlé.

Mais, en dépit de ce que pensait Xanthia, Camille n'était pas Anne-Marie. Oh, certes, la ressemblance était là. Les cheveux sombres, les yeux étincelants, la peau couleur de miel. Cet accent français, tellement sensuel. Oui, c'était la première chose qui l'avait frappé chez Camille, et qui l'avait attiré. Mais ce fantasme ne survivrait pas à une nuit dans le lit de Camille Marchand. Celle-ci était animée par une passion qu'Anne-Marie n'avait jamais possédée.

Une femme aussi exceptionnelle méritait d'être entourée de bonheur. Il fallait lui faire l'amour sur un lit de pétales de roses. Écrire des poèmes en son honneur. Or, il ne ferait rien de tout cela pour Camille Marchand. Car ce n'était pas dans sa nature. Il faudrait qu'elle se contente de beaucoup moins.

Bien qu'il ait gardé le silence plusieurs minutes, Camille n'avait pas tenté de se dégager. Il lui caressa la joue du revers de la main.

Elle baissa les yeux, et ses cils sombres se détachèrent contre sa peau mate.

— Vous aviez raison sur un point, finit-il par dire. Je vous désire. Plus que je ne le voudrais.

— Vous souhaitez m'embrasser de nouveau, *n'est-ce pas* ?

Il lui prit le visage à deux mains, et lui caressa les lèvres de son pouce. Il les sentit frémir, aperçut ses minuscules dents blanches, le bout de sa langue. Alors il lui murmura à l'oreille :

— Oui. Et c'est nécessaire, Camille. Absolument nécessaire.

— Nécessaire ? répéta-t-elle dans un filet de voix.

— Ce baiser… il m'est aussi nécessaire que l'air que je respire. Embrassez-moi, Camille.

Elle renversa la tête en arrière et se haussa sur la pointe des pieds, les yeux clos. Lentement, très lentement, Rothewell se pencha vers ses lèvres. Il voulait savourer chaque seconde, et garder précieusement ce souvenir dans un petit coin de sa mémoire. Pour le jour où il serait privé de ce plaisir.

Leurs bouches se touchèrent. Avec une délicatesse qui le stupéfia lui-même, Rothewell posa ses lèvres sur les lèvres frémissantes de la jeune femme. Après un bref instant d'hésitation, Camille lui rendit son baiser. Elle s'offrit, l'attirant dans sa chaleur. Elle était si douce qu'il eut l'impression que quelque chose, tout au fond de lui, se mettait à fondre.

Elle plaça les deux mains sur son visage, reproduisant le geste qu'il avait eu lui-même un instant auparavant. Elle le tint ainsi, comme si elle pouvait contrôler ses mouvements.

Il la désirait. Bon sang, il la désirait vraiment. Ce n'était pas le souvenir d'Anne-Marie qui l'habitait. Il désirait Camille avec une intensité qui l'aurait inquiété, s'il n'avait été autant enivré par ce baiser.

Il la fit adosser au mur, sous l'une des appliques. Soudain, il regretta de ne pas les avoir toutes allumées. Ainsi, il aurait vu la lumière vacillante effleurer ses pommettes et ses cils soyeux. Sans quitter ses lèvres, il cueillit ses seins au creux de ses mains.

Camille étouffa un petit cri. Mais quand il glissa les doigts sous la dentelle de son corsage, elle ne dit rien et renversa la tête contre le mur. D'un mouvement habile, il écarta le tissu, exposant ses mamelons roses.

Il eut un moment d'hésitation, comme s'il attendait qu'elle proteste, qu'elle le repousse. Mais le silence de la bibliothèque ne fut troublé que par le bruit de leurs respirations.

Elle était lasse de lutter contre le désir qu'elle éprouvait pour cet homme. Elle avait envie de lui. Et lorsqu'il se pencha afin de prendre la pointe d'un sein entre ses lèvres, elle soupira en sentant une spirale de plaisir se dérouler en elle.

Encouragé par cette réaction, il attira le mamelon plus profondément dans sa bouche, et le taquina jusqu'à ce qu'elle émette de petits gémissements de volupté. Alors, il se tourna vers l'autre sein, et le taquina également.

— *Oui*... murmura-t-elle en lui agrippant les épaules.

Il glissa les doigts entre ses omoplates, et défit les agrafes de sa robe. Elle s'abandonna à ses caresses. Quand il reporta son attention sur ses petits seins, à la rondeur parfaite, elle ouvrit les yeux.

— *Mon Dieu,* chuchota-t-elle, l'air égaré.

Il l'embrassa.

— Kieran, je veux... Oh, je ne sais pas...

— Je crois que je peux deviner.

Il approfondit son baiser et agrippa à pleines mains les plis de sa jupe. Et soudain, il songea qu'il aurait mérité le fouet. Il n'était pas assez égaré par le désir pour oublier l'aspect précaire de la situation. Ni le fait qu'elle était vierge. Toutefois, il continua de soulever sa jupe et insinua les doigts sous les volants pour la toucher au plus secret d'elle-même.

— Camille, vous allez m'épouser. Dans quelques jours. Nous serons mariés, n'est-ce pas ?

— Oh, oui, je suis... je suis tellement... *Oui... oui.*

Avec l'expérience de toute une vie, habitué comme il l'était à faire l'amour dans les lieux les plus étranges avec des femmes qu'il connaissait à peine, Rothewell parvint à lui ôter son pantalon de soie, qui tomba mollement à ses pieds.

Alors, il la caressa de nouveau, et l'entendit gémir. Cela lui fit tout oublier.

Il introduisit deux doigts entre ses boucles serrées, dans la moiteur de sa chair.

— Oh, mon Dieu, murmura-t-elle.

— Camille, Camille...

C'était de la folie. Ce n'était pas le lieu idéal pour faire l'amour à une jeune vierge sans expérience. Mais rien ne pouvait lui faire entendre raison. D'un mouvement souple, il lui remonta ses jupes plus haut encore. Puis il s'agenouilla devant elle et insinua sa langue dans les boucles, cherchant la clé de son plaisir. Ses gémissements s'intensifièrent.

Il écarta gentiment ses jambes et, avec délicatesse, insinua un doigt entre les replis humides et soyeux. Il voulait lui donner du plaisir. Un plaisir infini. Le genre de plaisir qui fait tourner la tête, et qui la pousserait probablement vers l'autel sans réfléchir davantage.

Le poing serré sur les volants de sa jupe, il la taquina du bout de la langue. Sa respiration se fit haletante. Il s'aventura encore et encore au cœur de sa féminité, jusqu'à ce qu'il ait trouvé le bouton frémissant qui détenait son plaisir.

— Kieran, Kieran, gémit-elle en posant les mains sur ses épaules.

Il devina que la vague de jouissance était sur le point de déferler. Elle murmura d'autres mots en français. Sa tête était renversée en arrière. Elle était la passion personnifiée. Il l'ouvrit davantage, du bout des doigts, et continua de lui prodiguer des caresses douces et sensuelles. Elle soupira dans l'obscurité. Puis elle se mit à trembler violemment lorsque le plaisir la submergea. Alors, il l'embrassa sur le ventre, et effleura légèrement ses boucles une dernière fois.

Elle était belle. Si belle.

Quand elle se fut un peu ressaisie, il se redressa et défit rapidement son pantalon.

— Laisse-moi te soulever, mon amour, chuchota-t-il. Mets tes jambes autour de ma taille. Oui. Comme ça.

— Oui, répondit-elle. Oui. Viens en moi.

Elle était aussi légère qu'une plume. Il la souleva encore et la pénétra un peu d'un coup de reins. Il la sentit se raidir, puis se détendre de nouveau entre ses bras.

— Camille… je risque de te faire mal, dit-il en scrutant son visage.

— *N'importe.* Je te désire, Kieran. Je te veux en moi.

Il savait, au fond de lui, qu'il le regretterait. Que c'était la pire position pour une femme sans expérience. Mais il ne pouvait pas attendre. Le désir l'aveuglait. Son parfum, la chaleur de son corps l'enveloppaient comme un nuage sensuel.

— Camille…

Incapable de résister plus longtemps, il s'enfonça plus profondément et perçut une faible résistance. Elle inspira, réprimant un petit cri de douleur.

— Oh, bon sang, marmonna-t-il, les mâchoires serrées.

— Non. Je t'en prie, n'arrête pas !

Il alla plus loin en elle, et elle s'abandonna pour mieux l'accueillir. Puis elle l'attira en elle. Il se mit à bouger, savourant sa douceur. Elle noua les bras autour de lui et l'embrassa profondément. Il s'offrit à sa passion, et ses mouvements se firent plus rapides.

— Camille…

Sa tête était renversée en arrière, elle avait les yeux fermés. Ses seins se soulevaient au rythme de sa respiration.

— Camille, redis encore mon nom.

— Kieran, chuchota-t-elle.

La jouissance déferla rapidement, et il n'essaya pas de repousser la vague qui le submergea. Tremblant de tous ses membres, il laissa sa semence se répandre en elle. Il eut l'impression qu'un rêve merveilleux se terminait.

Mais presque aussitôt il sentit les bras de Camille l'entourer, et elle blottit le visage dans son cou tandis qu'il reprenait contact avec la réalité.

Ils étaient unis, à présent. Irrémédiablement unis. Le papier qu'il avait dans sa poche n'était plus qu'une simple formalité.

Personne ne regarda Rothewell et Camille quand ils revinrent de leur escapade dans la bibliothèque. De fait, les invités prirent tant de peine à ne pas les regarder que Camille fut un peu embarrassée. Elle alla rejoindre lady Phaedra dans un canapé, et cacha ses mains tremblantes. Rothewell s'écarta de la foule et reprit son poste près de la fenêtre. Il semblait étrangement distant, comme s'il souffrait. Camille sentit son cœur sombrer. Était-il déçu, finalement ?

La douairière vint s'asseoir avec les jeunes filles, et la conversation s'orienta vers la mode parisienne. Camille répondit aux questions de la mère de Nash d'une façon presque mécanique. Du coin de l'œil, elle vit Xanthia s'approcher de son frère et lui poser la main sur le bras, d'un air inquiet. Rothewell était très pâle.

— Excusez-moi, dit Camille en se levant brusquement. Je… Il faut que je parle à Rothewell.

Elle alla droit à la fenêtre, et murmura :

— Monsieur, vous sentez-vous mal ?

Xanthia lui lança un coup d'œil hésitant, et demanda à son tour :

— Kieran ? Tu te trouves mal ?

Il pinça les lèvres, comme s'il était irrité… ou comme s'il souffrait. Camille remarqua des gouttes de sueur sur son front.

— Merci, ce n'est rien, répondit-il d'un ton crispé.

Puis, sans un mot il les laissa là, et alla se servir un cognac. Xanthia jura tout bas.

— Ce cognac, c'est certainement la dernière chose dont il a besoin.

Xanthia avait raison, pensa Camille. Mais Rothewell était entêté. Elle doutait fort que les réprimandes de sa sœur, ou les siennes, y changent quoi que ce soit.

Cependant, peu après, les invités commencèrent de quitter la réception. Lorsque les autres furent tous partis, lady Nash serra ses plus proches parents dans ses bras, et les raccompagna devant le perron où les voitures les attendaient.

Camille fut soulagée de pouvoir enfin s'échapper. Elle avait envie d'être seule. De s'allonger dans son lit, de songer à la gravité de ce qu'elle venait de faire… et aussi de revivre dans sa tête ces moments de bonheur. Elle se rendit compte que ses mains tremblaient un peu au souvenir des caresses de Rothewell. Elle les pressa fermement sur sa jupe, et s'efforça de sourire.

Au même instant, Rothewell descendit les marches, sa canne à la main. Sa sœur lui donnait le bras et lui chuchotait des paroles mystérieuses à l'oreille.

Lady Sharpe se pencha par la portière :

— Kieran, pouvons-nous vous raccompagner ?

— Ce n'est pas sur votre chemin, répondit-il.

Son visage était étrangement pâle. Qu'avait bien pu lui dire lady Nash ?

— Oh, venez donc, Kieran, reprit lady Sharpe. Un gentleman doit accompagner sa fiancée, vous ne croyez pas ?

— Tu devrais y aller, approuva doucement sa sœur en lui posant une main sur l'épaule.

Lord Sharpe, qui n'était pas encore monté dans la voiture, lui désigna la portière.

— Les femmes ont décidé, mon vieux, dit-il. Il ne vous reste qu'à obéir.

Rothewell remercia Sharpe, et alla s'asseoir face aux dames. Lady Sharpe ne cessa de bavarder plaisamment tandis que la voiture traversait Mayfair.

Camille était curieuse de voir où habitait Rothewell.

La maison se trouvait à Berkeley Square, et elle était fort élégante. Camille se demanda comment elle avait pu croire que Rothewell était sans le sou. Peut-être avait-il eu un besoin urgent d'argent liquide ? À moins qu'il ne fût simplement incapable de résister à l'attrait du jeu. Quoi qu'il en soit, il n'était certainement pas pauvre.

La grande porte s'ouvrit, et un domestique apparut. Le majordome de Rothewell était noir, et portait un élégant costume sombre.

Rothewell, cependant, ne fit pas mine de descendre. Il fixa lady Sharpe et déclara d'un ton posé :

— Je crois que nous avons attendu assez longtemps pour célébrer ce mariage.

— Je vous demande pardon ? fit lady Sharpe en se raidissant.

— Je désire que nous soyons mariés au plus vite, insista-t-il en se tournant vers Camille. Dès demain matin.

— Demain matin ? s'exclama lady Sharpe, incrédule. Kieran, personne n'est prêt !

— Peu importe, je veux que nous soyons mariés. Sharpe, pouvez-vous tout arranger ?

Lord Sharpe acquiesça.

— Absolument, mon vieux. Vous avez une licence spéciale ?

— Oui, je l'ai déjà depuis quelques jours.

Rothewell regarda Camille, et elle songea qu'il agissait ainsi parce qu'il lui avait pris sa virginité. Elle n'aurait pas cru qu'il était aussi vieux jeu.

— Ma chère, je pense que nous ne devons pas attendre, dit-il avec une douceur surprenante. Me faites-vous confiance ?

Elle tressaillit. Il lui demandait si elle avait confiance en lui ?

Le regard gris et fascinant de Rothewell était rivé au sien et, pendant un instant, elle eut l'impression qu'ils étaient seuls dans la voiture. Voilà. Il lui tendait la perche. Lui donnait une dernière occasion de tout arrêter. Le bon sens pouvait encore l'emporter, elle pouvait s'en tenir à la vie vide, mais sans danger, qu'elle menait depuis si longtemps.

Lord et lady Sharpe la regardaient aussi, suspendus à ses lèvres.

Camille ferma les yeux. Non, il était trop tard pour revenir en arrière. Et pas seulement à cause de ce qu'ils avaient fait ce soir. Elle aurait aimé que les choses soient aussi simples que ça. Mais il était trop tard à cause de ce qu'il lui faisait ressentir. Il était l'homme qu'elle désirait. *L'homme qu'elle désirait.*

Quelle idiote. Oh, quelle idiote elle était !

Camille rouvrit les yeux et inspira profondément.

— Oui, monsieur, déclara-t-elle d'une voix incroyablement maîtrisée. Je serai très honorée de devenir votre femme dès demain.

6

Lord Rothewell goûte à la félicité conjugale

Finalement, Rothewell et sa fiancée prononcèrent leurs vœux en fin d'après-midi dans le salon de lord et lady Sharpe, devant la cheminée où ronflait un grand feu. Seuls Xanthia et son mari assistèrent à la cérémonie. Ce n'était pas une heure habituelle pour un mariage, mais les circonstances n'avaient rien de banal.

Toutefois, lady Sharpe fit son possible pour donner à l'événement un air de fête, malgré la vague de froid qui avait apporté un ciel gris et un vent mordant. Bien que ne disposant que de quelques heures de préparation, elle avait pu commander des bouquets de lys et des feuillages qui donnèrent à la salle un aspect printanier. Le repas qu'elle avait improvisé était digne de la table d'un sultan.

Camille cependant remarqua à peine les fleurs. En dépit du calme qu'elle avait affiché dans la voiture, elle avait passé une nuit sans sommeil, revenant sans cesse à ce qui s'était passé dans la bibliothèque. Ce mariage n'allait pas être une simple formalité, comme elle avait voulu le croire. C'était un sacrement. Elle avait déjà offert son corps à cet homme. Et maintenant, alors qu'elle se tenait face au prêtre, elle était effrayée par la profondeur de sa réaction.

Elle avait la sensation de se tenir au-dessus d'un précipice insondable. Dans un geste involontaire, elle enfonça les ongles dans la manche du costume de Rothewell.

Le prêtre ouvrit le livre de prières.

— Nous sommes assemblés ici…

Les mots s'effacèrent pour ne plus former qu'un ensemble de sons confus. Camille fit un effort pour respirer normalement.

Rothewell, percevant son malaise, posa une main sur la sienne. Ce geste lui redonna des forces, et ses genoux cessèrent de trembler. Elle parvint à murmurer ses vœux. Puis, plongée dans une sorte de stupeur muette, elle regarda Rothewell lui glisser au doigt un anneau d'or et de rubis.

Le prêtre continua et Camille écouta, les yeux fermés :

— Puissiez-vous vivre ensemble dans la paix et l'amour…

Pourrait-elle vivre dans l'amour et la paix ? Elle s'était donnée à cet homme, à l'allure sombre et dangereuse, qu'elle ne connaissait pas. Et qu'elle ne connaîtrait vraisemblablement jamais.

Quand la bénédiction fut prononcée, Rothewell retira sa main. La vue de Camille se brouilla, et elle se rendit compte qu'elle était au bord des larmes.

Il y eut une dernière prière, puis les autres la serrèrent tour à tour dans leurs bras.

Deux heures plus tard, après avoir été abondamment embrassée et félicitée, elle se retrouva, frissonnante, dans la voiture de Rothewell, levant la main pour saluer sa nouvelle belle-sœur et sa généreuse hôtesse. Malgré le froid, lady Sharpe demeura sur le perron pour agiter son mouchoir de dentelle, alors que les chevaux s'éloignaient au trot.

— Eh bien, Camille, annonça son mari d'une voix grave. Voilà qui est fait.

— Oui, c'est fait, répéta-t-elle, en espérant qu'ils ne le regretteraient pas.

Il ne prononça pas un autre mot pendant le court trajet dans Mayfair. C'était probablement un des nombreux silences qu'ils auraient à endurer au cours de leur mariage, songea-t-elle. Rothewell n'était pas bavard.

Quand ils atteignirent la maison de Berkeley Square, Londres était enveloppé dans l'obscurité. L'air était vif, chargé de l'odeur métallique du charbon qui brûlait dans presque tous les salons de la ville. Ils furent accueillis par le majordome que Camille avait vu la veille sur le perron.

Rothewell lui apprit qu'il s'appelait Trammel. Dans le grand hall aux murs nus, régnait un parfum exotique et épicé. Le seul ornement, un tapis persan dans des tons rouge et or, traversait le hall et recouvrait les marches de marbre. Le majordome s'inclina devant Camille et ouvrit les portes d'un vaste salon à l'aspect austère.

— Étant donné le froid, j'ai pensé que madame aimerait une tasse de thé ?

— Ou quelque chose de plus fort, suggéra Rothewell. Si je me souviens bien, mon épouse apprécie le bordeaux.

— *Merci,* dit Camille, étonnée qu'il ait remarqué ce détail. N'importe quel vin rouge me fera plaisir.

Trammel fit signe à un valet et pénétra dans le salon après eux. Un feu brûlait dans la cheminée et, lorsque les yeux de Camille se furent habitués à la lumière, elle vit une petite boule de poils descendre du sofa et se précipiter vers Trammel d'un air joyeux. Rothewell se figea.

— Diable. Qu'est-ce que c'est que ça ?

— Oh, c'est Chin-Chin, monsieur, dit Trammel, tandis que la petite créature dansait à ses pieds.

— Bonté divine ! s'exclama Camille, oubliant instantanément ses soucis. C'est un chat ?

— *Yip ! Yip !* fit la créature, l'air offensé.

— C'est un chien, madame. Une race asiatique, à ce qu'on m'a dit.

— Un chien ? répéta Rothewell d'un air de doute. Les rats de la ruelle sont deux fois plus gros que lui. Que fait-il ici ?

Trammel redressa légèrement les épaules.

— Vous m'avez demandé de vous procurer un chien, monsieur, répondit-il pendant que Camille et Rothewell s'installaient près du feu. Hier après-midi.

— Diable ! grommela Rothewell.

Il s'assit, en grimaçant un peu comme s'il avait mal. Camille garda le silence, mais se promit de le surveiller. Le petit chien, cependant, n'était pas aussi discret. Il bondit sur le canapé à côté de Rothewell, posa le museau sur ses pattes de devant et remua frénétiquement la queue.

Camille se pencha pour le caresser.

— *Bonjour Chin-Chin*, roucoula-t-elle en français. *Comme tu es mignon !*

— D'où sort-il ? s'enquit Rothewell. Par Dieu, vous le renverrez d'où il vient dès demain !

— Hélas, monsieur, Chin-Chin n'a nulle part où aller, déclara Trammel d'un air triste. C'est un sans-abri.

— Mon œil ! répliqua Rothewell en lançant un regard noir à la petite boule de poils noir et blanc. Il est gras comme une oie, et on vient de le brosser. Où diable l'avez-vous déniché ?

Trammel soupira.

— De l'autre côté du square, chez Mme Rutner… excusez-moi, elle s'appelle lady Tweedale, à présent. Le pauvre M. Rutner l'avait ramené d'un voyage en Malaisie. Mais lord Tweedale l'a pris en grippe et l'a jeté à la porte. Il dit qu'il préférerait avoir un bouledogue.

Rothewell émit un grognement de mépris.

— À la place de Mme Rutner, je me débarrasserais de Tweedale et je garderais le chien.

— *Mon Dieu,* murmura Camille en soulevant l'animal pour le serrer contre sa poitrine. Comment peut-on sacrifier une si gentille petite bête pour apaiser un tyran domestique ?

— Cette femme manque de caractère, commenta Rothewell avec un ricanement sec.

— Mais vous voulez vous aussi vous débarrasser de lui, monsieur, fit remarquer Trammel d'un air de reproche, en approchant la table à thé.

— Bon sang, Trammel. Ce n'est pas mon chien !

Le valet apparut à ce moment avec une carafe de vin et deux verres en cristal, coupant court à la discussion. Le chien abandonna les genoux de Camille pour sauter de nouveau sur le canapé. Il tourna deux fois sur lui-même, puis se laissa tomber contre la jambe de Rothewell avec un grognement de satisfaction. De toute évidence, il venait de choisir son nouveau maître, et ne semblait pas regretter une seconde la faible et inconstante lady Tweedale…

Camille servit le vin en souriant.

Une heure plus tard, Trammel vint l'informer que ses malles étaient arrivées. Elle refusa le souper qu'il lui proposait, et fut surprise que Rothewell en fasse autant. Elle trouva étrange qu'un homme tel que lui ait si peu d'appétit.

Après avoir brièvement fait le tour des pièces du rez-de-chaussée, ils montèrent dans les chambres. Celle de Rothewell était un modèle d'ascétisme. Pas de tapis, ni de tentures autour du lit. Celui-ci toutefois était large et massif, et vu les sculptures exotiques qui ornaient les montants d'acajou, il était évident qu'il n'avait pas été fabriqué en Angleterre. La courtepointe de lourd coton était ivoire, comme les tentures des fenêtres. L'absence de couleurs vives donnait à la chambre un aspect étrangement apaisant.

Trammel aida Rothewell à ôter sa veste, puis tira sur le cordon pour appeler les domestiques.

— Je crains que les femmes de chambre ne soient pas tout à fait prêtes, dit-il à Camille. Nous avons préparé la chambre voisine ce matin, quand nous avons appris que le mariage aurait lieu aujourd'hui.

Donc, elle était attendue. Elle s'était demandé un instant si Rothewell traitait ses domestiques avec le même détachement qu'il avait manifesté pour le mariage.

Cette pensée la remplit de honte. Valait-elle mieux que Rothewell ? N'était-elle pas prête à épouser n'importe qui ? De fait, elle s'était offerte à lui le premier soir de leur rencontre, en échange d'une promesse de mariage. Elle voulait un mari pour échapper à Valigny, et à une vie vide de sens. Elle était aussi responsable que lui de ce qui leur arrivait.

Sa chambre correspondait directement avec celle de Rothewell. Les deux pièces n'étaient même pas séparées par un dressing, ou par un salon. Elle s'arrêta à l'entrée, surprise par l'odeur.

— C'est la peinture fraîche, madame, expliqua Trammel. Je suis désolé. La porte a été placée la semaine dernière.

Camille fit deux pas en arrière, et observa le battant.

— Il n'y avait pas de chambres contiguës dans la maison, poursuivit le majordome en pénétrant dans la vaste pièce. Monsieur le baron a voulu que vous ayez la plus grande.

Rothewell lui avait donné sa chambre ? Elle s'était donc trompée, au sujet de son soi-disant détachement.

Les meubles étaient semblables à ceux qu'elle avait déjà vus, mais le lit était plus petit, et de facture plus délicate. La chambre contenait également un petit bureau et un canapé couvert de brocart. Toutes les lampes étaient allumées, et deux servantes étaient en train de dérouler les tapis et de suspendre les tentures. Elles lui coulèrent de discrets regards curieux.

La chambre était propre, bien aérée, et il n'y avait pas le moindre grain de poussière sur les meubles. Ses malles étaient posées, ouvertes, près du dressing.

— J'ai envoyé chercher de l'eau chaude, madame, dit Trammel en retournant vers la porte de Rothewell. Votre femme de chambre est en train de se restaurer dans la cuisine. Faut-il que je vous l'envoie ?

— Non, pas ce soir, merci.

Camille jeta un regard circulaire dans la chambre, et se sentit un peu perdue.

— Dites à Émilie qu'elle peut aller se coucher. Nous viderons les malles demain.

Lorsque l'eau arriva et que les servantes furent sorties, Camille ferma la porte à clé pour prendre son bain et se brosser les cheveux. Elle fut surprise, en se déshabillant, par la fatigue qui l'assaillit. Ses membres étaient comme alourdis.

L'eau était délicieusement chaude, et le savon français était parfumé à l'amande. Elle se lava soigneusement, mais une légère douleur entre ses cuisses la ramena au moment d'intimité qu'elle avait partagé avec Rothewell. Elle se rappela l'odeur de son corps. Sa chaleur. Sa force. Camille frissonna. Il lui semblait qu'une éternité s'était écoulée depuis.

Fermant les yeux, elle se cramponna au bord de la table de toilette. La journée lui paraissait s'être déroulée dans un rêve.

Pourtant, elle ne rêvait pas... Camille se secoua, et alla se camper devant le miroir en pied. Cette femme était celle que lord Rothewell avait épousée.

La femme à qui il avait fait l'amour d'une façon passionnée, impétueuse.

Pourtant, elle n'était pas le genre de femme à éveiller un tel désir chez un homme. En fait, elle était plutôt petite, mince. Elle imaginait qu'il aimait les femmes plus expérimentées, aux courbes voluptueuses.

Cependant, c'était elle qu'il avait décidé d'épouser. Apparemment, ce n'était pas pour son argent. Et pas par amour non plus. Cela ne laissait plus que la bonté comme explication. Or, Rothewell n'était pas un homme bon. S'il l'avait été un jour, quelque chose lui avait arraché du cœur cette bonté – ou du moins, c'était ce qu'il voulait faire croire.

Elle soupira, puis enfila ses vêtements de nuit, et commença d'éteindre les lumières. Rothewell viendrait-il la retrouver ce soir dans son lit ? L'inviterait-il dans le sien ? Elle ne refuserait pas, bien entendu. En partie parce que c'était son devoir. Et aussi parce qu'elle voulait désespérément un enfant. Mais il y avait une autre raison, plus profonde, plus effrayante.

Elle n'eut pas à se poser la question longtemps. On frappa très doucement à la porte de communication. Le battant s'ouvrit et la silhouette de son époux se découpa dans la lumière derrière lui, ses larges épaules remplissant presque la largeur de la porte. Il portait une robe de chambre de soie sombre.

Quand il lui tendit la main, elle la prit tout naturellement. C'était une main chaude, robuste. Sans un mot, il l'attira dans sa chambre.

— Ah, murmura-t-elle en jetant un coup d'œil au lit. Je vois que vous avez un compagnon pour la nuit.

— Il ne restera pas longtemps, assura Rothewell en lançant au chien un regard de mépris.

Chin-Chin bâilla à se décrocher la mâchoire, puis se faufila sous les couvertures.

— Regardez ce petit veinard ! Il se comporte comme s'il était chez lui.

— Que comptez-vous faire de lui ? demanda Camille.

— Demain, je le ramènerai chez Tweedale, et je le menacerai de tous les diables s'il ne le reprend pas.

Comme s'il avait compris ce que Rothewell venait de dire, Chin-Chin descendit du lit avec un regard de reproche, et alla s'allonger sur le tapis, devant le feu. Camille se mit à rire.

— Je ne suis pas sûre qu'il accepte de partir !

Soudain, Rothewell ferma les yeux et dit à voix basse :

— J'espère, Camille, que vous ne regretterez rien. J'espère que je n'ai pas commis une erreur…

Camille fut touchée par ces paroles. Elle fixa les flammes de l'âtre, regrettant une fois de plus qu'il ne soit pas le vaurien ivrogne et arrogant pour lequel elle l'avait pris, dans le salon de son père.

— Vous n'avez fait que ce que je vous ai demandé, admit-elle.

— Il se peut que je vous le rappelle à un moment ou à un autre, ma chère, répliqua-t-il en ouvrant les yeux.

Camille haussa les épaules.

— Si j'éprouve des regrets, qui pourrai-je blâmer, à part moi ?

Il détourna le regard. Plusieurs secondes s'écoulèrent avant qu'il ne parle de nouveau.

— Hier soir, dans la bibliothèque… dit-il finalement d'une voix rauque. Si j'avais su me maîtriser, ce mariage rapide n'aurait pas été nécessaire.

— Il me semble, monsieur, que nous étions deux dans cette bibliothèque, répondit-elle crânement. J'avais le choix. J'ai fait celui qui me convenait.

Rothewell posa les yeux sur leurs mains jointes.

— Jusqu'à hier soir, Camille, je… j'envisageais de renoncer à cette union. M'auriez-vous permis de me dérober ?

— Oui, *bien sûr.* Mais cela ne m'aurait pas fait plaisir.

— Pamela vous aurait aidée. Si nous le lui avions demandé, elle aurait trouvé une solution. Elle vous aime bien. Dans le fond, elle n'a pas envie de vous voir liée à moi.

— Elle est pourtant votre cousine, monsieur.

— Oui, mais elle sait quel genre de mari je ferai. Un mauvais mari. Mais vous le savez déjà, n'est-ce pas ? Vous n'attendez pas grand-chose de moi, aussi je suppose que vous ne serez pas trop déçue.

— J'attends peu de choses, monsieur, précisa-t-elle sobrement. Et vous savez lesquelles.

Il la contempla avec une expression étrange, comme s'il avait de la peine. Puis, à sa grande surprise, il lui prit le visage à deux mains.

— Vous ne… concevrez pas pour moi un attachement inconsidéré, n'est-ce pas, Camille ? Vous êtes trop raisonnable pour cela.

— Oui. Je suis trop raisonnable.

Elle voulut se dégager, mais il l'attira dans ses bras.

— Quoi qu'il en soit, nous sommes mariés à présent. Et la journée a été longue. Pendant quelques heures, faisons comme si la vie contenait plus de possibilités que nous ne le pensons. Comme si le bonheur était une chose réelle et tangible… même pour les blasés de notre espèce.

Camille ne répondit pas, et il l'embrassa légèrement, en lui passant les doigts dans les cheveux.

— Une telle merveille, murmura-t-il en reculant pour la contempler.

— *Pardon ?*

Il eut un de ses rares sourires.

— Vos cheveux, dit-il. Dès l'instant où j'ai posé les yeux sur vous, j'ai eu envie de les voir défaits. Comme un voile de soie noire sur vos épaules. Voulez-vous me faire une promesse, Camille ?

— Je… Oui, peut-être. Que voulez-vous ?

Il lui effleura la joue de ses lèvres.

— Je souhaite que vous ne les coupiez jamais. Me le promettez-vous ? N'est-ce pas trop demander ?

— Ce… ce n'est pas grand-chose. Oui, je vous le promets, si vous y tenez tant.

Rothewell la prit dans ses bras et l'embrassa doucement, comme s'ils avaient tout le temps devant eux. Cependant, Camille ne pensait qu'à ce qu'elle avait éprouvé la veille, quand leurs corps s'étaient unis. À la passion, au désir incontrôlable qui l'avait enflammée. Elle se tint contre lui, raide, hésitante, se demandant comment elle allait pouvoir donner son corps à cet homme, tout en préservant son cœur.

— Ouvrez la bouche, Camille, chuchota-t-il contre ses lèvres.

Il pressa davantage son corps contre le sien, et elle fut parcourue d'un frémissement. Elle lui offrit sa bouche, s'abandonnant à la caresse intime de sa langue. Il s'enfonça profondément en elle, et elle se haussa sur la pointe des pieds pour se fondre contre lui, plaquant ses seins sur sa poitrine.

La lampe et les flammes de l'âtre scintillaient et se fondaient en une lumière surnaturelle. Elle sentit la main de Rothewell sur ses reins, et en quelques secondes elle sut qu'elle était perdue. La raison lui échappa, elle ne fut plus que chaleur, désir et sensation.

Il interrompit son baiser avec un grognement. Ses doigts se posèrent sur le ruban qui fermait sa robe de chambre, il tira d'un geste impatient le fil de satin et fit glisser le vêtement sur ses épaules.

Le reste de ses habits suivit, et elle fut complètement nue devant lui. Le froid l'enveloppa, faisant dresser la pointe de ses seins. Ses joues s'enflammèrent.

Rothewell posa sur elle un regard ardent.

— Tu es si belle. Je te veux, Camille. Je te veux ce soir dans mon lit.

Elle se tourna vers le lit, rabattit les couvertures et s'allongea. Rothewell défit la ceinture de sa robe de chambre, et laissa celle-ci tomber sur le sol. Camille réprima une exclamation en découvrant sa nudité. Rothewell était d'une virilité presque choquante. Malgré la largeur de ses épaules, il était mince et musclé tel un félin, avec une taille d'une finesse exceptionnelle. Son torse et ses bras étaient solides, comme ceux d'un homme qui connaît le travail physique.

Il posa un genou sur le lit et s'allongea au-dessus d'elle, cueillant de nouveau son visage à deux mains pour l'embrasser.

— Est-ce que tu me veux, Camille ? Est-ce que tu… me désires ?

Il lui glissa un doigt sous le menton, ramenant son visage vers le sien.

— Tu es une femme passionnée. Il ne faut pas avoir honte de cela, Camille. Ce n'est pas une faiblesse.

Elle ne répondit rien, ferma les yeux, et l'attira vers elle pour l'embrasser.

Il chercha la pointe d'un sein et la taquina longuement. Une flèche de désir transperça le ventre de Camille, faisant naître cette douleur exquise et à présent familière. Du bout de la langue, il traça un sillon brûlant sur sa poitrine, puis jusque sur son nombril.

Elle frissonna. Avec un grondement de plaisir, il fit glisser ses mains sur ses hanches, tout en insinuant un genou entre ses jambes. Elle s'offrit instinctivement, et il pressa son sexe contre les pétales humides de sa féminité, effleurant le point si sensible qu'il avait tourmenté la veille.

— *Oui, oui,* chuchota-t-elle en agitant la tête sur l'oreiller.

Il la pénétra un peu brutalement. Camille retint sa respiration, partagée entre la douleur et le plaisir.

— Bon sang, marmonna-t-il. Pardonne-moi.

— Je te désire, dit-elle. N'arrête pas.

Elle plaqua les mains sur les muscles durs de ses hanches. Rothewell se souleva, et ses cheveux noirs retombèrent sur son visage tandis qu'il la pénétrait encore et encore.

— Camille ! souffla-t-il.

Il captura les mains de la jeune femme et les ramena au-dessus de sa tête, puis reprit ses mouvements en elle, à un rythme parfait. Elle sentit son désir s'amplifier, chaque mouvement de Rothewell la poussant vers un précipice délicieux et effrayant.

Elle poussa un cri lorsqu'une spirale de feu monta en elle. Elle voulait ne plus penser, ne plus avoir de doutes. La chaleur et le parfum de ce corps viril l'enveloppaient. Ses mouvements en elle devinrent de plus en plus profonds. Elle s'arqua contre l'oreiller, s'offrant sans réserve à son étreinte.

Le plaisir déferla dans un abîme de délices. Il bascula en même temps qu'elle, criant son nom…

Quand Camille reprit contact avec la réalité, Rothewell était toujours allongé sur elle. Elle gémit en sentant ses lèvres s'aventurer le long de sa gorge, sa barbe naissante effleurant sa peau délicate. Elle se sentait vivante, comme si toute son existence jusqu'ici n'avait été qu'un préambule la menant à cet instant de bonheur pur et parfait.

Rothewell souleva la tête et la regarda. Une émotion indéchiffrable brillait dans ses prunelles grises. Il leva la main, et elle vit qu'il tremblait. Alors, il lui prit le visage et l'embrassa encore, avant de rouler sur le côté en l'entraînant avec lui dans un geste protecteur. Puis il enfouit le visage dans sa chevelure.

Elle savait tout au fond d'elle-même qu'elle vivait un moment à part. Un moment incroyable de rêve et de bonheur. Elle n'était pas encore prête à affronter de nouveau les tristes certitudes de son existence.

Elle décida alors d'imaginer que son bonheur était bien réel. Que son mari l'aimait. Et qu'elle l'avait épousé pour une raison qui dépassait le simple égoïsme.

7

Une pente glissante

Rothewell s'éveilla à l'aube, alors que la vie reprenait dans la maison. Aujourd'hui, pour une fois, il trouva les bruits quotidiens plus réconfortants que gênants. Appuyé sur un coude, il écouta. On nettoyait les cheminées, on apportait des seaux de charbon, on tirait les tentures. Les domestiques se hâtaient le long des corridors, passant devant sa porte sur la pointe des pieds. Tout le monde savait que le maître n'aimait pas être dérangé quand il avait passé une mauvaise nuit.

Une mauvaise nuit ?

Son regard se posa sur la femme endormie près de lui, et la réalité reprit ses droits. Camille Marchand, désormais lady Rothewell, était allongée sur le côté, ses cheveux noirs répandus comme des rubans de soie sur l'oreiller. Alors même que le désir renaissait en lui, il réfléchit à sa propre folie. Il s'était promis d'être fort... dans leur intérêt à tous les deux. Et hier soir, inexplicablement, quelque chose avait changé.

À cette pensée, il retomba contre les oreillers et posa un bras sur ses yeux, pour se protéger de la lumière du jour naissant. Seigneur, il n'était pourtant pas un idiot amoureux, et il ne s'était pas comporté comme tel ! Il avait juste fait l'amour avec une belle femme. Rien de plus. Et cependant, quand il repensait à ce qu'il avait éprouvé, il se sentait glacé.

Camille. *Camille.* Il ne voulait pas lui briser le cœur… Mais il était inutile de nier qu'il s'était laissé aller la nuit dernière. Et il en était bouleversé.

Comme il était étrange de s'éveiller et de la trouver dans son lit. Le chien – si cette créature bizarre méritait d'être appelée ainsi – s'était endormi à ses pieds. Seigneur, comment tout cela avait-il pu arriver ? Jusqu'ici, sa demeure avait été une forteresse imprenable. Il n'invitait jamais qui que ce soit, et personne ne s'aventurait à lui rendre visite. Et maintenant, quelqu'un allait vivre dans ces murs.

Après tout, il avait été d'accord pour l'épouser. Très bien. Mais *dormir* avec elle, partager son lit… ce matin, cela lui paraissait trop sentimental, et diablement dangereux. Il ne faudrait pas que cela se reproduise. Quant au chien, ce *Jim-Jim,* il serait reparti chez Tweedale avant le déjeuner !

Il ne put s'empêcher toutefois de se tourner pour avoir le plaisir de contempler Camille. Avec son visage rose de sommeil et ses lèvres entrouvertes, elle était loin de paraître ses vingt-sept ans.

Rothewell craignait que sa femme ne soit pas aussi endurcie qu'elle avait souhaité le lui faire croire. Il ne fallait pas qu'elle s'attache à lui. Il espérait pouvoir lui donner un enfant, cela oui. Mais il maudissait le jour où il avait posé les yeux sur le bébé de Pamela. À ce moment, quelque chose en lui avait été attrapé… ou déchiré ? Non, *altéré.* C'était le mot exact.

Le petit garçon était si beau, plein de vie ! Une vraie personne, avec de la volonté, une indéniable détermination. L'incarnation de l'espoir, de la lumière, de l'innocence… des choses que Rothewell avait ignorées jusque-là. Et maintenant, cette femme… cette femme magnifique… Seigneur, il s'attendrissait !

Il écouta le frottement d'un balai dans le corridor, juste devant sa porte… et se demanda s'il pourrait lui refaire l'amour ce matin. Mais sans perdre la tête, cette fois.

Il ne se posa pas longtemps la question. Quand il reporta les yeux sur elle, Camille le regardait. Elle scrutait son visage, comme si elle y cherchait quelque chose.

— Bonjour, murmura-t-il.

Puis, après quelques baisers, il la fit rouler sur le dos et se hissa au-dessus d'elle. Il ne fut pas brutal, bien sûr que non, mais il garda un peu de distance tandis qu'il la pénétrait. Et lorsqu'elle fut submergée par le plaisir, et qu'elle cria, il s'efforça de demeurer froid, bien que cela lui fût difficile.

Plus tard, alors qu'elle demeurait alanguie, Rothewell s'écarta. Il éprouva une soudaine irritation. Mais pourquoi ? Son désir était assouvi, il se sentait comblé.

Camille dut s'apercevoir que quelque chose n'allait pas.

— Rothewell ? dit-elle en posant une main sur son torse.

Il rejeta les couvertures et s'assit au bord du lit, les coudes sur les genoux.

Il comprit aussitôt qu'il aurait dû enfiler sa robe de chambre. Il sentit le regard de la jeune femme s'attarder sur lui, entendit son hoquet de stupeur. Bon sang, il devinait la question qui lui brûlait les lèvres. Et quand elle tendit la main, suivant du bout des doigts les innombrables cicatrices qui zébraient son dos, il ne tressaillit même pas.

— Rothewell ? répéta-t-elle d'une voix tremblante.

Seigneur. Il pivota et plaqua un sourire sur ses lèvres.

— Oui ?

Elle se redressa d'un mouvement un peu gauche.

— Tu te sens bien ?

— Assez bien, je crois.

— Ton… ton dos, reprit-elle après quelques secondes. Les cicatrices… elles sont… *mon Dieu…*

Il eut un sourire narquois.

— J'étais un garçon récalcitrant, répondit-il. Il a fallu me mener à la baguette.

Elle le regarda sans ciller, mais il décela la pitié dans ses yeux.

— Je ne pense pas qu'on t'ait fait cela avec une baguette.

Il haussa les épaules.

— Non, mon oncle prenait ce qu'il avait sous la main. Une branche, un fouet, sa canne. Tout ce qui faisait mal était bon.

— Comment peux-tu en parler avec tant de légèreté ?

Il se leva d'un air agacé, et attrapa son pantalon sur la chaise où il l'avait laissé la veille. Le chien sauta à ses pieds.

— Ce n'est pas de la légèreté, ma chère. Mon oncle était comme ça, c'était sa philosophie, et elle s'appliquait à tout ce qui se trouvait sur son chemin. Il aurait fallu que tu voies ses esclaves pour comprendre. Ou mon frère.

Camille le regarda s'habiller, tout en se demandant ce qu'elle avait bien pu dire pour l'irriter. Rothewell se tourna vers elle. Il était différent, aujourd'hui. Il était redevenu distant.

— Je vais à Tattersall ce matin, avec Warneham et Nash, annonça-t-il en frottant la barbe naissante sur sa joue. Trammel te présentera le personnel.

Camille essaya de ne pas se laisser aller à la déception. Rothewell ne lui avait jamais caché qu'ils faisaient un mariage de convenance. La passion de la nuit dernière n'était… qu'une satisfaction physique pour lui.

— *Très bien,* murmura-t-elle.

Il se pencha pour soulever le chien, qu'il déposa sur le lit à côté d'elle.

— Demande à quelqu'un de s'occuper de lui, dit-il avec une sorte d'indifférence. Il faudra… le promener, et le nourrir, je suppose. Je m'en occuperai plus tard.

— Oui, bien sûr.

Étouffant son chagrin, Camille repoussa les couvertures et se leva. Lorsqu'elle eut enfilé sa chemise et sa robe de chambre, elle alla tirer les rideaux.

— Quand penses-tu rentrer ?

— Je ne sais pas. Je n'ai pas d'heures. Si tu veux bien m'excuser, je vais sonner pour qu'on me prépare un bain, à présent.

Avec un léger haussement d'épaules, elle s'apprêta à gagner sa chambre. Il avait décidé d'être désagréable ce matin, eh bien tant pis pour lui. Mais alors qu'elle traversait la pièce, quelque chose sur la table de toilette attira son regard. Trammel était monté dès que son maître avait sonné, et il écoutait ses instructions. Camille en profita pour ramasser la petite serviette posée près de la bassine d'eau, et l'étudier à la lumière. La respiration lui manqua.

Du sang.

On ne pouvait s'y méprendre. C'était une tache de sang pâle, comme mêlé d'eau. Pas une tache rouge vif, provenant d'une coupure faite en se rasant. En outre, il suffisait de jeter un coup d'œil à Rothewell pour constater qu'il ne s'était pas rasé récemment.

Camille n'aurait su dire combien de temps elle garda les yeux fixés sur la serviette, mais quand elle leva la tête, elle vit que Rothewell l'observait.

Il ne semblait pas furieux, juste… ronchon. Comme s'il voulait la mettre au défi de dire quelque chose.

Camille réfléchit. Non, elle ne lui donnerait pas cette satisfaction. Cette tache de sang était probablement sans importance, et vu son humeur maussade, il lui dirait sans doute de se mêler de ses affaires. Elle reposa la serviette, et ouvrit la porte de communication. À cet instant, elle entendit Rothewell pousser un juron. Elle se retourna et constata que Chin-Chin venait de lever la patte sur une de ses pantoufles neuves.

Elle sortit en masquant son sourire. Sa femme de chambre l'attendait près du dressing, une pile de bas dans la main.

— Bonjour, Émilie.

— Oh, c'est vous, mademoiselle ! s'exclama la servante, déroutée. J'ai cru que… Oh, je ne sais pas ce que j'ai cru.

Camille ôta sa robe de chambre, en s'efforçant d'oublier la serviette tachée et les possibles significations de cette trace de sang.

— Ce n'est pas grave, Émilie. Je pense que nous finirons par nous habituer à vivre ici.

Émilie lui lança un regard perplexe.

— Oui, mademoiselle… pardon, *madame*.

— Avez-vous été bien traitée ?

— Je n'ai pas encore rencontré tout le monde, bien sûr, répondit la servante en acquiesçant d'un hochement de tête. Seulement les filles de cuisine, les valets qui ont transporté nos malles, et le majordome. Mais je n'avais jamais vu de majordome comme lui.

Camille alla à la fenêtre, et contempla le square.

— M. Trammel vient de La Barbade. Lady Nash m'a dit que la cuisinière était sa femme. Je pense qu'ils sont excellents dans leur travail.

Sans quoi ils ne seraient pas restés longtemps au service de Rothewell, ajouta-t-elle en elle-même.

— Voulez-vous que je prépare votre bain, madame ?

— Oui, dit Camille en se mordillant pensivement le pouce. Et ensuite, je mettrai ma robe de mousseline bleue. Il est temps que j'aille moi aussi faire la connaissance du personnel.

Dans un accès de révolte, Rothewell décida de se rendre jusqu'à Hyde Park Corner à pied, ignorant le conseil de Trammel non seulement de rester à la maison, mais de *s'allonger* ! Il gèlerait en enfer avant qu'il consente à s'allonger dans la journée. Quant à rester chez lui, avec Camille dans la maison, il ne le supporterait pas. Il avait déjà perçu trop de questions dans ses beaux yeux bruns, et il n'avait aucune intention d'y répondre.

Contrairement aux lugubres prévisions de Trammel, la promenade ne fut pas fatale à Rothewell. Pas plus que l'air matinal de Londres. En réalité, cela l'aida à s'éclaircir les idées. Le fait de se coucher avant l'aube avait sans doute quelques avantages, bien qu'il n'envisageât pas d'en faire une règle.

Dans le mariage, avait-il décidé, il valait mieux imposer dès le début ses habitudes. Inutile de donner l'impression à Camille que leur union serait normale, ou de se laisser aller à éprouver des regrets. Un homme disposait du temps que Dieu lui allouait, et concevoir des remords ou des espoirs trop tard dans sa vie ne pouvait rien produire de bon. Selon Rothewell, chacun creusait lui-même sa tombe, et il fallait s'y allonger sans se plaindre.

Il bifurqua dans l'étroite ruelle qui menait à Tattersall, et retrouva ses amis au Jockey Club, déjà occupés à étudier les descriptions des chevaux mis en vente ce jour-là.

Les jambes croisées dans une attitude nonchalante, Nash était penché avec Gareth sur une liste. Les deux hommes étaient totalement absorbés par leur tâche et, pendant un moment, Rothewell hésita à les déranger. Il était content que ces deux-là se soient liés d'amitié. Il avait craint que ce soit impossible, car ils avaient tous deux été amoureux de Xanthia. Mais le sombre et audacieux lord Nash l'avait emporté.

Gareth, devenu duc de Warneham, était lui-même marié depuis quelques semaines à peine. Et c'est seulement en le voyant à présent, amoureux et heureux, que Rothewell comprit à quel point le pauvre homme avait été triste au cours des années précédentes.

Pendant longtemps, ils avaient vécu comme une vraie famille. Lui, Xanthia et Gareth, unis par leur enfance pitoyable, et une méfiance envers le reste du monde. Cependant, Gareth avait gardé le secret sur une partie de sa vie.

À cet instant, celui-ci leva la tête et sourit. Un rayon de soleil illumina ses boucles dorées. Les femmes le trouvaient bel homme, et aujourd'hui, il ressemblait à l'archange Gabriel lui-même, descendu sur terre.

— Bon sang, si ce n'est pas ce diable de Rothewell ! s'exclama-t-il. Et levé avant midi ! Comment est-ce possible ?

— Bonjour, messieurs.

— Rothewell ! lança Nash d'un ton jovial. Venez vite. J'étais juste sur le point de me ruiner.

Rothewell posa sa canne contre une table, et s'assit.

— Ne vous laissez pas arrêter par ma présence, mon vieux. Ma sœur peut se permettre de vous payer vos caprices, je pense !

— Oui, je sais. Le mariage est une institution merveilleuse, vous ne trouvez pas ?

— Il n'en sait rien, fit remarquer Gareth en riant.

— À vrai dire, je suis qualifié à présent pour donner mon opinion sur le sujet, déclara Rothewell en cherchant un domestique des yeux. Peut-on avoir du café ici, Nash ? Je me sens capable d'en avaler un pot entier.

Nash fit un geste de la main, et trois laquais se précipitèrent pour exécuter son ordre.

— Et maintenant, dit-il d'un ton sobre, je pense que vous devez annoncer la nouvelle à Warneham, car je ne l'ai pas encore fait.

Gareth se pencha en avant.

— Kieran, mon vieux, qu'est-ce que tu as fait ?

— Je me suis marié. Hier soir.

Le duc aux cheveux dorés observa un silence.

— Ah, dit-il enfin. Était-ce une question... d'honneur, pour la dame ?

Rothewell secoua négativement la tête.

— Pas particulièrement.

— Enfin, c'est oui ou non, Kieran. Il ne peut y avoir d'imprécision à ce sujet ! Et les gens poseront des questions. Dis-nous simplement ce que tu veux que nous répondions.

— Nous avons décidé que la vie était courte, répliqua Rothewell. Et qu'il n'y avait aucune raison d'attendre, pour faire ce qui de toute façon était prévu.

Gareth se renfonça dans sa chaise, abasourdi.

— Eh bien, nous te souhaitons beaucoup de bonheur. Et lady Rothewell ?

— Quoi, lady Rothewell ? grommela Kieran.

— Nous lui souhaitons d'être heureuse aussi. Crois-tu... Kieran, crois-tu qu'elle le sera ? Je n'ai pas de conseils à te donner, mais...

— Ne m'en donne pas. Camille a ce qu'elle voulait. Nous devrions nous entendre assez bien, je crois.

Un valet apparut avec le café, et déposa le plateau devant eux. Nash les servit.

— Parfois, Rothewell, dit-il, les femmes méritent d'avoir un peu plus que ce qu'elles souhaitaient. C'est un sujet auquel il faut réfléchir.

Rothewell prit la tasse qu'il lui offrit.

— Vous faites allusion à l'amour et à la fidélité ? Ou bien aux bijoux et aux belles robes ? De ce côté-là, elle peut avoir tout ce qu'elle veut.

— Et le reste ?

Rothewell avala une gorgée de café.

— Ce n'est pas dans ma nature, rétorqua-t-il. Si ça l'a été un jour, il y a longtemps que c'est fini.

Gareth émit un petit grognement incrédule.

— Balivernes ! La vie t'offre une seconde chance, Kieran. Cette jeune femme est gracieuse, adorable. Elle pourrait être amoureuse de toi, tu sais... et tu pourrais l'aimer aussi. À condition de ne pas réveiller le passé.

Rothewell se tourna pour le regarder.

— Pourquoi ai-je l'impression, Gareth, que tu es justement sur le point de le réveiller, ce passé ? dit-il d'un ton coupant. Je ne te donne pas de conseils, et je te saurais gré de faire de même pour moi.

Mais Gareth se rembrunit.

— Parfois, Kieran, tu es un satané imbécile. Tu pleures encore une femme qui n'a jamais été digne du chagrin qu'elle t'a fait éprouver. Tu étais jeune, et Anne-Marie en a profité. Regarde les choses en face, Kieran. Elle a fini par obtenir exactement ce qu'elle voulait, et ce n'était pas *toi*.

Rothewell reposa bruyamment sa tasse sur la table.

— Non, Gareth, ce qu'elle a obtenu à la fin, c'est une tombe. Pour elle et pour mon frère. Et je ne pense pas que c'était cela qu'elle espérait, quand elle l'a épousé.

Nash leva les mains dans un geste d'apaisement.

— Écoutez, je suis en dehors de tout ça, dit-il. Je suis seulement venu acheter un cheval de course.

Mais Rothewell fixait toujours son vieil ami d'un œil noir. Il repoussa brusquement sa chaise.

— Nash, je vous souhaite bonne chance, annonça-t-il d'une voix bourrue. Je m'en vais.

Gareth se leva d'un bond.

— Et où diable comptes-tu aller ?

— Loin, répliqua Rothewell en saisissant sa canne. J'ai envie d'un jeu de cartes, d'une bouteille de cognac, et d'une femme grassouillette qui me donnera du plaisir sans poser de questions.

Nash haussa les sourcils.

— Il est un peu tôt pour ce genre de choses, vous ne pensez pas, mon vieux ?

Rothewell se dirigea vers la porte sans répondre. Il entendit le crissement d'une chaise sur le sol, derrière lui.

— Quel idiot ! bougonna Gareth dans son dos. Il vaut mieux que je l'accompagne.

Rothewell pivota vivement sur lui-même dans l'intention de l'envoyer promener, mais il ne vit pas le gentleman qui poussa la porte au même moment. Les deux hommes se heurtèrent, et Rothewell trébucha.

— *Bonjour,* mon cher lord Rothewell ! s'exclama le comte de Valigny en reculant. Au fait, il paraît que j'ai raté le mariage ?

Rothewell demeura un instant muet de stupeur.

— Vous êtes un sale personnage !

Valigny pencha la tête de côté.

— Oh, vous ne regrettez pas déjà notre marché, n'est-ce pas ? C'est un beau brin de fille, *mon petit chou,* non ? Ne vous inquiétez pas. Vous vous y ferez.

Rothewell passa devant lui et sortit. Mais le rire strident du comte le suivit jusque dans la rue.

Camille descendit, en proie à un mélange de curiosité et d'inquiétude. En France, le personnel du château consistait en une poignée de vieux serviteurs qui vivaient là depuis toujours, et étaient les employés de l'oncle de Valigny.

Ils considéraient Camille et sa mère comme des invitées permanentes dont la présence devenait encombrante. Cependant, Camille savait gérer un budget, car ce genre de responsabilités lui avait été dévolu alors qu'elle était encore très jeune, et que l'argent était rare. L'économie et la prudence avaient été des vertus nécessaires.

Elle découvrit Mme Trammel dans la cuisine. Un couteau à la main, elle tançait sévèrement la fille de cuisine. C'était une femme grande et souple, d'âge indéterminé, avec des pommettes saillantes et une peau d'ébène, beaucoup plus foncée que celle de son mari. Elle parlait avec un accent chantant. Un turban blanc était noué sur ses cheveux tressés, et des anneaux d'or pendaient à ses oreilles. Ses gestes étaient pleins d'assurance, et les servantes s'écartaient prudemment sur son passage.

Camille redressa les épaules, entra dans la cuisine et se présenta.

— Vous pouvez m'appeler Obelienne, madame, dit la cuisinière quand elles furent confortablement installées dans son petit salon particulier. Voulez-vous une tasse de thé ?

— Oui, s'il vous plaît, répondit Camille.

Obelienne s'inclina, alla dans la cuisine et revint aussitôt avec une bouilloire pleine d'eau chaude. Le thé, qu'elle conservait dans une jarre de céramique sur sa table, sentait les herbes et les fleurs. Pendant qu'il infusait, Obelienne découpa un gâteau recouvert de copeaux de noix de coco.

Camille but son thé à petites gorgées et grignota un morceau de gâteau, tout en discutant avec la cuisinière. Celle-ci lui expliqua que deux femmes de chambre s'occupaient du premier étage. Il y avait quatre employées à la cuisine, trois valets, et quatre autres personnes à l'écurie.

— Alors, il n'y a pas de gouvernante ?

Obelienne fit un signe de tête négatif.

— La dernière a rendu son tablier il y a quinze jours. Le maître est difficile à supporter quand on n'est pas habitué. Mais c'est aussi bien, car sa présence était superflue.

La cuisinière révéla que son mari et elle se partageaient les tâches de la gouvernante. Deux marchands de quatre-saisons passaient chaque matin avec leurs fruits et leurs légumes, les œufs et le lait étaient livrés tous les deux jours par une ferme de Fulham, et le boucher se trouvait à deux pas, dans Shepherd's Market.

— Cela ne vous plaît pas ? demanda Obelienne en jetant un coup d'œil à l'assiette de Camille.

— Ce gâteau est très spécial, et très épicé.

— Ce n'est pas un gâteau, madame, mais un pain de manioc. Une recette des îles. Depuis toujours, c'est le plat préféré du maître. Les bateaux de Mlle Xanthia me ramènent les épices et les racines nécessaires.

— Oui, j'ai reconnu le goût du gingembre, et de la noix muscade, dit Camille. Qu'est-ce que le manioc ?

Obelienne lui fit signe de la suivre, et se dirigea vers un placard fermé à clé. Elle ouvrit les deux portes d'acajou, révélant une haute rangée de tiroirs, comme un meuble d'apothicaire. Elle tira le tiroir du bas et en sortit quelque chose à l'aspect vaguement familier.

— C'est une patate douce ? s'enquit Camille.

— Non, non, dit la cuisinière en rompant le tubercule en deux morceaux. C'est une racine. Dans les îles, nous faisons de la farine avec cela.

— Je peux goûter ? demanda Camille en tendant la main.

La cuisinière eut un geste de recul.

— Non, madame. Quand il n'est pas préparé convenablement, le manioc est un poison mortel.

— Mortel ?

Obelienne eut un pâle sourire, et remit la racine dans le tiroir.

— Je vais vous montrer les épices, dit-elle.

Elle était distante, mais assez amicale. Elle ouvrit les autres compartiments du placard, avec une évidente fierté. Des parfums entêtants envahirent la pièce.

— De la muscade, de la cannelle, du gingembre, du poivre, énuméra-t-elle. De l'anis, du cumin, du tamarin, du safran…

Elle cita encore une trentaine de noms. Camille était stupéfaite.

— Tout cela vient de La Barbade ?

— Du monde entier, précisa Obelienne en secouant la tête. Mlle Xanthia en fait ramener la plus grande partie. Les autres, je les trouve sur les marchés.

Elle ouvrit un autre tiroir, qui contenait un petit sac imprimé de dessins noirs ressemblant à des lettres orientales. Elle renversa le sac et fit glisser dans sa main deux petites racines à l'aspect noueux.

— C'est du ginseng de Chine, dit-elle avec un sourire malicieux.

— Du ginseng ? À quoi ça sert ? Aux desserts ?

— Ce n'est pas une épice, déclara la cuisinière en soulevant la racine. Cela sert à rendre un homme… vigoureux. Viril.

Les joues enflammées, Camille renifla. La racine n'avait pas d'odeur particulière. Elle se demanda où Obelienne voulait en venir.

— Ce sont les bateaux de Xanthia qui vous l'ont ramené ?

— Non, madame, répondit Obelienne en remettant les racines dans le sac de soie sauvage. Je l'ai trouvé au marché de Covent Garden.

Elles retournèrent s'asseoir devant leur tasse de thé, maintenant refroidi.

— Autrefois, continua Obelienne avec son accent chantant, Mlle Xanthia consultait les menus pour la semaine et me donnait son avis. Ferez-vous de même, madame ?

Camille réfléchit.

— Qu'avez-vous fait, depuis qu'elle n'est plus là ?

— Le maître ne mange pas, répliqua la cuisinière d'un ton amer. Il faut que vous arrangiez cela.

Camille eut un sourire voilé.

— J'essaierai, promit-elle. Mais je crains qu'il ne soit difficile à manipuler.

— Oui, madame, mais vous devez le faire.

Ses créoles dorées se balancèrent lorsqu'elle se pencha pour ouvrir un des grands livres posés sur sa table de travail. Une étiquette collée sur la couverture de reps portait l'inscription : *Menus*.

— Je vais vous montrer les menus pour la semaine, du temps de Mlle Xanthia.

Elle passa le livre à Camille, qui examina les colonnes bien tenues. La plupart des plats étaient français, les autres probablement d'origine antillaise.

— Je vois que vous connaissez la cuisine française, fit-elle remarquer.

— Je suis originaire de la Martinique, expliqua Obelienne en inclinant la tête. Ma mère était cuisinière dans une grande famille française.

Ceci éveilla l'intérêt de Camille, qui demanda :

— Vous parlez français ?

— *Bien sûr, madame.* Mais surtout le créole, que vous ne comprenez sans doute pas.

— Mais vous avez travaillé pour la famille Neville à La Barbade, n'est-ce pas ? s'enquit Camille, perplexe.

Encore un lent signe de tête.

— Oui, madame. Mais ma maîtresse de l'époque venait de Martinique. Quand on l'envoya à La Barbade, elle m'emmena avec elle. J'étais une jeune fille, en ce temps-là, une bonne à tout faire. Au bout de quelque temps, ma maîtresse épousa un Neville.

— Quelqu'un de la famille Neville ?

— Luke Neville, madame. Le frère aîné du maître. Il est mort, à présent.

— Je ne sais pas grand-chose sur lui, dit Camille en se rappelant le peu que lui avait confié Xanthia au sujet de son frère aîné. Lord Rothewell ne m'en a jamais parlé.

— Oui, il préfère boire du cognac, marmonna Obelienne. Pour chasser les fantômes. Mais alors, les démons viennent à leur place.

Camille ne sut que penser de cette remarque. Obelienne la fixait, imperturbable.

— Eh bien ! lança Camille avec autant de légèreté que possible. Il me semble que vous avez la cuisine bien en main, Obelienne. Maintenant, il faudrait que je jette un coup d'œil aux livres de comptes, je suppose ?

Obelienne inclina encore une fois la tête, avec une dignité de reine. Elle sortit un autre livre de la pile, l'ouvrit et le passa à Camille.

— Vous avez son allure, dit-elle doucement.

— Pardon ?

— L'allure de mon ancienne maîtresse, précisa-t-elle en laissant son regard glisser sur Camille. Non, pas le visage. Vous ne lui ressemblez pas comme sa fille. Mais la similitude est là tout de même.

— Sa fille ? répéta Camille, un peu perdue. Vous parlez de la nièce de mon mari ?

Obelienne acquiesça d'un hochement de tête.

— Vous êtes aussi très brune, et très belle. Comme Anne-Marie. Aussi, madame, je prierai pour vous.

— Vous prierez ? Pour quoi ?

— Pour que votre beauté ne devienne pas un fardeau.

La remarque aurait pu paraître insolente, si Obelienne n'avait pas eu l'air aussi sincère. Camille eut l'impression que la tête lui tournait.

— Merci, dit-elle gauchement.

Puis, cherchant à se raccrocher à quelque chose de concret, elle posa la main sur le livre de comptes.

— Qu'avons-nous, ici ? Les factures de l'épicier ?

Obelienne baissa les yeux sur les colonnes de chiffres, comme si de rien n'était.

Camille passa le reste de la matinée avec Trammel, qui faisait beaucoup moins de mystères que sa femme. Chin-Chin sur les talons, il lui présenta les valets et les servantes, et lui posa un grand nombre de questions sur la façon dont elle souhaitait que la maison soit dirigée. La tête haute, Camille fit mine de savoir exactement ce qu'elle voulait. Sa feinte assurance eut l'effet escompté, et les domestiques s'inclinèrent, comme si son mariage était bien réel, comme si elle était vraiment devenue lady Rothewell.

Personne ne semblait choqué par l'apparition aussi soudaine d'une épouse. Le personnel avait visiblement compris qu'il s'agissait d'un mariage de convenance. La sœur de lord Rothewell s'étant mariée et ayant quitté la maison, il fallait quelqu'un pour s'en occuper à sa place.

— Il y a longtemps que vous êtes dans la famille, Trammel ? demanda-t-elle tandis qu'ils passaient en revue les services de porcelaine.

Trammel ouvrit un tiroir.

— Oui, madame. J'étais tout jeune, quand je suis entré au service de M. Neville.

Camille reposa la tasse qu'elle examinait sur une étagère.

— Vous êtes donc venu de La Barbade, dit-elle, pensive. Étiez-vous… Légalement, avez-vous été…

— Esclave ? suggéra Trammel en lui lançant un regard de côté. Non, madame. M. Luke Neville m'avait engagé, car il avait besoin de quelqu'un pour veiller sur sa maison. Nous étions de vieilles connaissances.

— Vous étiez amis ?

— En quelque sorte, oui. M. Neville avait quelques années de plus que son frère et sa sœur, et il dirigeait la société Neville Shipping, à Bridgetown. Mon père remettait en état les navires qui rentraient au port, et il possédait une grande auberge, que je dirigeais pour lui.

— Oh, fit Camille en se baissant pour prendre le chien dans ses bras. Un jour, ce sera une lourde responsabilité pour vous.

Trammel eut un sourire sans joie.

— Non, dit-il, fixant ses doigts sombres. Mon père a d'autres enfants. Des enfants blancs. Légitimes.

— Vous… vous n'avez pas été reconnu ?

Il haussa les épaules et saisit une large coupe d'argent.

— J'étais reconnu, comme le fils d'une maîtresse. La Barbade n'est pas comme l'Angleterre, madame. Il y a plusieurs couleurs de peau dans les îles.

— Je vois, dit doucement Camille, en songeant que Trammel et elle avaient au moins une chose en commun. Et l'oncle… le vieux baron ? Vous le connaissiez ?

— Seulement de réputation.

Le ton de sa voix contenait une foule de sous-entendus.

— Quelqu'un m'a laissée entendre qu'il était cruel. Lady Nash, je crois.

Trammel fit mine d'examiner la coupe.

— L'homme était possédé par le démon. C'est du moins ce que prétendaient ses esclaves, murmura-t-il.

Possédé par le démon. Ce n'était pas très éloigné de ce qu'Obelienne avait dit de Rothewell…

Le reste de la matinée se passa sans incident. Rothewell ne rentra pas déjeuner. Ignorant une pointe de déception totalement irrationnelle, Camille pria les valets d'emmener Chin-Chin en promenade, puis déjeuna seule dans la salle à manger.

Tout en mangeant, elle laissa son regard errer dans la grande pièce qui, comme le reste de la maison, était un peu nue. Ou peut-être aurait-il fallu dire « lugubre » ? Oh, toutes les pièces contenaient l'essentiel, et les meubles étaient de belle qualité. Mais l'ensemble manquait de personnalité. Comme s'il n'y avait pas d'âme entre ces murs. On ne voyait ni tableau ni portrait. Pas d'ouvrage de broderie, pas de fleurs, ni même de vases vides. C'était la maison d'une famille sans souvenirs.

Ou la maison d'une famille qui préférait oublier ses souvenirs ?

Tout à coup, Camille eut la vision du dos de Rothewell, zébré de cicatrices. Elle laissa retomber sa fourchette, qui tinta contre l'assiette de porcelaine.

C'était horrible. Les marques étaient profondes, et s'étalaient sur tout le dos. Mais elles avaient pâli avec le temps, et Rothewell n'avait laissé filtrer aucune émotion dans ses paroles laconiques.

— *Il aurait fallu que tu voies ses esclaves. Ou mon frère.*

Camille repoussa sa chaise et se leva. Elle ne pouvait pas penser à l'inhumanité de ce traitement. Ne pouvait pas s'inquiéter des souffrances qu'il avait subies, ou de la froideur de sa maison. Il ne fallait pas qu'elle se demande s'il mangeait, ou s'il était malade. Si elle le faisait, ce serait un premier pas sur la pente glissante qui menait tout droit à l'attachement sentimental. Elle ne pouvait se permettre de l'aimer. C'était impossible.

Mais il était déjà presque trop tard, elle le savait. Posant le bout des doigts sur ses lèvres, Camille réfléchit. Elle n'allait tout de même pas tomber amoureuse de cet homme infernal ? Ce ne pouvait être que du désir. Elle était bien, après tout, la fille de sa mère...

Mais sa mère, justement, n'était-elle pas tombée amoureuse d'un gredin ? Et une fois que le mal avait été fait, tous les mauvais traitements que Valigny lui avait fait subir n'y avaient rien changé.

Camille était sûrement plus forte que cela. Plus sage. Il le fallait. Elle pouvait éprouver de la compassion envers Rothewell, sans pour autant laisser son charme lui tourner la tête. Il fallait qu'elle vive avec lui, certes... du moins pendant quelque temps. Et elle souhaitait désespérément avoir un enfant.

Elle voulait faire l'amour avec lui, mais sans l'aimer. Cela lui paraissait toutefois aussi difficile que de marcher sur un fil. Au moindre faux pas, elle sombrerait dans le gouffre des sentiments.

Elle était si profondément plongée dans ses réflexions, qu'elle sursauta quand la porte de la salle à manger s'ouvrit.

— Camille !

La sœur de Rothewell entra, lui tendant les bras.

— Il fallait absolument que je passe vous voir. La cérémonie d'hier laissait tellement à désirer !

Camille sourit et se laissa embrasser, l'air étonné.

— À désirer ?

— Kieran est un scélérat ! déclara sa sœur avec un sourire en coin. Je suis horriblement frustrée. Moi qui espérais un grand mariage !

— Mais non ! Même moi, je ne le désirais pas. Votre frère encore moins, j'en suis sûre.

— Eh bien ? Où est-il ? s'enquit Xanthia en prenant Camille par le bras.

— Il a dit qu'il allait retrouver Nash. Pourquoi ? Avez-vous besoin de lui ?

Xanthia se rembrunit.

— Vous voulez dire qu'il est sorti ? Le premier jour de son mariage ?

— Il ne faut pas le lui reprocher, Xanthia. Nous avons fait un mariage de convenance. Il vaudrait mieux que tout le monde l'admette.

Xanthia jeta son châle sur une chaise.

— Cela pourrait changer, s'il acceptait de rester à la maison. En outre, son allure m'inquiète. J'aimerais qu'il se repose. Le soir du dîner, chez nous, j'ai craint qu'il ne soit encore malade.

— *Encore ?* répéta Camille. Cela lui arrive donc souvent ?

Xanthia pivota sur elle-même pour lui faire face.

— Eh bien, je n'en sais rien. Cet entêté de Kieran ne veut rien me dire. Il prétend que ce n'est que de la dyspepsie… ce qui n'aurait rien d'étonnant, étant donné ce qu'il fait subir à son estomac.

Camille se dirigea vers la porte à double battant qui donnait dans le salon.

— Voulez-vous rester un moment ? suggéra-t-elle. Je vais demander qu'on nous apporte du thé. Il fait glacial, aujourd'hui.

Xanthia lui coula un regard en coin, et sourit.

— Félicitations, ma chère. Vous êtes aussi habile que lui à détourner la conversation.

Le sourire de Camille ne vacilla pas un instant.

— Du thé, Xanthia ?

— Très bien, dit celle-ci en faisant la moue. J'ai compris.

— Je vous demande pardon, mais ma position est délicate. Votre frère n'est pas amoureux de moi, et il n'est certainement pas docile. Je n'ai pas d'influence… pas encore.

— Pas encore, releva Xanthia, dont le visage s'éclaira. Cela me paraît prometteur. Pourquoi n'irions-nous pas faire une promenade dans le parc, Camille ? Je suis restée enfermée à Wapping toute la matinée. Le médecin dit que j'ai besoin d'exercice.

Elle posa la main sur son ventre, dans un geste tendrement protecteur. Camille se sentit un tout petit peu envieuse.

— Je vais chercher mon manteau.

Camille éprouvait l'inexplicable envie de fuir sa nouvelle maison. Elle aurait pourtant dû la considérer comme un refuge, lui permettant d'échapper à toutes les incertitudes de sa vie. Mais en réalité, elle se sentait plus seule que jamais, et elle était heureuse d'avoir la compagnie de sa belle-sœur.

Quelques minutes plus tard, elles marchaient côte à côte dans Berkeley Street. Les rares passants qu'elles croisèrent portaient de lourds pardessus au col relevé pour les protéger du vent qui soufflait en rafales.

À Piccadilly, d'innombrables voitures encombraient la chaussée. Un tombereau de foin s'était renversé, répandant dans la rue son chargement brun doré. Un cocher jurait en levant le poing, tandis qu'un haquet chargé de barriques de bière tentait de s'engager au bout de St. James's Street, rendant la situation encore plus inextricable. Pardessus tout cela, deux jeunes vendeurs de journaux hurlaient leurs annonces à tue-tête, chacun essayant de dominer l'autre. Londres était une ville aussi folle que Paris, décida Camille.

Xanthia lui prit la main, et elles se faufilèrent entre les voitures et les chevaux qui hennissaient, affolés. Lorsqu'elles eurent pénétré dans Green Park, le bruit s'éloigna et le vent se calma. Elles marchèrent un moment dans un silence agréable. Camille commençait de se dire qu'elle aimait bien la sœur de Rothewell.

— Quand le bébé est-il attendu ? demanda-t-elle.

— Oh, pas avant plusieurs mois, répondit Xanthia d'un ton vague. Mais je me sens trop grosse.

— *Mais non.* Vous êtes encore mince. Avec votre manteau, votre état ne se remarque même pas.

— J'ai parfois mal au dos, avoua Xanthia. Cependant, il me tarde de sentir le bébé bouger. Quand croyez-vous que ça arrivera ?

Camille plissa les yeux, éblouie par le soleil qui perçait entre deux nuages.

— Je ne sais pas. Tout ce que je peux dire, c'est que vous avez bien de la chance.

— Vous souhaitez donc avoir des enfants ? fit Xanthia, étonnée. Combien en voulez-vous ?

Camille resserra les pans de son manteau, et sentit ses joues se colorer.

— Oh, un seul, murmura-t-elle. Je m'estimerais heureuse d'en avoir au moins un.

— Connaissant mon frère, ma chère petite, je pense que vous en aurez davantage.

— Rothewell aime les enfants ?

— Non, ce qu'il aime...

Les yeux de Xanthia pétillèrent de malice, et elle reprit :

— Oh, peu importe ! Je crois simplement que Kieran adorera ses enfants lorsqu'ils seront là. Ils lui donneront... qui sait ? de l'espoir pour le futur, peut-être ?

— Pourquoi n'a-t-il pas d'espoir, pour le moment ? Pardon de vous dire cela, Xanthia, mais votre frère me paraît... *zut,* quel est le mot exact ?

— Blasé, je suppose ? suggéra Xanthia.

— Non, protesta Camille en fronçant les sourcils. En français, nous disons *dévasté.*

— Triste ?

Camille secoua la tête.

— Plus que cela. Une tristesse causée par les regrets. Un vide dans le cœur.

— Ah, cela…

Xanthia considéra Camille d'un air étrange.

Elles avaient ralenti l'allure, mais pendant un moment aucune d'elles ne reprit la parole. La brise se leva de nouveau, faisant voleter les mèches souples qui s'échappaient du chapeau de Xanthia. Ses joues avaient rosi, sous l'effet du vent de l'automne. Camille sentit que quelque chose la tourmentait. Finalement, Xanthia soupira et la regarda.

— Camille, êtes-vous amoureuse de mon frère ?

— Non, répondit-elle en espérant que c'était la vérité. Je le connais à peine.

— Il est bel homme, à condition d'aimer ce genre rude. Beaucoup de femmes l'apprécient, vous savez.

— Comme Mme Ambrose ? suggéra Camille à voix basse. Je crains que votre frère ne soit amoureux d'elle.

Xanthia cessa de marcher, et se mit à rire.

— Seigneur, non ! Amoureux de cette rosse malveillante ? Jamais de la vie.

— Vous n'aimez pas Mme Ambrose ?

Xanthia donna un coup de pied dans un petit caillou, l'envoyant rouler sur le chemin, puis se remit lentement en route.

— Elle a joué un sale tour à quelqu'un que j'adore. Ma nièce, Martinique. Je ne peux pas le prouver, remarquez. Mais je sais qu'elle l'a fait, et je ne le lui pardonnerai jamais. Et elle voudra vous expédier en enfer dès qu'elle aura posé les yeux sur vous.

— Oui, elle y pense déjà, admit Camille.

Après une brève hésitation, elle raconta à Xanthia ce qui s'était passé chez lady Sharpe. Xanthia ne put s'empêcher de rire.

— Oh, j'aurais voulu voir ça ! Vous êtes une vraie chipie, Camille ! Je comprends pourquoi Pamela est si sûre que vous êtes l'épouse qu'il faut à Kieran.

Camille aurait aimé en être aussi sûre, mais elle répondit simplement :

— J'étais tellement en colère. Et j'en voulais à Rothewell d'avoir mis lady Sharpe dans cette position embarrassante, alors qu'elle s'était montrée si bonne envers moi.

Xanthia repéra un banc, au sommet d'une petite colline, et elle prit Camille par la main.

— Asseyez-vous, ordonna-t-elle. J'ai quelque chose à vous dire.

— *Oui ?* fit Camille, étonnée.

Xanthia s'assit également, en se mordillant les lèvres.

— C'est quelque chose que je ne devrais pas raconter. Mais il faut que vous le sachiez.

— Ce qui signifie que c'est encore une chose que votre frère aurait dû m'expliquer lui-même, fit remarquer Camille. Mais vous savez qu'il ne le fera pas.

Xanthia sourit, l'air soulagé.

— Vous comprenez. Je ne suis pas naturellement portée aux commérages.

— J'en suis certaine.

Xanthia marqua une pause, comme pour rassembler ses idées. Son regard devint distant.

— Mon frère a été amoureux, autrefois. Du moins, je crois qu'il était amoureux. En fait, c'était pire. Une sorte d'obsession, il me semble. Mais il était très jeune, et il s'y est très mal pris.

— C'est ce qui arrive souvent aux gens quand ils sont jeunes, dit Camille, pensive. C'est si dur d'être amoureux, *n'est-ce pas* ? Le monde semble plongé dans la tragédie.

— Une tragédie, oui, c'est cela, approuva Xanthia en croisant les mains sur ses genoux. Voyez-vous,

Kieran est tombé follement amoureux de la mère de Martinique. Mais il faut dire que tous les hommes qui la voyaient en faisaient autant.

Camille fronça les sourcils, intriguée.

— Mais… n'était-elle pas la femme de votre frère ?

Xanthia secoua la tête.

— Non, non, pas à cette époque. Au début, Luke a seulement eu de la peine pour elle. Elle s'appelait Anne-Marie, et elle était d'une beauté à couper le souffle.

— Et elle était française ?

— Non… pas française. Pas tout à fait, du moins. Mais elle avait été la… la… Ce n'est pas très facile à dire. Quand elle était très jeune, Anne-Marie était la maîtresse d'un riche armateur des Antilles. C'était le père de Martinique.

— *Mon Dieu*. J'espère pour votre nièce que personne ne le sait ?

— Non, pas en Angleterre. Mais, dans l'île, il y a toujours eu des rumeurs. Quand ce Français n'a plus voulu d'Anne-Marie, il l'a renvoyée, voyez-vous. Avec l'enfant, et deux domestiques. Il l'a envoyée à La Barbade, et lui a donné deux de ses vieux navires, en lui disant qu'elle n'aurait qu'à les vendre, une fois arrivée là-bas. Mais Anne-Marie ne les a pas vendus. Elle a décidé de se lancer dans le commerce du sucre et du rhum, en engageant des capitaines pour les navires. C'est comme ça qu'elle a fait la connaissance de Luke. Il était souvent sur les quais, et il était doué pour les affaires. Aussi a-t-il voulu l'aider, et lui apprendre le métier.

— Il est rare que les belles femmes aient à se soucier de gagner leur vie, fit remarquer Camille. Ne pouvait-elle trouver quelqu'un pour l'entretenir ?

— Kieran le lui proposa. Plusieurs fois, apparemment. Il était jeune et follement entiché d'elle… comme presque tous les hommes de Bridgetown. Mais Anne-Marie savait que les amants n'étaient pas sûrs. Elle a essayé de maintenir son affaire à flot, mais elle n'a pas tardé à être submergée par les dettes. Les capitaines et les marchands malhonnêtes profitaient d'elle. Ils pouvaient lui faire payer trois fois le prix des réparations et des fournitures, sans qu'elle s'en rende compte.

— Je vois, dit Camille en hochant la tête.

— Malgré les efforts de Luke pour l'aider, ses créanciers s'abattirent sur elle et lui prirent le peu qui lui restait. Anne-Marie était dans une position désespérée. Kieran a alors pensé qu'il tenait sa chance. Je n'oublierai jamais ce qui s'est passé ce jour-là. Il est rentré des champs plus tôt que d'habitude, il s'est mis sur son trente et un, et il est parti en ville.

— Oh… Je suppose que l'histoire ne se termine pas bien, n'est-ce pas ?

Une ombre voila le regard de Xanthia.

— Non. Naturellement, Kieran ne m'a pas dit où il allait mais, comme toutes les petites sœurs, j'écoutais aux portes. Il avait l'intention de lui faire une dernière proposition. Il lui offrait une maison en ville, une voiture, des domestiques et une gouvernante pour l'enfant. Des choses que nous ne pouvions payer qu'à grand-peine, car nous n'avions pas fini de réparer les erreurs commises par notre oncle. Mais elle a fini par accepter.

Camille ne put réprimer une exclamation de stupeur.

— Non !

— Oh, si, répliqua tristement Xanthia. Kieran passa l'après-midi entier avec elle, et quand il rentra, tard ce soir-là, il était l'homme le plus heureux du monde.

— *Mon Dieu !* Et ensuite ?

La mine de Xanthia s'allongea davantage encore.

— Ensuite, Luke rentra à la maison. Il avait passé la journée à Speighstown, pour une affaire.

Kieran avait l'air si triomphant, que Luke finit par lui demander la raison de sa bonne humeur. Et lorsque Kieran lui eut raconté... je n'avais jamais vu Luke se mettre dans une telle colère. Ce fut encore pire que les crises de mon oncle. Luke était fou furieux que Kieran ait fait une telle proposition à Anne-Marie. Il l'accusa d'avoir profité de la situation, alors qu'Anne-Marie était dans une position désespérée.

— Et que répondit Kieran ?

Xanthia ferma les yeux.

— Il dit : « Mais c'est une sang-mêlé, Luke. Elle couche avec des hommes pour se faire entretenir. Que voulais-tu que je lui propose ? Le mariage ? »

— *Ça alors...* murmura Camille.

Xanthia pinça les lèvres.

— Le terme ne vous est donc pas inconnu ?

— Elle était de sang mêlé, comme M. Trammel.

— C'est cela. Mais il ne le pensait pas vraiment, Camille. Il ne la considérait pas comme une traînée. Il répétait seulement ce qu'il avait entendu sur les quais. Il était si jeune. Encore plus jeune qu'Anne-Marie. Et elle... eh bien, elle aurait pu refuser. Elle aurait pu l'embrasser sur la joue, ou lui tapoter l'épaule, et le renvoyer poliment chez lui. Mais elle ne l'a pas fait. Elle a dit oui.

— Et votre frère Luke ? Qu'a-t-il fait, alors ?

Xanthia secoua la tête.

— Il a jeté sa serviette sur la table et a demandé qu'on lui selle son cheval. Et quand il est revenu à la maison le lendemain, c'était fini. Il l'avait épousée. Je pense qu'il était amoureux d'elle depuis le début. Enfin, je ne sais pas. Luke... Luke était un frère et un père pour nous. Il avait le sentiment de devoir faire ce qui était juste. Kieran l'avait surnommé « notre chevalier en armure blanche »... et c'était un compliment.

— Quelle triste histoire, chuchota Camille, le cœur lourd.

— C'est pire que cela.

— Que voulez-vous dire ?

Xanthia évita le regard de Camille.

— Je crois... je crois qu'Anne-Marie savait ce qu'elle faisait. Elle savait... ou du moins, elle se doutait que Luke était amoureux d'elle. Et elle s'est tout simplement servie de Kieran pour le manipuler.

— *Mon Dieu !* C'est horrible.

Xanthia hocha simplement la tête, fataliste.

— On ne peut pas comprendre ces choses-là tant qu'on n'est pas devenu totalement adulte, je crois. Mais à présent, je pense que si Anne-Marie avait réellement voulu un protecteur, elle aurait choisi un de ses prétendants plus fortunés. La plupart des magnats du sucre, dans les îles, avaient de l'argent à jeter par les fenêtres. Mais Kieran... Kieran travaillait de l'aube jusqu'au coucher du soleil, pour éponger les dettes de la plantation. Il était beau, oui. C'était peut-être même le plus bel homme de l'île. Mais une courtisane ne fait pas passer la beauté avant l'argent, n'est-ce pas ?

— C'est vrai, acquiesça Camille.

Sa mère était née dans une famille riche et pensait qu'un homme serait toujours là pour lui offrir le luxe qu'elle désirait. Et elle était stupéfaite quand cela ne se passait pas ainsi. C'était toute la différence avec une femme née dans la pauvreté, qui était obligée d'avoir le sens pratique.

— C'est l'argent qui passe avant tout, ajouta-t-elle. La sécurité.

— Et qu'y a-t-il de plus sûr que le mariage ? poursuivit Xanthia en haussant les épaules. Naturellement, Kieran quitta la maison.

— Pour aller où ?

— Dans un cottage de contremaître, qui n'était pas occupé à ce moment-là. C'était la première fois de notre vie que nous n'étions pas réunis, tous les trois. Il me manquait terriblement, bien que le cottage ne soit pas très éloigné de la maison. Au bout de quelque temps, il revint dîner avec nous, de temps à autre. Peu après, Gareth, qui est maintenant le duc de Warneham, arriva dans l'île, et Luke le fit entrer dans l'affaire. Mais les choses ne furent plus jamais les mêmes.

— Et cependant, vos frères continuèrent de travailler ensemble ?

— Oh, oui.

Xanthia battit des paupières, comme pour retenir des larmes. Mais Camille n'aurait su dire si elles étaient dues au froid, ou au chagrin réveillé par ces souvenirs.

— Luke s'occupa principalement de la société de navigation, et je pris sa suite dans ce domaine. Pendant ce temps, Kieran continua de développer la plantation familiale. Il se débrouillait très bien. À eux deux, ils acquirent une grande fortune.

— Et la nouvelle épouse ? Était-elle heureuse ?

— Oui, mais la bonne société rechignait un peu à l'accepter, avoua Xanthia.

— À cause de ses origines ?

Xanthia secoua la tête.

— Elle n'en parlait jamais, bien que quelques personnes soient au courant. Anne-Marie avait le teint clair… comme du café mêlé de crème. Elle était ravissante. Mais les années passées auprès de ce Français, et la naissance de Martinique, l'avaient marquée. Je me rappelle le premier jour… le moment où elle est entrée chez nous. Elle eut alors une expression fugace… un air de *triomphe*. Comme si elle avait enfin obtenu ce qu'elle désirait.

— Cela n'en fait pas un personnage très sympathique.

— C'est ce qui est triste. Anne-Marie n'était pas désagréable. C'était une mère aimante, et elle était affectueuse avec moi, alors que rien ne l'y obligeait. Mais sa vie avait été dure. Enfant, elle travaillait pieds nus dans les champs de canne à sucre. Puis elle était devenue la maîtresse d'un homme riche… et elle était bien décidée à ne jamais retourner dans les champs. Malheureusement, dans son ascension vers le haut de l'échelle, elle posa le pied sur Kieran. Et il ne s'en est jamais remis. *Jamais.*

— Oui, cela explique beaucoup de choses, fit Camille. Il devait être désespérément amoureux.

— Comme je vous le disais, cela tenait plus de l'obsession. La culpabilité et la haine se sont développées dans son cœur, comme un gigantesque abcès. Un abcès qu'il refuse de percer, dont il ne veut même pas admettre l'existence. Nous avons tous payé pour cela. Moi, Martinique, et même Gareth.

— Mais… contre qui sa haine est-elle dirigée ?

— Contre lui-même, chuchota Xanthia, le regard sombre. Camille, il se déteste.

— Maintenant, votre frère Luke est mort, et ce qui s'est passé entre eux ne peut être réparé, conclut Camille d'une voix creuse. Quelle tristesse. Et Anne-Marie est morte aussi, à présent ?

— Oui, il y a longtemps, répliqua Xanthia en soupirant. Le reste, c'est Kieran qui vous le racontera. J'ai déjà sans doute trop parlé.

— *Mais non !* protesta Camille. Il vaut mieux que je sache, non ? Et qui d'autre que vous aurait pu me le dire ? Votre frère ne me confiera jamais de tels secrets.

— Et c'est bien dommage pour lui.

Xanthia se leva, et contempla la colline sans la voir. Une cloche se mit à sonner dans Whitehall. Le bruit sembla mélancolique, sous le ciel de plomb.

— Il fait froid, n'est-ce pas ? s'enquit-elle d'un air absent. Et il est tard. Nous devrions rentrer.

Camille se rendit compte qu'elle avait les doigts gelés, malgré ses gants.

— *Très bien*. Allons-y.

Xanthia sourit, affichant une gaieté qu'elle n'éprouvait pas vraiment.

— Eh bien, Camille, quelle couleur devrais-je choisir pour la nursery de Park Lane, d'après vous ? Et je veux en installer une deuxième, vous savez, dans les bureaux de Wapping.

— Une couleur vive serait préférable, je suppose ? Le jaune est *très joli.*

Mais même la discussion sur les nurserys ne put lever le voile gris qui s'était abattu sur Camille. C'était le premier jour de son mariage, et elle n'avait pas vu son mari depuis le matin. Ce qui l'ennuyait beaucoup plus qu'elle ne voulait l'admettre. Et maintenant, la sœur de Rothewell venait de lui laisser entrevoir une partie bien douloureuse de son passé.

Le gredin impénitent qu'elle croyait avoir épousé se transformait peu à peu en une personne bien réelle, complexe et sensible. Camille commençait d'éprouver pour lui une myriade de sentiments. De la colère, du désir, de l'agacement, et désormais une sorte de tendresse… Alors qu'elle aurait voulu ne rien éprouver du tout !

Parvenues devant la maison, Xanthia monta les marches du perron avec elle.

— Voulez-vous entrer ? suggéra Camille.

— Juste pour voir Kieran, répondit Xanthia en souriant. Je suis sûre qu'ils sont revenus de Tattersall, à présent.

Mais le mari de Camille n'était pas là.

Et, au fur et à mesure que la soirée avançait, la jeune femme comprit qu'il ne rentrerait peut-être pas du tout. Il souhaitait mettre les choses au point, en quelque sorte. Malgré quelques élans de tendresse, Rothewell ne lui avait pas caché qu'ils faisaient un mariage de convenance.

Eh bien. Les choses étaient claires, à présent.

8

Où Rothewell reçoit des conseils dont il ne veut point

La nouvelle du mariage du baron de Rothewell suscita peu de réactions. Il n'était pas assez connu dans les cercles de la bonne société pour que cela crée de l'émoi, et dans les cercles les plus bas il fut regretté, comme tous ceux qui cédaient au dernier recours des gredins : le mariage d'argent. Néanmoins, on savait qu'il reprendrait tôt ou tard ses esprits, et retrouverait le chemin qui menait à ses vieux démons. Personne toutefois n'aurait osé prédire que ce retour se produirait dès le lendemain de son mariage !

Rothewell passa le début de l'après-midi dans un des salons du Satyr's Club, avec une jeune fille aux fesses nues du nom de Periwinkle, dont le principal talent semblait être de glousser en buvant du champagne bon marché et en se tortillant sur ses genoux. Du moins, ce fut la description que le duc de Warneham donna un peu plus tard à sa femme.

Le duc jeta un regard circulaire dans la pièce au décor tapageur, et eut la chair de poule. De l'autre côté du salon, deux jeunes femmes jouaient du pianoforte en chantant un duo extrait d'un opéra comique populaire dans le West End. Une troisième essayait de danser sur la musique, mais elle avait peu de succès, malgré les encouragements de certains des hommes qui l'entouraient.

L'établissement n'avait rien à voir avec les bastions masculins de la haute société, comme le White's Club. Ici, les tentures de velours miteuses et la lumière chiche ne pouvaient cacher l'usure du mobilier. La soie tendue sur les murs était défraîchie, et les tapis parsemés de taches douteuses. L'endroit évoquait le sexe, le péché, et d'autres choses encore, pas très appétissantes. C'était un lieu destiné aux hommes qui se moquaient comme d'une guigne de l'atmosphère. Un lieu pour ceux qui ne songeaient qu'à assouvir leurs passions, et à se noyer dans les plaisirs les plus sombres de l'existence. Des hommes comme Rothewell.

— Non, merci, dit Gareth lorsque Periwinkle vint lui proposer ses appas. Ma femme me ferait arracher les ongles.

Periwinkle rit si fort que des bulles de champagne lui sortirent par le nez, et elle dut s'excuser.

— C'est absolument dégoûtant, dit Gareth à Rothewell, qui avait posé le bras sur le dossier du canapé. Des filles à moitié nues qui dansent et qui chantent… Et les autres toutes nues, à l'étage au-dessus. Sans parler des effluves d'opium qui s'échappent du salon de derrière.

— De l'opium ? répéta Rothewell, sortant nonchalamment un cigare de son étui en argent.

— Oh, ne fais pas l'innocent, Kieran ! On ne peut pas avoir navigué aussi longtemps que moi sans reconnaître l'odeur de cet abominable fléau. J'ignorais que Londres en était infecté.

— Vraiment ? rétorqua Rothewell, d'un air de profond ennui.

— Et Limehouse ! Pour l'amour du Ciel ! Quel genre de gentlemen trouve-t-on ici, dis-moi ?

Kieran, je pense que tu devrais rentrer et retrouver ta femme.

Rothewell l'observa sous ses paupières mi-closes, en tirant sur son cigare.

— Tu te laisses peut-être mener par le bout du nez par ta femme, mon vieux, mais je n'ai pas l'intention de suivre ton exemple. D'autre part, personne ne t'a obligé à me suivre. J'espérais échapper à tes leçons de morale.

— Donc, tu cherches simplement à montrer à ton épouse qui détient l'autorité ? C'est cela ?

Rothewell garda le silence un moment.

— Je veux qu'elle sache dès le début comment j'ai l'intention de vivre, expliqua-t-il. Je ne veux pas qu'elle se berce d'illusions. Mon mariage n'a rien à voir avec le tien, Gareth. Ce n'est pas un mariage d'amour.

— Non, et il ne le sera jamais, si tu continues comme ça.

Gareth désigna la pièce d'un ample geste du bras.

— Pourquoi aurais-tu besoin de tout ça, Kieran, alors que tu n'as même pas essayé d'avoir quelque chose de mieux avec elle ? Tu n'y arriveras peut-être pas, Dieu sait que je ne suis pas naïf pour ce genre de choses… mais si tu n'essayes pas, tu ne le sauras jamais ! Pour l'instant, tout ce que tu veux faire, c'est lui échapper.

— Au moins, comme ça, elle ne sera pas déçue. D'autre part, les femmes posent trop de questions.

Le duc le fixa droit dans les yeux.

— Quel genre de questions ? Et quel mal cela te ferait-il d'y répondre, tout simplement ?

Rothewell demeura impassible.

— Je ne suis pas obligé de répondre à *tes* questions non plus.

— Ce n'est pas la peine, Kieran. Car je connais déjà les réponses, répliqua le duc en dardant sur lui un regard noir. Tu viens ici parce que tu crois que c'est tout ce que tu mérites. Et parce que tu espères que ces excès t'engourdiront l'esprit.

Rothewell se leva brusquement.

— Fiche-moi la paix, Gareth, lança-t-il en se dirigeant vers la porte.

Le duc se leva en soupirant.

— Où vas-tu, maintenant ?

— À Soho. Jouer aux cartes. Et ne me suis pas, bon sang ! Je n'ai pas besoin d'une nurse.

Mais Rothewell ne devait pas trouver la paix à Soho non plus. Un de ses tripots favoris était situé dans Carlisle Street, au-dessous d'une échoppe de tabac. C'était une espèce de trou sombre, tenu par un repris de justice aux oreilles coupées qui répondait au nom de Straight. La boutique du dessus servait de façade pour un receleur connu de Seven Dials, qui revendait sous le manteau des montres et des tabatières volées.

Rothewell ne savait pas au juste pourquoi Straight avait eu les oreilles coupées, et de fait il préférait ne pas le savoir. Mais ce lieu était idéal quand on voulait à tout prix éviter le beau monde. À l'exception de quelques jeunes dandys échoués là de temps en temps pour s'encanailler, la bonne société ne franchissait jamais le seuil du tripot. Et personne ne s'aventurait non plus à poser de questions, car c'était le meilleur moyen de finir avec un poignard dans le dos.

Rothewell trouva un trio d'aigrefins, des tricheurs de l'East End dont il connaissait déjà tous les trucs, à la recherche d'un quatrième pour leur partie de cartes. Tout en avalant le contenu d'un flacon de cognac, il se délesta de deux ou trois cents livres en l'espace de quelques heures.

Minuit sonna à la pendule de la cheminée. Rothewell jeta ses cartes sur la table et écrasa son cigare.

— Messieurs, la chance m'a abandonné ce soir, déclara-t-il.

— C'est possible, dit Pettinger, qui tenait la banque. Mais j'ai entendu des rumeurs remarquables ce soir, aux environs de Lufton.

— Quel genre de rumeurs ? questionna un des autres hommes.

— Comme quoi, Rothewell aurait eu *beaucoup* de chance hier, répondit Pettinger en ricanant. Du moins, s'il faut en croire Valigny.

Rothewell sentit ses mâchoires se contracter.

— Il ne faut jamais faire confiance à Valigny, Pettinger. Tu as joué aux cartes avec lui assez souvent pour le savoir.

Pettinger rit à gorge déployée.

— C'est vrai ! Mais dis-nous, Rothewell, est-ce qu'il mentait cette fois ?

Rothewell se leva brusquement. Le ton de Pettinger ne lui plaisait pas.

— Vous pouvez me féliciter, messieurs. J'ai eu l'honneur d'épouser la fille de Valigny. Maintenant, si vous voulez bien m'excuser, je vais tenter ma chance aux dés.

Rothewell salua les trois tricheurs, et se dirigea vers une autre table.

— Dieu le protège, entendit-il commenter un des hommes dans son dos. Cette fille doit être une vraie mégère.

La remarque lui fit l'effet d'une gifle. C'était comme du vinaigre versé sur les plaies que Gareth lui avait déjà infligées. Les gens s'interrogeaient sur son épouse, alors que c'était lui, le fautif. Un homme raisonnable, marié dans des circonstances heureuses, aurait dû se trouver chez lui ce soir, avec sa femme.

Il joua quelques sommes minimes, sans y faire attention. Il se sentait bouillant de colère, contre lui et contre Valigny. Ce satané Français avait des espions partout.

Combien d'autres personnes en ce moment se posaient des questions sur Camille ? C'était une chose à laquelle il n'avait pas pensé quand il était sorti de chez lui ce matin. Si en plus, l'histoire de la partie de cartes chez Valigny venait à se répandre… Seigneur. Camille serait totalement humiliée. Et par sa faute.

Il fut tiré de ses réflexions par une bourrade.

— C'est à vous de lancer, Rothewell, décréta un jeune homme en lui passant les dés.

Pettinger, qui l'avait suivi jusqu'à la table de jeu, misa cent livres contre lui. Quelqu'un siffla doucement.

— Messieurs ? s'enquit Rothewell en haussant les sourcils. Quelqu'un d'autre a aussi peu confiance en moi ?

Quelques paris furent faits. Les dés roulèrent sur la table. Rothewell obtint deux fois quatre.

— Huit ! annonça l'homme en bout de table.

Rothewell hésita. Il avait senti que la chance n'était pas avec lui ce soir, mais il était trop tard pour reculer. D'un geste du poignet il lança le dernier dé, qui heurta le bord de la table.

— Bon sang ! s'exclama une voix. Onze !

Rothewell poussa un grognement. Il avait perdu, mais au moins la mort avait été rapide. Que demander de plus ?

Il passa le godet vide à son voisin et lui souhaita bonne chance.

Prenant son flacon de cognac, il alla s'installer dans un coin sombre, pour boire et fumer tranquillement. Mais il était en proie à un vague mécontentement, qui le tourmentait comme la piqûre d'une aiguille. Gareth s'était trompé. Ce n'était pas à Camille qu'il tentait d'échapper. C'était à lui-même.

Ce soir, il ne savait dire pourquoi, sa place n'était pas ici. Malgré l'alcool, il ne trouvait rien dans ce tripot pour le satisfaire. Repoussant son verre du revers de la main, il fit mine de se lever.

— Rothewell !

Un homme mince et élégant se dirigeait vers sa table. *Seigneur.* Non, il n'était vraiment pas d'humeur à supporter cela.

George Kemble avait l'air en pleine forme. Mais de fait, c'était toujours le cas.

— Vous, ici, chez Eddie ? s'exclama-t-il en agitant la main pour chasser la fumée. J'aurais pensé que c'était un lieu un peu trop raffiné à votre goût.

Rothewell grimaça, mais ne prit pas la peine de lui serrer la gorge, comme il l'aurait sans doute fait avec un autre. Kemble était un ami de sa sœur… et donc aussi le sien, en principe. La dernière fois qu'ils s'étaient vus, cependant, Kemble lui avait volé son phaéton et ses deux meilleurs chevaux.

— Je devrais vous étrangler, Kem. Mais c'est votre jour de chance, mon vieux. Il ne me reste plus assez d'énergie pour tuer qui que ce soit.

Kemble haussa les sourcils, et prit une chaise.

— On dit bien que le mariage change un homme, déclara-t-il en s'asseyant. Mais un grand gaillard comme vous ? Rothewell, vous me décevez. Et vous paraissez à toute extrémité, je dois dire.

— Bon sang, si vous voulez m'accabler de reproches, prenez la file. Mais je vous préviens, il y a des heures d'attente.

Kemble fronça les sourcils.

— J'espère que vous n'avez pas sombré dans le vice chinois, mon garçon. Prenez garde.

— Je suis de mauvaise humeur, mais je ne suis pas stupide, dit Rothewell en poussant le flacon de cognac vers lui. Tenez. Buvez le reste de cette lavasse. Cela vous occupera.

Kemble plissa le nez.

— Vous plaisantez ? Je ne boirai jamais la bibine de chez Eddie. Il faut vraiment que vous ayez un goût exécrable.

Il examina l'étiquette de plus près, et ajouta :

— Mon Dieu ! Vous devez vraiment être malade. C'est du cognac français, et une marque correcte, qui plus est.

— Alors buvez, et taisez-vous. Que faites-vous ici, au fait ?

Kemble eut un sourire énigmatique.

— Ne posez jamais ce genre de questions, mon garçon, dit-il en agitant le doigt. Et vous ne serez jamais accusé de complicité.

Rothewell ricana.

— Vous êtes un ami de Straight, pas vrai ?

— Nous avons grandi ensemble comme deux voyous, dans les rues de Whitechapel, répondit Kemble en remplissant son verre de cognac. Vous voulez savoir comment Eddie a perdu ses oreilles ?

Rothewell blêmit.

— Seigneur, non.

— C'est une histoire délicieusement horrible, dit Kemble en soupirant. Oh, bon. Je peux toujours vous mettre en boîte au sujet de votre mariage avec la fille de Valigny. Pauvre petite.

— Si vous continuez, grommela Rothewell en se levant, je vous traînerai dans la ruelle de derrière et je vous battrai à mort. Et n'oubliez pas, Kem, je connais tous vos petits tours. Vos surins, vos coups-de-poing en cuivre, et le reste. Et je pèse vingt kilos de plus que vous. Parbleu, à la seule pensée de cogner sur quelqu'un, je me sens revivre.

— Content de vous avoir rendu service ! s'écria Kemble en avalant son cognac d'un trait. Bien, je dois me sauver ! J'ai mille choses à faire.

— Des receleurs à voir ?

— Allons, allons ! Il ne faut pas colporter des rumeurs sans fondement. J'ai une réputation d'honnête homme, et j'y tiens.

— C'est cela, marmonna Rothewell. Et moi, je suis le nouveau bedeau.

Avec un dernier sourire éblouissant, Kemble se fondit dans la foule. Rothewell quitta son coin sombre, aussi solitaire et frustré que lorsqu'il était arrivé. Il partit récupérer son pardessus, d'un pas si ferme que nul n'aurait pu deviner quelle quantité d'alcool il avait absorbée.

C'est alors qu'il sentit la chaleur d'un corps se pressant contre lui. Il se retourna, et vit une femme blonde, vêtue d'une robe de satin défraîchie. Une des filles que Straight employait pour distraire les clients et les faire boire, pensa-t-il. Elle était petite, et aguichante, mais il aurait été incapable de mettre un nom sur son visage.

— Lord Rothewell ! Vous vous souvenez de moi ?

Les yeux pétillants, elle inclina sa tête blonde de côté, comme un oiseau. Il eut un instant d'hésitation, et mentit.

— Bien sûr, ma chère. Comment un homme pourrait-il vous oublier ?

— J'ai envie de regarder le jeu de pharaon, dit-elle en glissant une main sous son bras. Un homme aussi superbe que vous a sans doute besoin d'une dame à son bras pour lui porter chance ?

Rothewell n'eut pas le cœur de lui répondre qu'elle n'était pas une dame, et que tout ce qu'elle pourrait lui apporter, ce serait une maladie contagieuse.

— Merci, ma chère, mais non, répliqua-t-il doucement. Il est trop tard pour sauver la soirée.

La blonde se pressa plus étroitement contre lui.

— Nous pourrions passer à l'arrière ? suggéra-t-elle. Juste un moment, pour vous faire oublier votre malchance au jeu ?

C'en était trop. Rothewell détacha le bras qu'elle avait passé autour de sa taille, et s'écarta. Il vit une expression fugitive, comme de la panique, traverser ses yeux.

— Désolé, dit-il d'un ton ferme. Pas ce soir.

L'expression s'évanouit. Sans ajouter un mot, la femme recula, puis disparut dans la foule.

Rothewell alla récupérer son pardessus et prit la direction de Berkeley Square. La maison n'était distante que d'un kilomètre, mais il regretta amèrement de ne pas avoir pris sa voiture. En fait, comprit-il brusquement, il avait hâte de voir Camille.

Il avait besoin de se rassurer... sans savoir très bien à quel sujet. Il avait soudain ressenti un dégoût pour ce qu'il était, et il éprouvait un violent désir de rentrer chez lui.

Chez lui. Bien. Il avait peut-être un chez-lui, après tout.

Cependant, Camille devait être couchée depuis longtemps. Et il se voyait mal faire irruption dans sa chambre en disant... quoi ? « J'ai trop bu, et je me sens mal » ? Non. Cela aurait été une terrible preuve de faiblesse.

Agacé, il s'arrêta sous un réverbère pour regarder l'heure. Mais il ne trouva pas sa montre dans la poche de sa veste. Ni dans celles de son pardessus. Comme c'était étrange. Il ne sortait pourtant jamais de chez lui sans sa montre.

Et tout à coup, il comprit. La femme à la robe de satin défraîchie ! Rothewell jura. Il s'était laissé faire les poches par cette catin, tel un lourdaud tout juste arrivé de sa campagne ! En ce moment, sa montre devait se trouver quelque part dans la ruelle, derrière chez Straight ! Bon sang. Avec une telle malchance, il valait vraiment mieux qu'il rentre chez lui. Tant pis pour la montre.

La nuit était glaciale. Mais, réchauffé par la colère autant que par le cognac, Rothewell traversa

Soho, en empruntant les rues les moins risquées et les mieux éclairées, où s'alignaient les maisons des classes moyennes. Pour s'empêcher de penser à Camille, il se mit à les examiner. Les perrons étaient nets, les volets vernis, noirs et brillants. Des fleurs en pots garnissaient les escaliers et les appuis des fenêtres.

Malgré l'obscurité, les façades étroites de ces demeures lui paraissaient curieusement accueillantes et douillettes. Pas comme sa propre maison. Bizarre.

À l'extrémité de Portland Street, une fenêtre était encore allumée. Il distingua les jolies jardinières blanches, débordant de pensées jaunes et violettes. Il hésita et ralentit le pas, contemplant la lumière chaude qui filtrait par la fenêtre. Il entendit des rires joyeux à l'intérieur. À travers le rideau léger, il vit la silhouette d'une femme assise derrière la vitre. Ses cheveux étaient relevés. Elle se tourna et tendit les bras. Un homme se pencha pour l'embrasser. Pendant un instant, ils demeurèrent blottis l'un contre l'autre, offrant l'image même du bonheur. Puis l'homme se redressa et recula.

Rothewell essaya d'imaginer ce qui les avait fait rire. Quelque chose de très banal, probablement. Et maintenant, elle devait lui rappeler de prendre son tonique avant d'aller se coucher. Ou bien il lui proposait de lui apporter un broc d'eau chaude. Ils n'avaient vraisemblablement pas de domestiques, et devaient travailler du matin au soir. Malgré tout, il les envia. Ils paraissaient heureux. Ils avaient une longue vie à passer ensemble.

Tout à coup, sa gorge se noua. Il éprouva une douleur dans la poitrine, et ses yeux le piquèrent. La fumée de charbon, sans nul doute. Seigneur, il devenait impossible ! Un ivrogne sentimental... Il avait été fou, *complètement fou*, de céder au désir que lui inspirait cette femme.

Son seul espoir à présent était de garder une distance prudente. Sinon, en plus des difficultés qu'elle connaissait déjà, Camille éprouverait le chagrin de la perte d'un être cher.

Il s'éloigna de la petite maison d'une démarche rapide, rythmée par le tintement de sa canne contre les pavés. Il ne s'attendait pas à trouver une lumière accueillante dans sa demeure de Berkeley Square. Ni des fleurs dans les jardinières. Quoique… il y en avait peut-être ? Pourquoi ne le savait-il pas ? Pourquoi ne se rappelait-il pas ce détail ?

L'impression de bonheur qui se dégageait de la petite maison de Soho n'avait rien à voir avec le quartier. Ni avec la classe sociale ou la richesse. Il y avait dans cette maison des gens qui vivaient, qui partageaient tout et qui s'aimaient.

Il savait cela, au fond de son cœur. Et il savait aussi que ce bonheur n'était pas pour lui.

9

Un silence obstiné

Quand il arriva devant sa porte, lord Rothewell avait complètement oublié la disparition de sa montre. Il avait aussi oublié qu'il avait cédé sa chambre à sa femme. Afin de ne pas déranger les domestiques, il entra avec sa clé, jeta son pardessus sur la rampe de l'escalier et monta.

Cela faisait presque un an maintenant qu'il rentrait dans cette maison aux petites heures du jour, certaines fois plus sobre que d'autres. Tel un cheval approchant de l'écurie, il tournait machinalement à droite, puis franchissait la deuxième porte à sa gauche. Cette fois, il ne fit pas exception. Rothewell était très fier de sa démarche souple de félin, qui n'était en rien gênée par l'excès de boisson. Il n'était pas homme à tituber ou à trébucher sous l'effet de l'alcool.

Une fois dans la chambre, il constata qu'aucune lumière n'avait été laissée allumée pour lui, et il n'entendit pas non plus le bruit des pattes du chien sur le sol dallé. Il avait complètement oublié sa décision de ramener ce petit diable chez Tweedale. Tant pis. Avec un haussement d'épaules, il ôta son veston et le lança sur la chaise habituelle. Mais il n'y avait pas de chaise, et la veste tomba sur le tapis dans un bruit mou. Sans s'émouvoir pour autant, Rothewell se déshabilla entièrement, et le reste de ses vêtements rejoignirent la veste.

Soudain, il entendit un froissement de draps.

— *Qui est là ?* chuchota une voix en français.

Bon sang. Camille.

— C'est moi, dit-il en gagnant le pied du lit à tâtons. Je suis désolé.

Il y eut un silence.

— Désolé ? répéta-t-elle, glaciale. Pourquoi êtes-vous désolé, Rothewell ? Parce que vous faites irruption dans ma chambre sans y être invité, ou bien parce que vous avez passé la journée et la nuit dehors ?

Il se raidit, une main sur le montant du lit.

— Tu es ma femme maintenant, Camille, répliqua-t-il, utilisant à dessein le tutoiement. Je n'ai pas à demander la permission d'entrer dans ta chambre... ou de sortir de la maison.

La voix était bourrue, et très légèrement empâtée, constata Camille. Cet homme avait un fameux culot... et après avoir passé la nuit à faire ribote, qui plus est ! Elle s'assit, pour allumer la bougie à côté du lit. Rothewell l'entendit et prononça d'un ton d'avertissement :

— Tu ferais mieux de ne pas allumer cette bougie.

— Non ? dit-elle, alors que la mèche s'enflammait. Et pourquoi ?

— Parce que je suis nu.

Camille se retourna lentement, l'air nonchalant.

— En effet, murmura-t-elle en laissant son regard glisser sur lui. *Quel dommage,* Rothewell. Vous vous êtes déshabillé pour rien.

Il demeura là un instant, la contemplant d'un air de défi.

— Je vois, finit-il par marmonner. Et tu penses que je suis venu... pour quoi, au juste ?

Camille haussa les épaules, feignant de ne pas voir ses épaules musclées, la toison brune sur sa poitrine et… et… Seigneur ! Elle releva vivement les yeux.

— Je suppose que vous êtes venu faire ce qu'un homme fait normalement quand il se trouve nu dans la chambre d'une femme, rétorqua-t-elle en se levant. Mais si vous croyez que je vais succomber à *ça*…

— Attends, coupa-t-il en levant la main. Attends au moins une minute.

— Non, c'est vous qui allez attendre. Et ne venez jamais dans mon lit après avoir passé la journée et la moitié de la nuit à boire et à coucher avec des traînées.

— Écoute, Camille, je n'ai pas…

— Ne mentez pas ! s'exclama-t-elle en pivotant sur elle-même pour le regarder. Je sens l'odeur d'une femme sur vous.

— C'est impossible.

— Et vous avez bu, ajouta-t-elle.

— Un peu, oui, admit-il. Mais j'avais bu quand j'ai accepté de t'épouser, et tu n'y voyais pas d'objection à l'époque. Si j'avais su que je m'engageais à observer une éternelle sobriété, et à avoir une mégère dans mon lit, j'y aurais peut-être réfléchi à deux fois.

Camille se raidit. Sans même s'en rendre compte, elle leva la main pour le gifler. En un éclair, il lui captura le poignet.

Il la considéra un moment avec stupéfaction, puis l'attira sans douceur contre lui.

— Par Dieu, n'essaye jamais… *jamais plus* de me frapper, Camille.

Elle perçut sa colère, et la chaleur de sa peau. Elle aurait dû être terrifiée, mais elle était simplement offensée.

— Je n'ai pas peur de vous, Rothewell, dit-elle à voix basse. Vous n'êtes qu'une brute et un débauché, et vous ne me faites pas peur.

Il étrécit les yeux, les narines frémissantes.

— Bon sang, Camille, je ne suis pas comme ton père. Je n'ai rien de commun avec Valigny.

— Ah non ? Ce soir, je trouve pourtant des ressemblances frappantes entre vous.

Rothewell plongea les yeux dans ceux de sa femme. Elle était en colère, certes. Il l'avait laissée seule dans une maison inconnue, afin d'aller ressasser ses propres problèmes. Gareth avait raison. Il s'était conduit comme un mufle. Et quelle différence y avait-il entre Valigny et lui ? Pas grand-chose, en réalité. Cette constatation l'emplit de honte.

Alors qu'il cherchait les mots appropriés à la situation, la jeune femme sembla perdre soudain toute sa vindicte. Elle eut l'air très seule tout à coup, et perdue.

— Je suis désolé, Camille, chuchota-t-il en la serrant contre lui. Il ne faut pas que les domestiques nous entendent nous quereller.

— *Et alors ?* s'écria-t-elle en esquissant une grimace douloureuse. Qu'ils entendent. Je m'en moque.

Il la serra plus fort.

— Non, ma chère, tu ne t'en moques pas et moi non plus. Tu peux m'insulter tant que tu veux, mais sans bruit. D'accord ? Je ne veux pas que nos gens répandent des ragots à ton sujet.

Elle s'écarta légèrement.

— Ne faites pas cela. Ne soyez pas si gentil avec moi. Je… je ne sais pas qui vous êtes, quand vous faites cela.

Il contempla ses grands yeux bruns, son joli visage en forme de cœur, et il sut soudain pourquoi il était rentré chez lui. Mon Dieu…

— Tu préférerais que je sois ce que tu imaginais ? Un tricheur et un libertin, c'est cela ?

Elle secoua la tête, et se détourna.

— Je ne sais pas. Ce serait probablement plus facile…

Du bout du doigt, il l'incita à tourner le visage vers lui.

— Écoute, Camille. Tu as épousé un mufle, je ne le nie pas. Mais je suis désolé de t'avoir fait de la peine.

— Vraiment ? Et je dois vous remercier pour votre franchise ?

Son beau regard sombre était de nouveau enflammé par la colère. Lentement, il pencha la tête et l'embrassa, s'attendant plus ou moins à ce que cette petite harpie le repousse.

Camille hésita tout d'abord, plaquant les mains sur ses épaules pour résister. Mais sa bouche, son corps souple et frémissant… eux ne résistèrent pas. Elle s'offrit et le laissa pénétrer dans la chaleur de sa bouche. Rothewell eut l'impression qu'un grand poids était soudain retiré de sa poitrine.

Cependant, alors même qu'il approfondissait son baiser et percevait son doux gémissement, il était conscient des sentiments contradictoires qui animaient la jeune femme. Elle avait laissé ses mains sur ses épaules, mais ne faisait plus mine de le repousser. Quand enfin elle détacha sa bouche de la sienne, son mouvement fut brusque. Sa respiration était saccadée, ses yeux embués.

Rothewell glissa les doigts dans ses cheveux, sur sa nuque, et passa un bras autour de sa taille. Elle le désirait… probablement autant qu'il la désirait, lui. Mais cela ne la rendait pas heureuse.

Elle détourna le visage, et il fit courir ses lèvres sur son oreille, sa joue, le long de son cou.

— Camille… je t'en prie, Camille, tu es ma femme.

Elle murmura quelques mots indistincts, en français.

Rothewell caressa la rondeur d'une hanche. Il se moquait bien qu'elle ait essayé de le gifler ou qu'elle l'ait insulté. C'était dire où il en était arrivé, songea-t-il.

— Tu me rends fou, Camille, marmonna-t-il. J'ai eu envie de te posséder dès que j'ai posé les yeux sur toi.

Il crut la sentir trembler imperceptiblement contre lui.

— *Oh, mon Dieu !* chuchota-t-elle en battant des cils. Je… je ne sais plus où j'en suis.

Rothewell profita de ce moment pour l'embrasser encore, avec ardeur. Triomphant, il prit possession de sa bouche.

Les mains de Camille s'égarèrent sur son dos, glissèrent sur ses reins. Il émit un grognement et fut parcouru d'un frisson.

Il sentit sa maîtrise de lui-même lui échapper. La promesse qu'il s'était faite de garder ses distances était oubliée. Camille était dans ses bras, comme du feu et de la glace. Leurs corps étaient étroitement enlacés, son ventre souple se pressait contre son sexe dressé. *Il la désirait.* Le sang lui battait aux tempes tandis que ces mots résonnaient dans sa tête. Il allait la soulever dans ses bras et la porter sur le lit. Il ne la laisserait pas dire non. Il la convaincrait. Il lui ferait la cour, s'il le fallait.

Soudain, elle le repoussa sans douceur.

— *Très bien,* dit-elle dans un souffle. Faites-le, alors.

— Pardon ?

— Prenez-moi, Rothewell. C'est ce que vous voulez, n'est-ce pas ? ajouta-t-elle en gagnant le lit. Je suis faible. Et je veux un enfant. Alors, faites-le donc.

Ces paroles le clouèrent sur place.

— Camille, qu'est-ce qui ne va pas ?

Elle s'assit lentement au bord du lit, et il aperçut le bout de ses petits pieds sous la dentelle de sa chemise de nuit.

— Rien. Je veux juste que vous…

Elle ne termina pas sa phrase, et secoua la tête. Il demeura planté là, nu, et se sentit l'air un peu idiot.

— Dis-moi, Camille.

Elle se pencha en avant, et sa lourde chevelure brune tomba sur son épaule. Elle croisa les bras sur sa poitrine, comme si elle souffrait.

— Je ne peux pas… être comme ça avec vous. Je ne peux pas me permettre de perdre…

— De perdre quoi ? Camille, de quoi as-tu peur ?

— *De moi-même,* chuchota-t-elle en posant sur lui un regard angoissé.

Il alla vers le lit, plaça un genou sur le matelas, et lui souleva le menton. Seigneur. Cela faisait presque vingt ans qu'il n'avait plus courtisé une femme. Depuis sa folle aventure avec Anne-Marie.

Il scruta le visage de Camille, cherchant les mots qui feraient resurgir sa passion. Il la voulait. *Elle.* Mais il était trop brusque, trop brutal même, pour savoir courtiser une femme.

— Bon sang, Camille, embrasse-moi encore. Tout allait si bien il y a deux minutes.

Elle secoua la tête en soupirant.

— Je voudrais simplement le faire, sans… sans toutes ces émotions. Je pensais que nous avions juste passé un marché, Rothewell. L'argent de mon grand-père contre votre semence.

— Ma chère, je ne suis pas un étalon reproducteur.

— Vous ne voyez pas, Rothewell ? dit-elle en le repoussant. C'est tout ce que vous devez être pour moi.

— Parbleu, je n'ai jamais accepté cela ! Et n'essaye pas de me persuader du contraire. J'ai exprimé très clairement ce que je voulais ce soir-là, chez Valigny.

Camille eut une moue amère.

— Ah, oui ! Voyons si je me rappelle bien. Vous vouliez que je sois soumise à vos désirs, n'est-ce pas ? C'est ce que vous avez dit ?

— Et alors ? Après tout, Camille, tu m'as épousé.

— *Quoi qu'il m'en coûte,* chuchota-t-elle en détournant les yeux.

— Tu es en colère, dit-il sèchement. Parce que je suis rentré si tard. Reconnais-le.

— Certainement pas. Je me moque de savoir où vous allez, ce que vous faites… et avec qui.

— Tu ne t'en moques pas du tout, ma chère. C'est justement pour cela que tu m'en veux. Et franchement, en y réfléchissant, je préfère avoir une épouse qui me harcèle plutôt qu'une femme trop froide dans mon lit.

Elle lui lança un regard de dérision, et lui tourna le dos.

— Contentez-vous de respecter votre engagement, Rothewell. Je veux un enfant.

Les mains sur ses épaules, il la fit pivoter.

— Tu veux un enfant ? Par Dieu, je t'en donnerai un, Camille. Je vais t'enfermer dans cette chambre et te faire l'amour jusqu'au Jugement dernier. Il faudra que tu me supplies d'arrêter.

— Vraiment ? Comme c'est charmant. Mais si vous osez…

Sans réfléchir, il captura ses lèvres, l'empêchant d'ajouter un mot. Il ne pouvait supporter son regard accusateur. Ne pouvait supporter de penser qu'il n'était pas assez bien pour elle. Qu'il ne la rendrait jamais heureuse. Pendant un bref instant elle se débattit, le poussa, puis elle finit par céder.

Rothewell grimpa sur le lit, et sur elle, sans lâcher ses lèvres.

Elle soupira en frissonnant. Son regard s'adoucit, puis elle ferma les yeux. Rothewell caressa un sein, le taquinant à travers l'étoffe fine de sa chemise. Le mamelon durcit sous sa main, et elle étouffa une exclamation.

— Camille, chuchota-t-il. Je suis désolé. Désolé.

Elle demeura allongée sur le lit, passive et silencieuse, les bras en croix. Il ne put s'empêcher de penser que Dieu la lui avait envoyée pour lui donner une leçon. Pour le torturer, en lui faisant désirer ce qu'il ne pouvait obtenir. Comment survivre avec des miettes, alors qu'on était affamé ?

Il vit les muscles de son cou bouger, mais elle ne parla pas. Tout à coup, il comprit : il voulait qu'elle le désire. Il voulait qu'elle ait au moins un peu de tendresse pour lui.

C'était un espoir vain. En réalité, elle ne lui donnerait que des miettes... et il les prendrait, bon sang !

Il saisit le bord de sa chemise et la fit remonter d'un mouvement brusque, faisant craquer une couture. Puis, lorsqu'elle fut nue, il la contempla longuement. Seigneur. Elle était parfaite. Des petits seins ronds et fermes. De longues jambes bien galbées. Et entre elles... ce qu'il convoitait plus que tout.

Il insinua un genou entre ses jambes. Ses mains glissèrent sur la chair soyeuse de ses cuisses, entre les délicats pétales qui protégeaient l'endroit le plus secret de son être. Elle étouffa un petit cri quand il voulut pénétrer plus avant.

— Mon Dieu, Camille...

Il brûlait d'impatience de la posséder. Elle était sa femme, et il la désirait ardemment.

Il parvint cependant à se maîtriser, et roula sur le côté. Puis il lui caressa doucement le ventre, effleurant du bout des doigts le triangle de boucles brunes. Il enfouit le visage au creux de son cou, tout en poursuivant ses caresses. Il s'aventura progressivement plus avant, et sentit la moiteur du désir sous ses doigts. Il ne connaissait rien de plus érotique que de la caresser ainsi, alors qu'elle s'offrait, languissante, attendant d'être possédée.

Il posa les lèvres sur ses épaules, et les laissa glisser plus bas, lentement. Lorsqu'il captura la pointe d'un sein, elle émit une petite exclamation.

Il la taquina, attirant avidement la pointe dans sa bouche, la titillant du bout de la langue, la mordillant doucement. Elle arqua son corps en gémissant et se mit à trembler. Ses mains agrippèrent la couverture, ses ongles s'enfoncèrent dans le lainage. Ce fut comme si le temps s'arrêtait. Émerveillé, il la regarda s'abandonner au plaisir que ses caresses lui prodiguaient.

Quand elle retomba sur le lit, haletante et les yeux fermés, il l'embrassa et se hissa au-dessus d'elle. S'aidant d'une main, il pénétra dans la chaleur de son corps. Puis il se retira légèrement, attendit qu'elle se détende, et la pénétra de nouveau, plus profondément.

Il avait cru qu'il serait impatient, qu'il répandrait sa semence en quelques secondes, comme un jeune garçon faisant l'amour pour la première fois. Mais ce fut pire que cela. Il se sentait parfaitement bien… comme s'il avait tout son temps et pouvait se noyer dans la splendeur de son corps. Elle le regarda, les yeux mi-clos, telle une sirène l'attirant inexorablement vers le rivage où il allait s'échouer. Allait-il survivre à cela ? se demanda-t-il dans un brouillard. Elle le rendait fou. Lui brisait le cœur, alors qu'il avait toujours ignoré qu'il en possédait un…

Son visage était serein, ses lèvres entrouvertes. Son corps l'attirait irrésistiblement. Les bras posés de part et d'autre de ses épaules, il se pencha pour l'embrasser. Il déposa des baisers sur tout son visage. Les joues, les yeux, le front.

Soudain, il perçut un changement en elle. Sa respiration s'accéléra, ses genoux remontèrent, et elle s'arqua en lui caressant le dos.

— *Mon Dieu,* chuchota-t-elle.

Ses ongles s'enfoncèrent dans les hanches de Rothewell. Elle cria, un cri sourd et triomphant. Alors, ils parvinrent ensemble au bord du gouffre, et tombèrent unis dans l'exquise volupté.

Rothewell sentit un grand sentiment de paix l'envahir. Lorsqu'il reprit contact avec la réalité, ses bras tremblaient.

— Voilà, Camille, dit-il en posant le front contre le sien. Voilà. Je l'ai fait.

Ses grands yeux bruns scrutèrent son visage viril.

— Quoi, *mon chéri* ? Qu'est-ce que tu as fait ?

— Je t'ai offert ce que tu voulais. J'espère que je t'ai donné un enfant. Sinon, eh bien... nous devrons essayer encore. Et encore. Jusqu'à ce que j'aie réussi.

Un sourire se dessina sur les lèvres de Camille, mais elle ne dit rien. Rothewell roula sur le côté et l'attira vers lui, le dos contre son torse. Il se sentait empli de joie, et cependant un peu bouleversé. Comme si quelque chose qu'il avait toujours cru connaître parfaitement, était brutalement devenu trouble. Son esprit, peut-être. Ou bien son cœur.

La serrant contre lui dans une attitude protectrice, il ferma les yeux. Camille frissonna, et il ramena la couverture sur eux. Ils demeurèrent ainsi un moment, s'endormant même quelques minutes. Chaque instant passé dans ses bras lui semblait infiniment précieux.

Cependant, la bougie avait diminué, et l'aube grise s'annonçait. D'ici peu, la maison s'animerait.

Rothewell se souleva sur un coude, pour avoir le plaisir de l'observer dans son sommeil. Elle était d'une beauté à couper le souffle. Il y avait longtemps qu'il n'avait pas contemplé une femme comme il le faisait en ce moment. Cela ne lui était peut-être même jamais arrivé. Une mèche noire comme du jais retombait sur sa joue ronde. Il la repoussa délicatement en arrière.

Elle tourna la tête sur l'oreiller, et poussa un soupir de plaisir. Elle était heureuse. Du moins, à cet instant. C'était une chose étonnante, songea-t-il. Il ne pensait pas avoir déjà rendu une femme heureuse. Satisfaite, oui, mais ce n'était pas la même chose. Oh, bien sûr, cela ne durerait pas. Le bonheur était toujours fugitif. Mais, en ce moment, il n'avait pas l'impression d'avoir totalement gâché la vie de la jeune femme.

Et peut-être pourrait-il éviter de le faire. Il ne fallait pas qu'elle tombe amoureuse, ou qu'elle s'attache à lui. Il n'était pas assez égoïste pour souhaiter que cela survienne. S'il évitait simplement d'être trop mufle, peut-être garderait-elle de bons souvenirs des jours qu'ils auraient passés ensemble.

Sur cette pensée, Rothewell posa les lèvres sur l'épaule de Camille, remonta la couverture un peu plus haut, puis roula sur le dos. Son regard se fixa sur la frise de feuilles d'acanthe qui ornait le plafond. Il avait eu tort de la laisser seule la veille, et il n'avait pas la folie de croire qu'elle lui avait pardonné cet abandon. Il avait détourné son attention de la question en lui donnant du plaisir. C'est tout.

La vérité, c'était que Camille avait le droit de lui poser des questions. Avec un minimum de diplomatie, il aurait pu éviter de répondre. Au lieu de cela, il l'avait rembarrée. La diplomatie n'était pas son fort. À La Barbade, la seule personne à qui il devait faire plaisir, c'était Xanthia. Celle-ci ignorait toujours sa dureté, et ne cherchait jamais à le punir en parlant du passé. Enfin, sauf une fois. La fois où il s'était querellé si violemment avec Martinique au sujet de l'homme qu'elle voulait épouser. Ensuite, Xanthia lui avait lancé au visage des paroles cruelles, qui l'avaient brûlé comme de l'acide.

Grâce au Ciel, sa nièce était partie, et ne dépendait plus de lui. Il n'avait fait que du mal à cette enfant. La plupart du temps, il en avait été conscient. Mais il ne pouvait pas s'en empêcher. Un peu comme hier, avec Camille.

S'il était incapable de surmonter ses propres blessures pour veiller sur une enfant que Luke avait aimée et lui avait confiée… qu'est-ce que cela laissait présager pour son épouse ?

Un peu nerveux, il changea de position et plaça un bras sous sa tête. C'était curieux, mais depuis quelques mois il pouvait penser à Martinique sans voir surgir aussitôt le fantôme de sa mère. Sans évoquer le souvenir d'Anne-Marie, pelotonnée dans le lit de son frère le lendemain de leur mariage, les yeux emplis de regrets. Ou encore enveloppée dans le linceul qui avait servi à ramener son corps des champs de canne.

Il se tourna encore une fois dans le lit. Anne-Marie appartenait à son passé. Cette femme, belle et vibrante de passion, qui ressemblait vaguement à Anne-Marie mais qui n'était pas elle, était son avenir. À supposer qu'il en ait un. Ils allaient avoir un enfant ensemble. Un enfant qui serait un être meilleur que lui, et plus heureux.

Alors que ces pensées lui traversaient l'esprit, il y eut un très léger grattement à la porte. Rothewell se leva et alla ouvrir. Une petite boule de poils fila entre ses jambes et bondit sur le lit. Il éprouva une brusque envie de rire, qu'il réprima aussitôt.

— Tu ferais mieux d'en profiter, chuchota-t-il en s'adressant au chien. Car, dès le chant du coq, tu seras retourné chez Tweedale, mon petit vieux.

Le chien émit un grognement dédaigneux et se laissa tomber sur les chevilles de Camille.

Rothewell se glissa sous les couvertures. Mais son estomac se mit à gargouiller bruyamment. Camille, qu'il avait crue endormie, se retourna et le contempla d'un air grave.

— J'ai dû avaler un chat de gouttière, dit-il en lui mordillant le cou.

— Oui, et tu parles au chien. Chin-Chin ne partira pas.

— Ah, tu crois ça ? Ne t'attache pas trop à lui.

— Quand as-tu fait un vrai repas pour la dernière fois ? s'enquit-elle, ignorant sa remarque.

Il fit glisser sa main le long de son bras, tout en réfléchissant à la question.

— Je ne me rappelle pas, finit-il par reconnaître.

Pendant un long moment, elle garda le silence. Puis, avec un soupir :

— J'ai quelque chose à te demander.

Rothewell fut tenté instinctivement de refuser. Mais il se contint.

— Très bien.

— Je ne te le demanderai qu'une fois, précisa-t-elle, les yeux fixés sur le petit amoncellement de charbons incandescents, dans la cheminée. Si tu ne peux pas, ou ne veux pas me répondre, je ne te harcèlerai pas. Je ne te demanderai plus rien.

Elle s'interrompit, et il la regarda jouer avec un bout de couverture qu'elle enroula autour de son doigt. Cela dura si longtemps qu'il crut qu'elle avait changé d'avis. Mais elle parla de nouveau, d'un ton abrupt :

— Tu es malade, n'est-ce pas ?

Il ne répondit pas, et Camille tourna la tête sur l'oreiller pour le regarder, ses grands yeux noirs élargis dans une expression d'interrogation. Il soutint un instant son regard, puis se détourna. Elle soupira doucement.

— C'est grave ?

Rothewell fixa le plafond, cherchant une réponse.

— J'ai mené une vie difficile, Camille. Et cela ne m'a pas encore tué.

— Tu es malade, répéta-t-elle.

Rothewell repoussa les couvertures et se mit debout. Le chien le suivit.

— Le jour va bientôt se lever, Camille. Je te laisse te reposer.

Il ramassa ses vêtements en silence et gagna la porte dans l'obscurité. Mais il l'avait blessée, il le savait. C'était justement ce qu'il s'était promis de ne plus faire. Et soudain, pour la première fois depuis sa visite à Harley Street chez le Dr Redding, il eut envie de pleurer. De s'emporter contre la cruauté du destin. De pleurer sur l'homme qu'il avait été, sur sa splendide jeune épouse qui aurait mérité mieux que ce qu'il lui offrait.

Camille s'assit dans le lit.

— Rothewell, tu te rappelles ce que j'ai dit ?

Il pivota et l'observa, dans la lueur pâle de la bougie.

— À quel sujet, Camille ?

— Je ne te poserai plus de question, chuchota-t-elle d'une voix frémissante. Jamais. Pour quoi que ce soit. Tu as compris ?

Et là, alors qu'il se tenait nu, la main sur la poignée de cuivre, il comprit. Elle l'obligeait à faire un choix. À choisir entre une véritable intimité et une relation se bornant au simple plaisir.

Mais sa décision était prise. Il ne voulait pas faire endosser ce fardeau à Camille.

La jeune femme continuait de le fixer, dans la semi-obscurité. Il inclina la tête avec raideur, et ouvrit la porte sans prononcer un mot.

10

Chin-Chin visite la Cité

Les jours suivants, à Berkeley Square, la vie adopta un rythme étrange. Camille traversa cette période comme un automate, le cœur lourd.

À la grande stupéfaction des domestiques, Rothewell se mit à passer de plus en plus de temps chez lui. Il s'enfermait dans son bureau avec son cognac, ses livres et son minuscule chien. Il ne laissait pas passer une occasion, néanmoins, de nier son attachement à la petite créature. De temps à autre, Camille passait devant la porte fermée et entendait Rothewell parler. Elle savait que c'était au chien qu'il s'adressait, et cela lui faisait éprouver un léger pincement de jalousie.

Parfois, Rothewell avait une mine vraiment épouvantable. Mais s'il souffrait, il s'obstinait à le lui cacher. Ils n'étaient jamais revenus sur les mots qu'ils avaient échangés en se séparant, l'autre nuit. Comme si une trêve avait été tacitement établie entre eux.

Avec le recul, Camille se rendit compte qu'elle avait eu tort de se mêler des affaires de Rothewell. Celui-ci ne lui avait demandé que deux choses, dès le début. D'être fidèle et, si possible, aimable. Elle ne ferait jamais vraiment partie de sa vie, il avait été clair sur ce point.

— *Il vaudrait mieux pour vous que vous ne dépendiez pas de moi,* avait-il dit. *Vous devez vous construire une vie bien à vous.*

Et elle n'avait pas émis d'objection, puisque c'était exactement ce qu'elle voulait. Alors pourquoi ces mots la blessaient-ils autant, à présent ?

Selon son habitude, Rothewell dormait peu. Mais il rejoignait Camille dans son lit presque toutes les nuits, le plus souvent juste avant l'aube, lorsqu'il rentrait après avoir passé la nuit Dieu sait où. Camille ne lui posait plus de questions, et le voyait peu en dehors de ces moments. Elle essayait de se persuader que cela n'avait guère d'importance. Malgré les moments passés au lit, et les repas qu'ils prenaient parfois ensemble, Rothewell maintenait entre eux une distance prudente. Et bien qu'elle en souffrît, Camille ne faisait aucune tentative pour rompre cet éloignement. Après tout, se répétait-elle, elle n'avait pas besoin d'une relation intime avec lui. En fait, c'était justement ce qu'elle s'était promis d'éviter à tout prix.

Mais ses efforts pour protéger son cœur étaient vains. Et Camille était peu à peu confrontée à une terrible réalité. En dépit de sa belle stature et de son indéniable virilité, son mari était malade. En quelques semaines à peine, son visage s'était amaigri.

Et puis il y avait d'autres signes que Camille connaissait bien, pour les avoir constatés pendant la longue maladie de sa mère. La nervosité. Le regard creux. Le manque d'appétit, la mauvaise humeur. Rothewell noyait sa souffrance dans l'alcool, comme s'il espérait être emporté plus vite.

Non. Elle refusait de se faire du souci pour quelqu'un décidé à se tuer à petit feu. Et cependant, elle ne pouvait le quitter… car elle voulait un enfant.

C'était du moins ce qu'elle se disait. Mais la réalité était beaucoup plus complexe.

Camille essayait de ne pas y penser. Et de ne pas penser à lui. Aux paroles qu'il lui chuchotait, à ses caresses ardentes. À l'impatience qu'elle éprouvait chaque nuit en attendant qu'il vienne la retrouver dans son lit. Et les jours s'écoulaient donc doucement, lentement, dans la grande maison vide de Rothewell. Camille menait une existence solitaire, mais elle en avait l'habitude.

Toutefois, cette monotonie fut rompue l'espace d'un après-midi. Rothewell l'accompagna dans la Cité, afin qu'elle puisse rencontrer le notaire de son grand-père, et lui fournir la preuve de son mariage. Elle redoutait ce moment depuis le jour où elle avait découvert le testament de son grand-père, caché dans les affaires de sa mère. Mais la présence de Rothewell rendit la visite plus facile.

Il fit de son mieux pour donner l'impression que leur mariage, s'il n'était pas un mariage d'amour, était au moins construit sur un respect mutuel. Il la laissa parler et demeura en retrait, appuyé sur sa canne à pommeau d'or, le regard dirigé vers la fenêtre.

Quand le vieux notaire eut mis les papiers en ordre, il fronça les sourcils, l'air intrigué.

— Merci d'être venue, lady Rothewell, dit-il. Recevez toutes nos félicitations pour votre mariage. Monsieur le baron, dès l'ouverture des banques demain matin, nous vous adresserons un chèque de cinquante mille livres, sur la succession du comte.

Rothewell pivota sur lui-même, et leva une main.

— Pour la dot ? Je n'en veux pas. Placez cet argent pour ma femme, ou pour l'enfant qui naîtra peut-être de notre union, si elle préfère.

— Nous en discuterons ensemble, déclara Camille, décontenancée. Et nous vous ferons connaître notre décision.

Le notaire se leva pour les raccompagner, puis hésita.

— Vous comprenez, je pense, que le reste de la fortune de votre grand-père continue d'être administré par fidéicommis, en attendant la naissance de votre premier enfant ?

— Nous comprenons, répliqua Camille.

Cependant, l'homme hésita encore et ajouta :

— Je dois avouer, madame, ma profonde curiosité. Pourquoi votre mère n'a-t-elle pas répondu à cette lettre il y a vingt ans, alors que vous pouviez encore vous réconcilier avec votre grand-père ?

La question était blessante. Se rappelant le conseil de Nash, Camille toisa le notaire avec hauteur.

— À quoi bon, monsieur ? Comment aurais-je pu me réconcilier avec un homme que je n'avais jamais vu ?

— Je vous demande pardon, fit le notaire en se troublant. Je voulais dire que… pourquoi…

— Pourquoi ma mère m'a-t-elle caché cette lettre ? suggéra Camille. Je suppose qu'il y avait une chose qu'elle redoutait encore plus que la pauvreté, monsieur. Elle craignait de mourir seule. C'est une faiblesse bien humaine, *n'est-ce pas* ?

— Je vois, dit le notaire d'un air sombre. Vous avez peut-être raison.

Camille eut un sourire distant.

— Mon grand-père n'aurait plus jamais accepté de la recevoir. Maman le savait. Pourquoi aurait-elle donné à sa fille unique non seulement une bonne raison de l'abandonner, mais aussi les moyens financiers de vivre sans elle ?

Le notaire ne contredit pas cet argument, et se contenta de la remercier une fois encore d'être venue. Rothewell lui offrit son bras pour descendre l'escalier, et les hommes de loi les saluèrent avec obséquiosité lorsqu'ils quittèrent l'étude. Pour la première fois, Camille mesura l'importance d'être la petite-fille d'un comte, et l'épouse d'un baron.

Rothewell, toutefois, paraissait préoccupé. Il l'aida à monter dans la voiture, puis s'y installa à son tour. Chin-Chin sauta aussitôt sur ses genoux. Le chien avait poussé tant de gémissements plaintifs en les voyant quitter la maison, que Rothewell l'avait pris sous son bras pour l'emmener avec eux.

— Tu n'étais pas obligé de refuser cet argent, dit Camille tandis que le carrosse s'ébranlait.

— Non ? fit-il distraitement, en caressant l'oreille du chien.

Il enfonça la main dans sa poche, et en sortit une friandise qu'il tendit à l'animal.

— Tu as déjà donné la moitié de cette somme à Valigny. Aussi, l'autre moitié devrait…

— Je fais ce qui me plaît, Camille, la coupa-t-il. Comme toujours.

Elle hésita, et il darda sur elle un regard noir.

— Comme tu voudras, finit-elle par concéder. Et cesse de faire manger ce chien. Il va grossir.

Quelques minutes s'égrenèrent en silence, puis Rothewell reprit la parole.

— Que contenait précisément cette vieille lettre, Camille ? s'enquit-il, tout en caressant le pelage soyeux de l'animal.

Elle fut étonnée qu'il s'intéresse à ce détail.

— Les divagations d'un vieil homme empli d'amertume.

— C'est cette lettre que tu n'as jamais voulu montrer à Valigny ?

— J'ai compris très jeune qu'il valait mieux ne pas lui accorder ma confiance. Pourquoi ? Veux-tu la voir ?

Rothewell regarda à travers la vitre.

— Je crois que j'aimerais en prendre connaissance, murmura-t-il.

— *Bien sûr.* Je la retrouverai.

Elle regarda les ombres jouer sur son profil sévère, alors qu'ils s'engageaient dans Cheapside. Un silence les enveloppa, troublé seulement par le claquement des sabots des chevaux et le cliquetis des roues du carrosse. La main de Rothewell continua de caresser le chien d'une façon mécanique, comme s'il cherchait un réconfort dans ce mouvement répété. Un réconfort qu'il aurait sans doute dû trouver auprès de sa femme. Elle ferma brièvement les yeux et se dit que, comme épouse, elle ne valait rien.

Au bout d'un moment, Rothewell se remit à parler, sans la regarder.

— Je suis désolé, Camille, que Valigny soit ton père, dit-il doucement.

— Moi aussi. Maman m'aimait à sa manière, je l'ai toujours su. Mais Valigny ? Non. Jamais. Je n'étais qu'un désagrément pour lui.

Une émotion indéchiffrable passa dans les yeux de Rothewell.

— Tu mérites mieux, Camille. Mieux que… tout cela, conclut-il avec un geste vague.

Ce fut elle, cette fois, qui regarda à travers la vitre.

— Peut-être pas. Je ne suis que la fille illégitime d'un homme égoïste. Le monde n'aime pas les gens comme moi.

— Tais-toi, Camille, répliqua-t-il sèchement. Laisse le monde penser ce qu'il veut, mais ne te dévalue jamais. Tu ne ressembles en rien à ton père.

Camille ne répondit pas. Qu'y avait-il à ajouter ? Elle avait depuis longtemps cessé de s'apitoyer sur elle-même, et renoncé à essayer de gagner l'affection de Valigny. Au vu des sentiments qu'il manifestait envers elle, elle aurait pu être la fille d'un étranger… ou, pire encore, celle de son ennemi.

Mais sa froideur était-elle si profondément ancrée en elle, ses émotions si durement contenues, pour qu'elle échoue ainsi dans son rôle d'épouse ? N'était-elle donc plus capable d'ouvrir son cœur? Non, ce n'était pas ce qu'elle voulait. Ce n'était pas ce genre de personne qu'elle souhaitait devenir. Et peut-être n'était-ce pas non plus ce genre de mariage qu'elle désirait.

Elle reporta les yeux sur le profil de son mari, si sévère mais aussi si beau, sous les rayons du soleil. Existait-il un espoir pour eux? Une chance d'atteindre une réelle intimité? Une intimité qui aille au-delà de la chambre à coucher? Elle ne savait comment faire le premier pas. Comment tendre la main, et briser la paroi de verre qu'ils avaient élevée entre eux.

— Quand j'avais cinq ans, déclara-t-elle tout à coup, j'avais décidé de m'appeler Geneviève.

Rothewell se tourna dans sa direction, arquant un sourcil.

— Vraiment? s'enquit-il avec une sollicitude polie.

— Oui. Et je me disais que j'étais une princesse, qui avait été kidnappée par le méchant comte de Valigny. Je racontais à ma nurse que mon vrai papa, qui était un grand roi très puissant, naturellement, allait venir me chercher.

Rothewell eut un sourire mélancolique.

— Oui, et tout le monde aurait été désolé pour les injustices que tu avais subies, n'est-ce pas? C'était cela, ton idée?

La mine de Camille s'allongea.

— Oui, admit-elle à mi-voix. Tu sais comment ce conte de fées se termine.

— Hélas, oui. Moi, j'aimais raconter que mon père était un puissant corsaire ottoman, et qu'il m'avait envoyé à La Barbade pour me protéger de ses ennemis. Lorsqu'il reviendrait, et verrait comment mon oncle m'avait traité, il lui couperait la tête avec son cimeterre. J'étais allé jusqu'à raconter cette histoire à mon oncle.

Camille eut un petit rire attendri.

— Je suppose qu'il s'est moqué de toi.

— Non, répondit Rothewell avec une expression d'indifférence. Il m'a mis au cachot pendant trois jours, sans boire et sans manger. Dès qu'il fut endormi, ivre mort, mon frère Luke alla voler la clé du cachot dans sa poche. Et quand notre oncle recouvra ses esprits, il s'acharna tant sur mon frère avec son fouet, qu'il ne fit même plus attention à moi.

— *Mon Dieu !* s'exclama Camille en portant une main gantée à sa bouche. Mais... vous n'étiez que des enfants !

— Oh, nous ne le sommes pas restés longtemps.

— Rothewell, chuchota-t-elle, frissonnant d'horreur. Ce cachot devait être abominable, n'est-ce pas ?

— C'était une sorte de puits que notre oncle avait creusé dans une zone marécageuse.

Le regard de Rothewell était de nouveau braqué sur la fenêtre, mais Camille devina que son esprit était retourné très loin, à La Barbade. Sa main s'était immobilisée sur le dos de Chin-Chin.

— C'était un trou profond, poursuivit-il. Un peu comme une citerne. Il y avait toujours de l'eau saumâtre au fond, et quand il pleuvait... et il pleuvait souvent, le trou se remplissait.

— *Mon Dieu !* Comment faisait-on pour en sortir ?

— On n'en sortait pas. La seule chose à faire, c'était de prier pour que l'eau ne monte pas trop haut. Il y avait une lourde grille posée sur la citerne, et mon oncle était le seul à posséder la clé. Il l'avait construite pour punir les esclaves mais, après notre arrivée, il prit l'habitude de l'utiliser de plus en plus souvent.

Camille se mit à trembler de tous ses membres.

— C'est monstrueux ! Quelqu'un... quelqu'un aurait dû l'en empêcher.

Rothewell tourna la tête, et son regard se fixa sur celui de la jeune femme.

— Quelqu'un ? Mais qui, Camille ? Personne ne se souciait de ce qu'il faisait.

Elle secoua vivement la tête.

— Il y avait bien des gens… la paroisse, le prêtre ? un magistrat ? Quelqu'un qui aurait dû surveiller ce genre de choses.

Quelques secondes passèrent, et Rothewell soupira.

— Nous vivions dans un trou perdu des colonies, Camille. Une femme est venue un jour, envoyée par l'Église. Des gens s'inquiétaient du fait que Xanthia vive sous le toit de notre oncle, étant donné tout ce qui se passait chez lui… Il fut vaguement question de l'envoyer dans une famille de Bridgetown. Mais finalement, cela ne se fit pas.

Son visage se ferma, et il pivota une fois de plus vers la vitre. Ils ne dirent plus rien tandis que le carrosse traversait la Cité. Mais quand ils passèrent sous Temple Bar, Rothewell sembla émerger de sa torpeur.

— Es-tu heureuse, Camille ? Je veux dire, à Berkeley Square. Est-ce que tu te sens bien, là-bas ?

Elle hésita un instant.

— Je n'ai jamais eu de maison à moi, dit-elle. Oui, cela me plaît assez.

— Tant mieux. Je veux que tu sois heureuse.

— Cependant, si je…

Elle s'interrompit et se mordilla les lèvres.

— Oui ? dit-il. Continue.

— J'ai des affaires dans le Limousin. Des choses auxquelles je tiens, et que j'aimerais faire venir ici.

— Naturellement. Quel genre de choses ?

— *Des bagatelles,* en réalité. Des objets pour… pour réchauffer la maison. Deux tableaux qui me plaisent, une paire de coussins brodés, et aussi un portrait de ma mère. Et mes livres préférés.

— Encore tes livres d'économie ?

Il lui fallut quelques secondes pour comprendre qu'il la taquinait.

— Oui, reconnut-elle en rougissant. Mais aussi des ouvrages d'histoire et de géographie… et un roman ou deux. La maison me semble… un peu vide. J'ai pensé que…

Elle chercha ses mots un instant.

— Tu la trouves inconfortable ? demanda-t-il en se remettant à caresser le chien, songeur.

— Certainement pas. C'est une belle maison, très confortable. Il faudrait simplement réchauffer un peu l'atmosphère.

— Tu as raison, acquiesça-t-il en observant les devantures des boutiques, sur le Strand. Il faudrait que tu la décores à ton goût.

La conversation retomba. Au bout de quelques minutes, Rothewell demanda au cocher de s'arrêter.

— Pourquoi nous arrêtons-nous ici ? questionna Camille, étonnée.

— C'est une surprise.

Le valet sortit le marchepied, et Rothewell descendit pour aider Camille. Elle posa une main sur son épaule, et il la souleva comme si elle n'était pas plus lourde qu'une plume. Chin-Chin sautait en tout sens sur la banquette, en jappant désespérément.

— Oh, quelle barbe ! s'exclama Rothewell. Allons, viens.

Il attrapa le chien d'une main, et le cala dans son gilet.

Camille lui prit le bras, et ils déambulèrent nonchalamment le long des vitrines de merceries et de magasins de porcelaines. Puis Rothewell se dirigea vers une boutique élégante, à la vitrine en arc de cercle. Une petite enseigne suspendue à un crochet de cuivre annonçait : *Jos. Instruments à cordes.*

À l'intérieur, la boutique sentait le bois et la cire. Des harpes et des clavecins étaient disposés un peu partout. Une épinette en assez mauvais état avait été repoussée dans un coin. Camille regarda autour d'elle, émerveillée. Un gentleman maigre, à la mine blafarde, apparut derrière le comptoir.

— Bonjour, dit-il. Cette harpe vous plaît ?

— Oui, elle est magnifique, répondit Camille.

— C'est une McEwen, et ils n'en fabriquent plus comme celle-ci. Désirez-vous en connaître le prix, monsieur ? demanda-t-il en s'inclinant en direction de Rothewell.

— Non, merci. Ce que nous voulons, c'est un piano. Un piano à queue, déclara Rothewell en lui tendant sa carte.

Une expression d'avidité passa rapidement dans les yeux du marchand, mais elle disparut presque aussitôt sous un masque obséquieux. Jetant un discret coup d'œil au nom inscrit sur la carte, l'homme approuva :

— Le piano à queue est le plus bel instrument qui existe, monsieur le baron. J'attends justement un très beau Babcock. Il doit arriver de Boston dans quelques semaines.

— Non, nous ne voulons pas d'un piano américain, rétorqua Rothewell avec un peu d'agacement.

— Monsieur, il ne faut pas mépriser les Américains, dit l'homme d'un air offensé. Le Babcock a un cadre métallique moderne, vous le garderez toute votre vie.

— Je n'en doute pas, répondit Rothewell avec une moue amère. Mais ce que nous voulons, c'est un piano comme celui que vous avez vendu l'année dernière au marquis de Nash.

— *Mon Dieu !* souffla Camille en serrant le bras de Rothewell.

L'homme au teint blafard devint encore plus pâle.

— Oh, je vois. Le Böhm. Un instrument exceptionnel, bien sûr.

— Bien sûr, répéta Rothewell. Combien de temps vous faudra-t-il ?

— Monsieur, ces pianos sont fabriqués à Vienne, et ils sont très difficiles à obtenir.

— Combien de temps ?

— Des mois, probablement. Celui que nous venons de recevoir avait été commandé il y a un an.

— Vous en avez un ? releva vivement Rothewell.

— Eh bien, oui, avoua l'homme. Mais il a été réservé.

— Vraiment ? Et par qui ?

— Par l'épouse de l'ambassadeur de France.

Rothewell sortit sa bourse et déposa un billet au creux de la main du marchand.

— Vous n'êtes pas obligé de lui dire que vous l'avez reçu.

L'homme fixa le billet de banque.

— Eh bien… je suppose… je suppose qu'il pourrait y avoir eu du retard dans l'expédition.

Il marqua une pause, et s'humecta les lèvres.

— Et après tout… les ambassadeurs ne restent pas longtemps au même poste, n'est-ce pas ?

— En effet. Tandis que moi, je ne quitterai pas Londres.

L'homme lui décocha un regard en coin, et empocha le billet.

— Eh bien, marché conclu, dit-il gaiement. Félicitations, monsieur le baron.

— Nous habitons Berkeley Square. Quand pourrez-vous nous le livrer ?

— Au début de la semaine prochaine ?

— Parfait, acquiesça Rothewell.

Il rouvrit la porte et laissa passer Camille.

— *Mon Dieu,* pourquoi as-tu fait une chose pareille ! s'exclama-t-elle quelques minutes plus tard, pendant qu'il l'aidait à remonter dans le carrosse. Vraiment, Rothewell, ce n'était pas nécessaire.

Sa mère et elle auraient vécu confortablement pendant un an, avec le prix de ce piano. Sans compter le pourboire qu'il avait donné au vendeur.

Rothewell s'assit, et fit sortir Chin-Chin de son cocon de brocart. Après avoir ordonné au cocher de démarrer, il fixa son regard gris sur la jeune femme.

— Nous sommes mariés, Camille, et je veux que mon épouse ait ce qu'il y a de mieux. Mais ce piano... ah... ça, c'est pour moi.

— Pour toi ? dit-elle en l'observant, la tête penchée de côté.

— J'aurai ainsi le plaisir infini de t'entendre jouer, expliqua-t-il d'une voix grave. La coutume ne veut-elle pas qu'une épouse... *divertisse* son mari par ses nombreux talents ?

Camille fut parcourue d'un frisson de désir mais, malgré son léger embarras, elle ne détourna pas les yeux.

— Et est-ce que je t'ai diverti jusque-là ?

Il garda le silence un moment.

— Je pense que tu connais la réponse à cette question, ma chère.

Camille se détendit contre les coussins de la voiture, et ne dit plus rien.

À leur arrivée à Berkeley Square, Rothewell l'escorta dans la maison, puis disparut. Camille monta dans sa chambre, prit la lettre de son grand-père dans ses affaires, et gagna la chambre de Rothewell. Mais la pièce était vide, et les épaules de la jeune femme s'affaissèrent sous l'effet de la déception.

Elle avait espéré qu'il serait là, et qu'elle pourrait éprouver encore la fugitive sensation d'intimité qui les avait rapprochés dans le carrosse.

Elle s'attarda dans la chambre, respirant le parfum envoûtant qui flottait dans la pièce. Elle contempla les murs nus. Elle commençait à comprendre l'impression que lui avait donnée cette maison au premier abord. Le manque d'objets personnels, comme un portrait ou un bibelot. Si elle fouillait dans les tiroirs de son mari, elle n'y trouverait rien. Rien, à part des vêtements pliés, et du papier à lettres vierge.

Et dans cette maison froide et austère, Rothewell l'avait fait entrer, elle... épouse froide et austère. Pourquoi ? Pourquoi l'avait-il épousée ? N'avait-il pas envie de chaleur et d'amour ?

Peut-être se ressemblaient-ils. Tous deux avaient peur d'espérer, peur d'aimer. Mais, dans le carrosse, sa voix n'avait été ni froide ni austère. Pour la première fois, il l'avait regardée avec une tendresse mêlée de désir, alors qu'ils ne se trouvaient pas dans le lit conjugal. Et ses paroles douces et suggestives avaient coulé comme du miel sur sa peau.

Camille appuya le front contre le bois lisse du baldaquin, et ferma les yeux. Tout à coup, elle songea qu'elle ne voulait pas échouer dans son rôle d'épouse. Elle voulait effacer toute cette froideur.

Mais parviendrait-elle à convaincre son mari blessé, retiré en lui-même ? S'obstinerait-il à maintenir cette distance entre eux ?

Elle déposa la lettre au pied du lit d'une main tremblante, et sortit.

Si Rothewell lut la lettre, il n'en dit rien. Camille la trouva le lendemain sur son bureau, et la remit dans le livre de prières dans lequel elle l'avait cachée, en revenant du Limousin.

La semaine suivante, Rothewell lui proposa une visite aux bureaux de la Neville Shipping. Camille fut fascinée par cette plongée dans une partie de la ville qu'elle ignorait, et où les bruits et les odeurs manquaient singulièrement de raffinement. Elle fut assaillie par la puanteur de la boue, du poisson pourri, par le fumet âcre des tourtes à la viande cuisant sur les étals. Et, dominant tout cela, les senteurs de la mer, apportées par les imposants navires remontant la Tamise.

Les ruelles étaient encombrées par des piles de tonneaux, des caisses pleines de volailles caquetant à tue-tête, et une foule d'hommes aux visages taillés à la serpe, vêtus de lainage grossier. Des hommes de la mer, vivant dans des taudis autour des quais. Rothewell lui montra l'entrée des bureaux de la société Neville, dans un bâtiment ordinaire de quatre étages, situé entre une tonnellerie et une voilerie.

Il la souleva pour la faire descendre de voiture, la porta au-dessus du trottoir jonché de détritus, et la déposa directement sur les marches, devant la porte.

— Cet endroit est immonde, marmonna-t-il en repoussant du bout du pied une tête de poisson sur le sol. Je n'aurais jamais dû t'emmener ici.

— Pas du tout ! protesta Camille. Je trouve cela fascinant.

Ils furent accueillis par Xanthia, visiblement éberluée de l'arrivée inopinée de son frère.

Après avoir présenté à Camille M. Bakely, le chef comptable, Xanthia leur fit faire le tour des bureaux. Le rez-de-chaussée consistait en une vaste salle bien agencée, généreusement éclairée par les larges fenêtres qui dominaient la Tamise.

— Montons, suggéra Xanthia quand ils en eurent fait le tour. Monsieur Bakely, rendez-moi le registre, je terminerai les comptes dans mon bureau. Pouvez-vous nous faire porter du thé ?

Le livre calé sous le bras, Xanthia gravit l'escalier. Ils la suivirent, entrant à sa suite dans un grand bureau, haut de plafond, qui donnait sur les quais. Des étagères de verre garnissaient un des murs, et deux immenses bureaux d'acajou occupaient presque entièrement le reste de la pièce.

Xanthia déposa son livre de comptes sur une pile de lettres et de documents. Camille alla directement à la fenêtre.

— Alors, certains de ces navires vous appartiennent ?

— L'un d'eux est à nous, oui. C'est une beauté, il a été construit à Boston.

Xanthia posa une main sur l'épaule de Camille et désigna le bateau du doigt.

— C'est le *Princesse Pocahontas,* juste là.

— Seulement celui-là ? s'exclama Camille, qui s'attendait à découvrir toute une flottille.

Xanthia se mit à rire.

— Nous en avons un autre amarré au quai des Antilles, et un autre encore un peu plus haut sur le fleuve. Il faut savoir, ma chère, qu'un bateau à quai est un bateau qui nous coûte de l'argent. Or, mon devoir est de veiller à ce que nos biens soient productifs !

Camille sentit la présence réconfortante de Rothewell, juste derrière elle.

— C'est Zee qui programme les voyages de nos navires, expliqua-t-il en lui posant une main sur la taille. Gareth s'occupe de l'inventaire et de l'aspect financier. Du moins, c'est ce qu'il faisait jusqu'à présent.

— Le duc de Warneham ? s'étonna Camille.

Xanthia grimaça un petit sourire.

— Il n'y a pas très longtemps que Gareth est duc. Mais ils pensent qu'Antonia, la duchesse, attend un bébé. Aussi, Gareth restera à Selsdon désormais. Nous avons engagé M. Windley pour le remplacer.

— Tu es contente de lui ? demanda son frère.

La grimace de Xanthia s'accentua.

— Je n'ai pas le choix. Il fera l'affaire. Mais un employé ne sera jamais aussi sérieux, ni aussi zélé, que le propriétaire.

Elle marqua une pause et regarda Rothewell.

— En outre, je ne suis pas certaine que M. Windley se plaise sur les quais. Il y a eu un incident malheureux avec un voleur à la tire, hier, dans Mill Yard.

Rothewell fit la moue.

— J'espère qu'il restera. Tu as besoin de ma signature pour quelque chose, Zee ?

Elle inclina la tête en se tournant vers le bureau.

— J'ai plusieurs documents de la banque. Et j'aimerais que tu les lises *vraiment,* pour une fois.

Xanthia aligna sur la table une longue rangée de papiers. Rothewell s'assit avec un grognement de contrariété.

— Montre ton affreux livre de comptes à Camille, dit-il en prenant le volume sur le bureau. Elle vient justement de finir une lecture très intéressante sur la comptabilité et la gestion.

Xanthia haussa les sourcils, intriguée.

— Si vous parvenez à équilibrer ces comptes, Camille, je vous serai éternellement reconnaissante. Installez-vous au bureau de Windley.

— Je vais essayer, dit Camille.

Un peu étonnée par la suggestion de Rothewell, Camille prit le registre et un crayon. Xanthia et son frère passèrent en revue les documents, et Rothewell apposa sa signature ici et là, suivant les instructions de sa sœur. Quand ils eurent fini, Camille apporta le registre à Xanthia.

— Voilà. Le comptable avait oublié de reporter le prix du tissu pour la voilure, dans cette colonne. Et il y a eu une inversion de chiffres à la dernière ligne.

Les yeux écarquillés, Xanthia étudia le registre.

— Vraiment ? Vous devez avoir raison. Les comptes sont-ils équilibrés, maintenant ?

— Oui, je crois.

Camille fit rapidement courir son crayon le long de la colonne de chiffres.

— Oui, tout est en ordre, affirma-t-elle en refermant le livre, avant de le rendre à Xanthia.

— Formidable ! s'exclama celle-ci. Et vous êtes allée vite.

— J'avais l'habitude de tenir les comptes de la maison, dans le Limousin. Il était nécessaire d'avoir de bonnes notions d'arithmétique… et d'économie.

À ce moment, une jeune servante entra avec le plateau du thé. Ils allèrent s'asseoir près de la fenêtre. Pendant la demi-heure qui suivit, ils burent leur thé en parlant de choses et d'autres. Mais Camille ne cessait de regarder autour d'elle, observant les registres alignés sur les étagères, les cartes piquées d'épingles jaunes qui recouvraient presque tout un mur. C'était pour elle un monde nouveau, et une ambiance excitante. Le monde du commerce et des défis à relever.

De temps à autre, on entendait une cavalcade dans l'escalier, et une sonnette tintait joyeusement lorsque des gens entraient ou sortaient. Toute la bâtisse semblait animée par une énergie spéciale, et Camille éprouva soudain une pointe de jalousie à l'égard de sa belle-sœur.

— J'ai l'impression que tu ne franchis pas souvent la porte de la société Neville, fit-elle remarquer quand Rothewell l'aida à remonter dans le carrosse. Les employés ont l'air de trembler devant toi.

L'expression de Rothewell demeura indéchiffrable.

— Je n'ai jamais fait partie de la société, dit-il en se rencognant dans son siège. C'était l'affaire de mon frère, pas la mienne. Lorsque Zee doit s'absenter, je passe pour distribuer des coups de gourdin aux employés si c'est nécessaire. Le reste du temps, je ne m'en mêle pas.

— Mais la société t'appartient aussi, n'est-ce pas ? Je trouve étrange que ta sœur s'en occupe autant.

Rothewell laissa son regard errer au-dehors.

— Xanthia est parfaitement compétente.

— *Bien sûr.* Elle paraît aussi très dévouée. Mais cela ne suffit pas à une femme pour gagner le respect de ses collaborateurs. Et bientôt, elle aura un enfant…

Il lui adressa un coup d'œil agacé.

— Où veux-tu en venir, Camille ?

— Tu devrais parler à ta sœur. Je pense qu'elle a besoin de ton aide.

— De mon aide ? répéta-t-il en haussant les sourcils. Seigneur !

Camille le considéra en silence durant quelques secondes. Il finit par reprendre la parole.

— La Neville Shipping a toujours été quelque chose de spécial… quelque chose que Luke et Xanthia partageaient. Elle adore diriger cette société. Je n'ai jamais pensé que ce pouvait être un fardeau pour elle.

— Mais elle va avoir un enfant, insista Camille. Et elle a raison de dire que personne ne peut diriger une société comme son propriétaire.

Rothewell ne répondit pas, et Camille se dit qu'il était plus sage d'abandonner la discussion.

Il garda le silence pendant le reste du trajet. Camille se demanda à quoi il pouvait penser. Et elle s'efforça de ne pas songer au plaisir que lui faisait éprouver cet après-midi passé en sa compagnie.

Elle devenait idiote. Elle aurait presque souhaité que Rothewell rentre de nouveau complètement ivre, afin d'avoir une excuse pour se quereller avec lui. Elle avait besoin de se rappeler que c'était *cela,* l'homme qu'elle avait épousé. Il avait été très clair quand il lui avait demandé sa main. Et en dehors de leurs courts moments d'intimité, Rothewell lui fermait la porte de son cœur. Son cœur, il l'avait donné longtemps auparavant, à une femme qui était à présent morte et dont il pleurait toujours la perte.

Camille devait garder la tête sur les épaules, et se contenter de ce qu'elle avait.

Tandis qu'ils montaient les marches du perron de Berkeley Square, lord et lady Sharpe arrivèrent dans une belle voiture au toit ouvert. Lady Sharpe portait un chapeau bleu lavande, et était emmitouflée dans un ample manteau mauve.

— Voilà nos jeunes mariés ! s'écria-t-elle. Mes chers amis, nous allions justement faire une promenade dans le parc, Sharpe et moi. Venez donc avec nous.

Mais Camille avait froid, et préférait rester à la maison avec son mari. Celui-ci lui lança un rapide coup d'œil, et déclina l'invitation, proposant aux nouveaux venus de prendre plutôt le thé avec eux. Un valet vint aider lady Sharpe à descendre du carrosse.

Au même instant, un mouvement attira l'attention de Camille. La canne de Rothewell tomba bruyamment sur les marches, et ses genoux semblèrent se dérober sous lui. Lady Sharpe poussa un cri qui fit tressaillir les chevaux.

— Oh, mon Dieu !

Terrifiée, Camille s'agenouilla près de son mari. Sans se soucier du carrosse qui se balançait de droite à gauche, lord Sharpe sauta vivement à terre.

— Kieran ! Que vous arrive-t-il ? s'exclama lady Sharpe.

Trammel avait ouvert la porte. Sharpe et lui s'agenouillèrent de part et d'autre de Rothewell, pâle comme un mort.

— Comment ça va, mon vieux ? demanda Sharpe.

— Je vais bien… murmura-t-il. C'était juste… un vertige.

Lui et le majordome l'aidèrent à se relever et le firent entrer.

— Installons-le dans la bibliothèque, monsieur, dit le majordome.

Rothewell essaya de les repousser, prétendant qu'il pouvait marcher. Mais il était évident qu'il souffrait. Il se laissa tomber dans un canapé face à la cheminée, le visage tordu de douleur, les doigts crispés sur la poitrine.

— Faites du feu, Trammel, ordonna lady Sharpe. Et envoyez chercher le médecin.

Rothewell agrippa le poignet de Sharpe.

— Non… pas de… médecin, marmonna-t-il, les mâchoires serrées.

— Rothewell, ne soyez pas idiot ! protesta lady Sharpe en se penchant vers son cousin. Où avez-vous mal ? Avez-vous la nausée ?

— Oui.

Trammel revint avec un valet, auquel il ordonna d'allumer le feu.

— Je pense que la douleur va passer, madame. Il a surtout besoin d'air et de repos.

Lady Sharpe lui adressa un regard indigné.

— Que voulez-vous dire, Trammel ? A-t-il déjà eu ce genre de crise ?

Camille avait tiré un fauteuil près du canapé où Rothewell était assis, et elle lui caressait l'épaule. Il se détendit lentement. Elle s'efforçait de garder son calme, malgré l'intense sentiment de désespoir qui s'était emparé d'elle.

— Où as-tu mal ? s'enquit-elle doucement en lui prenant la main. Est-ce au *cœur* ?

Il secoua négativement la tête.

— Non, pas le cœur, répondit-il en grimaçant. Mon Dieu, c'est tellement humiliant…

— Ne fais pas l'imbécile, rétorqua-t-elle posément. Dis-moi seulement où tu as mal.

— Je croyais… je croyais que tu ne me poserais plus de questions ? Que tu voulais… rester en dehors de tout ça ?

C'était ce qu'elle avait dit, oui. Mais elle avait menti, elle s'en rendait compte à présent.

— C'est ce que tu croyais ? Tu pensais que je te laisserais te tuer tranquillement ? Eh bien, non. Où as-tu mal ?

— Aux côtes, répliqua-t-il, résigné. Plus exactement sous les côtes. Partout, en fait.

Camille lui lâcha la main pour déboutonner son gilet. Elle aurait voulu pouvoir faire appel à Xanthia, car celle-ci aurait su comment influencer son frère.

— Qu'as-tu mangé ?

— Des toasts, répondit-il en renversant la tête contre le dossier. Et… des œufs, il me semble.

Camille posa une main sur son torse et le palpa délicatement. Quand elle atteignit un point juste sous la cage thoracique, il eut une nouvelle grimace de douleur.

— Il faut voir un médecin, dit-elle. J'insiste.

— Non, pas de médecin, bon sang ! Pas encore. Je t'en prie, Camille. Pas de sermon.

Elle hésita, puis regarda les autres :

— Vous devriez partir, tous les deux. Il est possible qu'il soit… contagieux. Vous devez penser au petit.

Rothewell émit un grognement de douleur, et se plia en deux.

— Oh, mon Dieu ! s'écria lady Sharpe. Il faut faire quelque chose. Lui donner du laudanum.

— Kieran ? fit Camille en lui prenant le visage à deux mains.

— Du… cognac, marmonna-t-il d'une voix sifflante.

Lady Sharpe se pencha vers lui.

— Pour l'amour du Ciel, Kieran ! Vous ne pouvez pas soigner tous vos maux avec du cognac !

Camille lança un regard d'avertissement à Trammel. Le majordome recula, et n'alla pas chercher le flacon que son maître réclamait. Au bout de quelques minutes, la douleur sembla diminuer. Rothewell était allongé sur le canapé, et sa respiration s'apaisa. Camille sentit des larmes lui piquer les yeux.

— Ne t'inquiète pas, dit-il en lui pressant les doigts. Si je meurs, tu auras au moins Jim-Jim.

— Comment peux-tu plaisanter dans un moment pareil ?

Camille avait désespérément envie d'être seule avec lui. Toujours agenouillée sur le sol, dans un flot de soie et de rubans, elle dévisagea lady Sharpe en ravalant ses larmes.

— *Madame,* vous devriez partir, à présent. Je vais le mettre au lit, et je passerai la nuit à son chevet. Demain, je vous enverrai des nouvelles.

Rothewell sourit faiblement.

— Allez-y, ma vieille, dit-il à sa cousine. Rentrez chez vous. J'ai une femme pour me tourmenter, maintenant. C'est ce que vous vouliez, non ?

La comtesse finit par céder. Lord Sharpe lui tapota l'épaule, et la conduisit dans le hall. Une seconde plus tard, Camille entendit la porte d'entrée se refermer.

Les yeux fixés sur leurs doigts enlacés, elle ouvrit la bouche, mais aucun son n'en sortit. Le ton joyeux de son mari ne la rassurait guère. La douleur était probablement le symptôme d'une dangereuse maladie. L'appendicite, ou quelque chose dans ce genre. Dans ce cas, il se pouvait qu'il soit mort le lendemain. À moins qu'il ne soit rétabli et en pleine forme. Comment le savoir ?

Elle était terrifiée, hantée par les longues nuits de veille qu'elle avait passées au chevet de sa mère.

Camille se mordit les lèvres. Cet homme était son mari, et il souffrait. Elle songea aux vœux de mariage qu'ils avaient prononcés. Elle lui avait promis amour et assistance, et elle ne voulait pas échouer dans son rôle d'épouse.

Elle redressa la tête, lui embrassa la main, puis se leva. Rothewell soutint son regard.

— Ce n'est peut-être rien, dit-il d'une voix âpre. Cela passera.

Mais il n'avait pas l'air convaincu, et ses yeux trahissaient une souffrance intense, qui n'était pas uniquement physique.

— Randolph, venez ici, s'il vous plaît, ordonna-t-elle au valet qui s'attardait à côté d'eux. Vous allez le transporter dans son lit, avec l'aide de Trammel.

— Oui, madame.

— Je peux y aller seul, bon sang, protesta Rothewell en faisant mine de se lever.

— Très bien. Ils resteront simplement à côté de toi, pour te tenir par les épaules.

Les domestiques l'escortèrent vers la chambre.

— Trammel ? ajouta-t-elle. Vous appellerez le médecin, *s'il vous plaît*.

— Non, pas de médecin, grommela Rothewell en considérant l'escalier comme si c'était un obstacle infranchissable.

Camille secoua la tête et insista d'un ton ferme :

— Envoyez quelqu'un le chercher, Trammel.

Rothewell fit entendre un rire faible.

— Votre nouvelle maîtresse est obstinée, Trammel. Camille, ma chère, tu n'es pas ma nurse.

— Non, je suis ta femme, répliqua-t-elle calmement. Et je pense que même Trammel te dira que j'ai raison.

— Peut-être. Mais tout ce que je veux, moi, c'est mon lit et mon cognac. Je suis sûr que demain matin, ce sera fini.

Camille surprit l'expression exaspérée de Trammel, mais le majordome garda le silence. Déjà, le visage de Rothewell retrouvait un peu de couleur, et la souffrance ne déformait plus ses traits.

— *Très bien,* concéda-t-elle alors qu'ils atteignaient le sommet de l'escalier. Mais nous n'attendrons que jusqu'à l'aube, monsieur. Ensuite, nous ferons ce que j'aurai décidé.

— Je n'ai pas dit cela, rétorqua-t-il.

Camille haussa les épaules.

— Peu importe. Tu es trop faible, de toute façon, pour m'empêcher d'aller chercher le médecin. Donc, je ferai ce que je jugerai bon.

Il jura entre ses dents et lui lança un regard noir. Mais Trammel, lui, arbora un sourire triomphant.

11

Lord Rothewell déjeune au grand air

Quand Rothewell s'éveilla le lendemain matin, Camille constata avec soulagement qu'il allait beaucoup mieux. Elle savait toutefois qu'il avait passé une mauvaise nuit. Car bien qu'il ait refusé catégoriquement de lui laisser partager son lit, elle avait insisté pour laisser la porte de communication ouverte. Il s'était levé plusieurs fois, pris de vomissements, et il avait longuement arpenté sa chambre, mais l'avait renvoyée dans son lit lorsqu'elle avait voulu venir à son chevet.

Perchée au bord du matelas, elle regarda Obelienne lui faire avaler quelques cuillerées de porridge, et du thé.

Quand la cuisinière ressortit, il s'allongea, Chin-Chin confortablement calé sous son bras.

Camille suivit Obelienne dans le couloir.

— Je trouve qu'il a meilleure mine, fit-elle remarquer.

Obelienne jeta un regard inquiet derrière elle.

— Oui, pour le moment, reconnut-elle.

Camille lui prit le bras.

— Qu'a-t-il, d'après vous ? Est-ce juste l'effet de la boisson ?

Obelienne secoua la tête.

— Ce sont les démons qui le dévorent. Le passé, vous comprenez ? C'est comme un animal qui lui ronge le ventre.

Mais il y avait plus que cela, songea Camille. Elle demeura un instant dans le couloir obscur, méditant sur l'étrange diagnostic de la cuisinière. La culpabilité et la colère pouvaient ronger un homme, oui. Mais elles ne se manifestaient pas par des attaques aussi violentes.

Elle retourna en soupirant dans la chambre de Rothewell, prête à reprendre le combat pour faire appeler le médecin. Mais la bataille était visiblement perdue d'avance. Son mari était déjà debout, en train d'affûter son rasoir.

Elle s'assit, droite comme une sentinelle, dans un des larges fauteuils, et patienta tandis que les domestiques lui apportaient de l'eau chaude et préparaient ses vêtements. Il tint son rasoir d'une main ferme, et fit crisser la lame contre sa joue.

— Comme je vais sortir plus tard que d'habitude, annonça-t-il en la regardant dans le miroir, je ne rentrerai que très tard ce soir.

Camille comprit qu'il était inutile de discuter.

Il se pencha sur la bassine pour rincer le savon qui restait accroché à ses joues, puis se retourna en s'essuyant le visage. Il était torse nu, et il semblait incroyablement viril et vigoureux avec sa large poitrine, et la toison brune qui disparaissait sous le pantalon. Ses yeux avaient retrouvé leur éclat habituel, ses traits une expression volontaire. Comme si l'eau n'avait pas seulement fait disparaître le savon, mais aussi les traces de la nuit précédente.

Oui, constata-t-elle, lugubre. Il était assez rétabli pour la poursuivre dans l'escalier et l'empêcher d'aller chercher le médecin. Elle aurait dû se sentir soulagée. Éprouver un peu d'espoir. Ce n'était peut-être rien de grave, comme il l'avait dit lui-même.

— Je dois retrouver Nash et Hayden-Worth à leur club, révéla-t-il en jetant la serviette sur la table de toilette. Ensuite, j'irai jouer aux cartes. As-tu de quoi t'occuper, aujourd'hui ?

C'était la première fois qu'il prenait la peine de lui exposer ses projets. Camille se leva et se dirigea vers la porte. La main sur la poignée, elle hésita, et lui coula un regard.

— Oui, le nouveau piano est arrivé. Je vais pouvoir m'exercer, je pense.

Un léger sourire éclaira le regard gris de Rothewell.

— Ah, c'est une excellente idée, murmura-t-il. Je ne rentrerai peut-être pas si tard, finalement…

Deux jours plus tard, Camille descendit dans la salle à manger à l'heure du déjeuner. Mais la table n'avait pas été mise, et les valets étaient invisibles. En revanche, Obelienne l'attendait, un sac de cuir à la main.

— Qu'est-ce que c'est ? s'étonna Camille.

— Un repas, dit-elle en inclinant la tête vers le sac. Il faut qu'il sorte de cette maison. En plein jour, je veux dire. La nuit a un effet néfaste. Vous allez l'emmener au parc.

— Je… je ne comprends pas. Au parc… pour faire un… pique-nique ?

— Oui. Au grand air. C'est la journée idéale. Le Seigneur nous a donné du soleil.

Rothewell apparut à ce moment-là, une feuille de papier à la main.

— Camille, Xanthia nous écrit pour demander…

Il s'interrompit brusquement, et les dévisagea.

— Qu'avez-vous là, Obelienne ?

— Du poulet aux épices. Du fromage. Une tarte aux pommes, et un pain au manioc.

Elle déposa le sac sur la table :

— Votre déjeuner !

— Apparemment, nous allons pique-niquer, annonça Camille en souriant.

— Pique-niquer ? répéta-t-il en regardant le sac. À Londres ?

— Oui, dit Obelienne.

Elle fit un petit signe de la main.

— Allez. Le grand air vous ouvrira l'appétit.

Rothewell se mit à rire, et leva les mains d'un air fataliste.

— Obelienne a parlé. Je vais envoyer chercher mon cabriolet.

— *Ça alors !* murmura Camille, stupéfaite. Je devrais sans doute faire appel plus souvent à Obelienne.

Rothewell sortit. Une expression de soulagement passa fugitivement sur les traits impassibles de la cuisinière. Camille comprit qu'elle n'avait pas été du tout certaine d'arriver à ses fins. Elle avait probablement compté sur la présence de Camille pour désamorcer la mauvaise humeur de son maître. Ce qui était une excellente idée.

Une demi-heure plus tard, ils étaient assis sous un arbre à l'extrémité ouest de la Serpentine, dans un coin tranquille abrité par des massifs de feuillages. Le cheval de Rothewell était attaché non loin. Les gens en vue s'aventuraient rarement par ici, car cette partie du parc était déserte, et moins entretenue que les allées principales.

Camille orienta son visage vers le soleil, et ferma un instant les yeux. Il ne faisait pas très chaud, mais la journée était claire, sans nuages.

Rothewell avait ôté son chapeau et déballait soigneusement leur pique-nique sur son pardessus, qu'il avait auparavant étalé sur le sol. Il n'avait pas pensé à emporter une couverture, et Camille non plus.

Aussi loin qu'elle s'en souvienne, elle n'avait jamais déjeuné dehors. Sa mère était plus intéressée par les soirées, les bals costumés, les salons, ce genre de choses. La comtesse de Halburne se levait rarement avant le milieu de l'après-midi. Sauf durant les dernières années de sa vie. Alors, elle ne quittait plus son lit que pour partir à la recherche d'une bouteille de vin, ou essayer de soutirer de l'alcool aux domestiques.

— Du poulet ?

— *Pardon ?*

Rothewell se pencha pour lui présenter un pilon de poulet. Spontanément, elle mordit dedans.

— Je suis devenu ton serviteur personnel, maintenant ? demanda-t-il.

— Nous n'avons pas de fourchettes, ni d'assiettes, protesta-t-elle.

— Tu n'as jamais mangé avec les doigts ?

— Non, dit-elle en s'essuyant les lèvres avec son mouchoir. Et tu n'as pas l'air non plus d'être un grand... pique-niqueur. Ce mot existe ?

Rothewell rit de bon cœur, et reposa le morceau de poulet, presque intact. Camille sentit son cœur sombrer. Elle avait espéré qu'Obelienne possédait une sagesse qu'elle n'avait pas, et que le grand air aurait un effet miraculeux sur l'appétit de son mari. Contenant un soupir, elle grignota un morceau de fromage, mais le goût lui déplut. Cela lui arrivait souvent depuis quelque temps. Elle qui avait autrefois si bon appétit, était facilement écœurée par la nourriture. Bientôt, elle ne vaudrait guère mieux que Rothewell sur ce plan.

Celui-ci, appuyé sur les coudes, avait croisé les jambes et contemplait les fermes et les champs de Kensington, qui s'étendaient au-delà de la Serpentine. Une brise légère soulevait ses cheveux, et l'espace d'un instant il eut l'air d'un petit garçon rêveur.

— Je n'étais plus allé en pique-nique depuis quinze ou vingt ans, dit-il doucement.

— Vraiment ? Il me semble que c'est un passe-temps essentiel dans la vie des Anglais.

— Je suppose, admit-il, redevenant distant tout à coup. Mais ce n'est pas très drôle, quand on mange dehors la plupart du temps.

— Tu mangeais dehors ? Pourquoi ?

— Je vivais dans un champ de canne à sucre, Camille. J'étais un fermier.

Camille avait entendu de terribles histoires sur le travail dans les champs de canne à sucre. La France possédait de nombreuses plantations dans les Caraïbes.

— Était-ce aussi affreux qu'on le dit ?

— Affreux est un terme subjectif, ma chère. Il y avait la chaleur, la saleté, et le danger. Mais pour les esclaves… oui, je pense qu'ils trouvaient cela affreux.

— Certainement. Qui les surveille, maintenant que tu es parti ?

— Personne. Ils sont devenus mes métayers.

— Tu leur as donné la liberté ? C'est généreux.

— Non, ce n'est pas généreux, grommela-t-il. C'est *normal*. Nous aurions dû le faire à la mort de notre oncle, mais le domaine était tellement endetté que Luke a dit…

Il s'interrompit, et son visage se ferma.

— Oui ? fit Camille pour l'encourager à continuer. Qu'a-t-il dit ?

— Il voulait rembourser les dettes que notre oncle avait laissées. Et ensuite, nous en avons discuté tous les trois. Nous prenions toutes les décisions ensemble. Mais il y avait la pression des autres planteurs… Libérer tous ces esclaves en même temps… c'était mal vu.

— Pourquoi ?

— Ils craignaient une rébellion des autres. Mais tout cela n'a plus d'importance, aujourd'hui.

— Non ? Pourquoi ?

Il eut un haussement d'épaules.

— L'esclavage doit être aboli, déclara-t-il posément. C'est une pratique mauvaise, et qui génère la corruption. Si ce que dit Anthony Hayden-Worth est vrai, il sera bientôt illégal de posséder des esclaves. C'est un de ses projets, à la Chambre des Communes.

Camille frissonna et ramena sur elle les pans de son manteau.

— J'ai toujours pensé que l'esclavage était horrible.

— Mais quand on grandit au milieu des esclaves, on n'y pense pas. Cela paraît normal. Puis, en grandissant, on comprend qu'un esclave est un homme comme un autre, avec ses espoirs, ses craintes et ses rêves. Et quand on admet cela, que cela devient plus évident de jour en jour… il faut vraiment être aveugle pour faire comme si de rien n'était.

— Beaucoup de gens font semblant de ne rien voir, et ça ne leur pose aucun problème, commenta Camille d'un ton sarcastique.

— Je ne peux pas parler à leur place. Je ne peux parler que de moi. De ce que j'ai vu. De ce que j'ai appris. L'abolition est la seule solution… Plus vite elle sera proclamée, mieux cela vaudra.

— Peut-être… et peut-être pourrais-tu apporter ton soutien à M. Hayden-Worth ? suggéra-t-elle. Si plus de gens réfléchissaient comme toi, les choses avanceraient plus vite, non ?

Rothewell haussa les épaules, et détourna les yeux.

Camille songea à la femme de son frère, celle que Rothewell avait aimée… et aimerait peut-être toute sa vie.

— Xanthia m'a parlé d'Anne-Marie, avoua-t-elle, les yeux fixés sur ses mains croisées. Elle m'a expliqué qu'elle était métisse et, de ce fait, pas toujours bien accueillie dans la bonne société. Je suis sûre que ce devait être douloureux.

Elle le vit crisper les mâchoires.

— Xanthia parle trop, dit-il sèchement.

— Cette femme faisait partie de votre famille. Sa fille en fait toujours partie.

— Elle est morte. Mon frère est mort. Il n'y a plus rien à dire, et Xanthia le sait. Il faudra que je le lui rappelle.

Camille sentit son calme lui échapper.

— Comment peux-tu en vouloir à Xanthia ? Je suis ta femme, Rothewell, et cela concerne ta famille. J'ai le droit de savoir ces choses-là, surtout si je dois porter ton enfant.

Un sourire sarcastique se dessina sur les lèvres sensuelles de Rothewell.

— Ce sont de grandes paroles pour quelqu'un qui, il y a quelques jours à peine, qualifiait notre mariage de simple transaction, et disait ne rien vouloir d'autre que ma semence.

— Rothewell, ce n'est pas juste…

— C'est un fait, rétorqua-t-il, les yeux brillants d'émotion. Même maintenant, Camille, tu n'arrives pas à m'appeler par mon prénom.

— Je… je l'ai déjà fait.

— Oui. Une fois ? Deux ? Tu m'as dit que tu ne voulais pas savoir où j'allais, ce que je faisais, ni avec qui.

Camille le fusilla du regard.

— Comment oses-tu ? *Mon Dieu,* comment oses-tu ? Tu m'as expliqué clairement que toutes ces choses ne me regardaient pas. Alors, est-ce que ça a changé ? Notre mariage est-il devenu un vrai mariage ? Tu souhaites me rendre des comptes ?

Il se détourna, les yeux rivés au loin.

— Non, dit-il doucement.

Puis il jura tout bas, se leva, et s'éloigna à grands pas.

— *Zut!* s'écria Camille en serrant les poings. Tu es un âne, Kieran! Un âne entêté. *Et voilà!* Je t'ai appelé par ton nom, cette fois!

Il descendit la petite pente qui menait vers la rive, une main sur sa taille. L'autre passa nerveusement dans ses cheveux, puis retomba. Ses épaules s'affaissèrent et il parut accablé de fatigue. Elle crut qu'il allait revenir sur ses pas, mais au lieu de cela il s'éloigna sur le chemin qui longeait la Serpentine.

Devait-elle le suivre, pour discuter avec lui? Lui présenter des excuses? Mais pourquoi? Il avait tort, et s'obstinait dans son erreur.

Il était aussi malade, songea-t-elle en le voyant disparaître derrière les arbres. Elle éprouva un pincement de culpabilité. Il avait dû aimer profondément Anne-Marie. Et bien que cette pensée la fît souffrir, elle n'avait pas le droit de le juger. Camille n'avait jamais aimé quelqu'un, en dehors de sa mère et de sa nurse... c'est-à-dire qu'elle n'avait jamais aimé *jusqu'à maintenant*. Et le destin lui avait envoyé un homme dont le cœur n'était pas intact.

Le cheval de Rothewell émit un hennissement plaintif.

— Il va revenir, *monsieur Cheval,* lança Camille avec un brin de tristesse. Oui, il le faut, n'est-ce pas?

Elle ferma les yeux et soupira. Rothewell avait raison, au moins en partie. Au début de ce mariage étrange et pathétique, elle ne savait pas ce qu'elle voulait. Elle lui avait demandé une chose, et en avait espéré une autre en secret. Une chose qui la troublait et lui faisait peur. Elle voulait son amour. Un vrai mariage. Et elle venait d'évoquer le pire des sujets... son amour perdu.

Quel pique-nique! C'était plutôt raté.

Elle n'aurait su dire combien de temps elle resta là, à se réprimander intérieurement, à essayer de déterminer le moment exact où elle était tombée amoureuse de son mari. Finalement, sentant une ombre au-dessus d'elle, elle ouvrit les paupières.

Rothewell se tenait là, mais il ne la regardait pas. Une moue maussade se dessina sur ses lèvres.

— Que diable veux-tu de moi, Camille ? Peux-tu me le dire ?

Elle se leva et le fixa sans ciller.

— Je veux que tu sois heureux. Que tu cesses d'en vouloir au monde qui t'entoure. Je veux que tu aies un but dans la vie. Que tu éprouves de la joie, plutôt que du désespoir. Tu peux me croire ou non, cela m'est égal.

— Tu vas être déçue, Camille, dit-il d'un air las. Je ne suis pas l'homme qu'il te faut.

— Attends ! T'ai-je demandé *d'être* quelque chose ?

— Je comprends ce que tu veux dire. Mais j'ai déçu toutes les femmes que j'ai approchées, à l'exception peut-être de ma sœur.

— Arrête, *s'il te plaît.* Ne joue pas sur les mots. Tu es un homme malheureux, tu as mauvais caractère et tous ceux qui t'aiment s'inquiètent pour toi. Ta sœur, lady Sharpe, et même les domestiques. Ton amour pour cette femme est comme un abcès dans ton cœur, Rothewell, dit-elle en reprenant les mots de Xanthia. Et tu refuses de le percer. Tu fais souffrir toute ta famille.

Une émotion profonde passa dans ses yeux, et l'espace d'un instant elle craignit de le voir s'effondrer. Mais Rothewell était d'une autre trempe. Les mâchoires serrées, il promena sur l'onde un regard grave.

— Je ne pleure pas une femme morte, Camille, répliqua-t-il en repoussant un pan de sa veste pour poser une main sur sa hanche. Tu te trompes sur ce point, et Xanthia également.

— Alors, qu'éprouves-tu ? lança-t-elle, tout en se demandant quelle folie la poussait à insister. Crois-tu que je ne t'entends pas arpenter la maison, à n'importe quelle heure de la nuit ? C'est-à-dire, les nuits où tu décides de rentrer. Tu ne manges pas, tu ne dors pas, tu t'en tiens à ton cognac et à ta solitude. *Mon Dieu,* j'ai déjà accompagné jusqu'à la tombe une malheureuse qui avait décidé de boire à en mourir pour un amour perdu. Je n'ai pas envie de recommencer.

— Que veux-tu savoir, alors ? Tout ? Toute la vérité… et les mensonges qui vont avec ? Réfléchis, Camille. Réfléchis. Car une fois que j'aurai parlé, ce qui aura été dit ne pourra plus être retiré, et tu y penseras chaque fois que tu me regarderas.

— Non, je ne…

— Oui, coupa-t-il d'un ton glacial. Tu y penseras. Chaque fois que je viendrai dans ton lit, tu te rappelleras cette journée.

Camille lui tendit la main.

— Vraiment ? Eh bien, je prends le risque. Assieds-toi, *s'il te plaît.*

Le regard toujours au loin, Rothewell s'assit et posa les coudes sur ses genoux. Au bout de quelques minutes, il soupira.

— Anne-Marie était plus âgée que moi… et beaucoup plus raffinée. C'était… une femme perdue, comme on dit. Et je suis tombé éperdument amoureux d'elle.

Son expression était touchante. Le cœur serré, Camille dut résister à l'envie de le toucher. Il pencha la tête.

— J'étais jeune, mais… je ne manquais pas d'expérience. Luke et moi n'avions pas eu une vie protégée. Cependant, rien ne m'avait préparé à cette rencontre avec Anne-Marie.

— Comment cela ? demanda doucement Camille.

— C'était… une créature de rêve. À la fois éphémère, et bien ancrée dans ce monde. Elle était brune, avec un type français très prononcé, et ses yeux étaient provocants. Les hommes se battaient pour avoir le privilège de l'aider à traverser la rue. Et elle devint ma maîtresse avant d'épouser Luke.

— Xanthia me l'a dit, avoua Camille.

Le regard de Rothewell s'était assombri, ses poings étaient serrés comme s'il avait envie de cogner sur quelqu'un. Sa colère, bien que maîtrisée, était palpable. Soudain, Camille eut peur. Et si cette conversation changeait tout, entre eux ? Elle s'humecta les lèvres et balbutia :

— Je ne sais pas, Kieran. Tu avais peut-être raison…

— Non. C'est toi qui as commencé. Toi, et Xanthia. Aussi, tu vas rester là et écouter. Tu vas écouter cette horrible histoire, que je voulais emporter dans la tombe sans rien en révéler. Je vais tout te raconter… et ensuite, je ne veux plus jamais en entendre parler. Tu m'entends ?

— Mais oui, si tu le souhaites. Tu sais, j'ai connu beaucoup de femmes comme ton Anne-Marie, dit-elle en crispant les doigts sur les pans de sa jupe.

— Ce n'était pas *mon* Anne-Marie. Je l'ai suppliée de devenir officiellement ma maîtresse. Souvent. Je lui donnais de l'argent, et parfois des bijoux. Mais chaque fois que je réclamais une réponse, elle hésitait. Elle me voulait… dans son lit, du moins. Elle pleurait, et prétendait qu'elle m'aimait. Mais apparemment, je n'étais pas l'homme qu'elle cherchait.

— Que… que voulait-elle, alors ?

— Un mari. La sécurité. J'étais trop jeune, et trop arrogant, pour comprendre cela. Un jour, mon frère lui demanda de l'épouser. Et… elle accepta.

Xanthia avait déjà raconté tout cela à Camille. Mais le fait de l'apprendre de la bouche de Rothewell était entièrement différent. La souffrance perçait encore dans sa voix. La seule femme qu'il avait aimée, s'était donnée au frère qu'il adorait. Dans un sens, ils l'avaient trahi tous les deux.

— Savais-tu que ton frère était amoureux d'elle ?

Il secoua la tête, et ses cheveux sombres et brillants resplendirent sous le soleil d'après-midi.

— J'aurais dû m'en douter. Je savais qu'il l'admirait, et qu'ils se connaissaient bien. J'ignore ce qu'Anne-Marie lui avait dit sur notre relation. Sûrement pas toute la vérité. J'étais si naïf que je n'ai rien vu venir.

— *Mon Dieu,* tu as dû être terrassé de chagrin.

— Non. Je me suis senti offensé. Cela créa une brouille entre Luke et moi, qui persista jusqu'à sa mort. Il avait le sentiment que j'avais insulté Anne-Marie, qu'elle méritait une situation plus honorable que celle que je lui avais offerte. Il m'accusa d'avoir joué avec ses sentiments. Il l'épousa, et nous nous battîmes. Il eut le nez cassé, et moi deux doigts. Après cela, je quittai la maison.

— Et ensuite ? Qu'est-il arrivé ?

— Rien, dit-il en haussant les épaules avec lassitude. Du moins, en surface. Nous réussîmes à établir une sorte de paix apparente. Puis Luke consacra son attention à la société de navigation, me laissant diriger les plantations.

— Tu... n'es jamais retourné vivre dans la maison ?

Il finit par poser les yeux sur elle.

— Comment aurais-je pu dormir sous ce toit, Camille ? J'étais fou d'elle... et c'était l'épouse de mon frère.

Camille se sentit glacée. Cette histoire était plus grave que Xanthia ne le pensait.

— Et Anne-Marie ? Que ressentait-elle ?

Rothewell eut un ricanement de mépris.

— Anne-Marie était assez heureuse. Elle avait trouvé le moyen d'avoir tout ce qu'elle voulait.

— C'est-à-dire ? Je... je ne comprends pas.

Il reporta les yeux sur l'eau trouble du lac, et expliqua :

— Nous étions toujours amants.

— *Mon Dieu !*

— Elle inventait toutes sortes d'excuses pour s'échapper et venir me voir. Je me disais... je me disais que c'était elle qui le souhaitait. Pas moi. Je ne suis jamais allé vers elle. *Jamais.* Je m'arrangeais pour ne même pas croiser son regard pendant le dîner, les rares fois où je me rendais à la maison. Mais Dieu me pardonne... quand elle venait frapper à ma porte... je ne pouvais pas résister.

Camille fut envahie d'une vague nausée. Rothewell poursuivit, d'une voix creuse :

— Chaque fois, je me disais... et je lui disais aussi... *plus jamais.* Cela me rendait malade. Je demandais pardon à Dieu, je jurais que c'était terminé. Et puis... elle était là. Avec son chapeau à larges bords dans la main, et ce regard désespéré... Si je lui ordonnais de partir, elle se mettait à pleurer. Elle disait... elle disait qu'elle avait fait une erreur. Que Luke... ne l'aimait pas autant que moi. Que sa vie était brisée, et que si je la prenais juste dans mes bras...

— Non, murmura tristement Camille. Cela ne s'arrêtait jamais là, n'est-ce pas ?

Il secoua la tête.

— Je cédais. Chaque fois. Elle me disait qu'elle m'aimait, et pendant quelques minutes tout redevenait comme avant. Sauf que ce n'était plus comme avant. Elle était devenue lady Rothewell. Et moi, je n'étais que le frère cadet.

Camille posa une main sur la sienne.

— Elle... elle voulait un titre ?

— Mon Dieu, je n'en sais rien. Elle voulait être autre chose que la maîtresse d'un homme riche. J'y repense régulièrement, et j'essaye de comprendre.

Elle avait perdu son honneur très jeune… à l'âge de treize ou quatorze ans. L'homme était riche, et blanc. Elle n'était ni l'un ni l'autre. Elle n'avait pas eu son mot à dire, et quand il se fut lassé d'elle, il se contenta de la renvoyer, avec la fille qu'elle avait eue de lui. Martinique. Cela lui… lui avait laissé quelque chose. Je ne sais pas l'expliquer.

Camille songea à sa propre mère. Aux blessures profondes que le rejet et l'insécurité peuvent laisser derrière eux, lorsque l'amour n'est plus et que l'espoir s'est évanoui. Sa mère avait cherché une consolation dans le cognac. Anne-Marie avait été plus maligne. Ou plus désespérée.

— Ton frère a-t-il eu des soupçons ?

— Il aurait dû en avoir ! rétorqua Rothewell avec un rire amer. Mais non, nous avions une totale confiance les uns envers les autres, Xanthia, lui, et moi. Il le fallait. Sans cela, nous n'aurions jamais survécu. Luke était toujours à Bridgetown et travaillait durement au bureau. Très vite, il prit l'habitude d'emmener Xanthia avec lui. Je vivais à plus d'un kilomètre de la maison. Non, il n'a jamais conçu de soupçons.

— Quel âge avais-tu quand ça a commencé ?

— J'étais assez vieux pour savoir que c'était mal.

Camille pinça les lèvres.

— J'aimerais savoir quel âge tu avais, *s'il te plaît.*

— Dix-huit ans, avoua-t-il en haussant les épaules. Peut-être dix-neuf.

— Et tu as le sentiment d'avoir trahi ton frère ? C'est cela ? s'enquit-elle avec douceur.

Il se tourna vers elle. Ses yeux étaient d'un gris terne et sombre, comme de l'ardoise.

— Je *l'ai trahi.* Voilà quel genre d'homme je suis, Camille. Tu l'as dit toi-même. Dès notre première rencontre, tu m'as traité de démon. Et tu m'as proposé cent mille livres pour te faire un enfant. Tu savais très bien qui j'étais.

— Oui. Et je t'ai ensuite proposé d'avoir une liaison, afin que tu puisses demander le divorce, n'est-ce pas ? Et cependant, est-ce que l'un de nous deux est le même personnage à présent que cette nuit-là ? Sommes-nous aussi pervertis qu'il y paraît ?

— Ne cherche pas quelque chose d'honorable chez moi, Camille. J'ai couché avec la femme de mon frère, de nombreuses fois, avant de trouver la force d'arrêter. Mais le mal était fait. Et je ne peux te dire le mal que j'ai fait aussi à Martinique, par mon égoïsme et mon amertume... Bon sang, j'ai même triché aux cartes pour obtenir ce que je voulais. Oui, j'ai triché cette nuit-là, avec Valigny. Tu ne le savais pas, n'est-ce pas ?

— Non, chuchota-t-elle. Et je ne te crois pas.

Il émit un rire rauque.

— Valigny ne cessait de sortir la reine de pique. J'ai fini par me douter qu'il la cachait quelque part pour l'avoir sous la main. C'était sa carte porte-bonheur, tu sais. Certains joueurs font cela. Aussi, je l'ai cherchée, et je l'ai trouvée. Je l'ai jetée sur la table comme si je l'avais eue dans mon jeu Et... bon sang... je ne sais même pas pourquoi je l'ai fait.

Elle lui pressa la main.

— Pour me sauver ? suggéra-t-elle à mi-voix. Tu savais peut-être que tu étais mon seul espoir ?

— N'essaye pas de me peindre sous un jour meilleur qu'en réalité, Camille. Je suis ce que je suis. N'en parlons plus.

— Mais ce que tu as vécu est une tragédie. Je sais que tu aimais ton frère.

Rothewell serra les poings, ses mâchoires se crispèrent.

— Luke... était tout pour nous. Peux-tu comprendre cela ? Le peux-tu ? C'était à la fois notre frère et notre père. Il a tout fait pour que nous ne soyons jamais séparés. Je ne saurais dire combien de fois il a empêché notre oncle de me battre à mort. Il prenait les coups de fouet à ma place, s'il le fallait. Et Xanthia…

Rothewell s'interrompit, parcouru d'un violent frisson.

— Dieu seul sait ce que l'oncle aurait fait à Xanthia… lui, ou l'un des ivrognes qui faisaient partie de sa bande. Une jeune fille, grandissant dans une maison comme celle-ci, entourée par des hommes de cet acabit… c'était inhumain. Il fallait voir comment ils la regardaient. Jusqu'à ce qu'elle ait été assez grande pour cacher un pistolet sous son oreiller, Luke et moi nous relayions dans sa chambre. Nous dormions sur le sol, à côté d'elle.

— *Mon Dieu,* chuchota Camille. Votre oncle était un monstre.

Elle regarda Rothewell, mais celui-ci fixait un point dans le vide. Il n'ajouta rien.

— Que lui est-il arrivé, à cet oncle ? questionna-t-elle. Il a eu une mort rapide et sans douleur ?

— Oui, acquiesça-t-il en faisant la moue. Comment l'as-tu deviné ?

— N'est-ce pas toujours ainsi que meurent les méchants ? Il faut espérer que le Bon Dieu leur demande des comptes à la fin, s'ils n'ont pas payé pour leurs fautes sur cette terre.

— Oui, j'ai longuement réfléchi à cela, dernièrement.

Elle devina qu'il pensait encore à Anne-Marie. Sur une impulsion, elle saisit son poing serré, l'obligea à le déplier, et lui massa la paume et les doigts. Ce qu'il avait fait… bonté divine, c'était réellement impardonnable. Mais alors, pourquoi éprouvait-elle tant de peine pour lui ? Pourquoi restait-elle là à lui masser les mains, en se disant qu'il aurait dû se pardonner à lui-même, depuis longtemps ? Un garçon qui n'avait pas de mère pour l'aimer, ni de père pour le guider, pouvait-il être vraiment considéré comme un adulte à dix-neuf ans ?

Peut-être lui cherchait-elle simplement des excuses. Elle se sentait engagée dans ce mariage, et elle soignerait probablement son mari jusqu'à la fin. Jusqu'à la tombe, s'il persistait dans cette vie dure et tourmentée.

Quand sa main fut retombée, détendue, sur sa cuisse, elle s'enquit calmement :

— Comment ton oncle est-il mort, Kieran ?

— C'est Luke, dit-il d'un ton plat. Luke l'a poussé dans l'escalier.

Camille n'éprouva aucune surprise.

— Il l'avait sans doute mérité.

— Oui, c'est certain, répondit Rothewell avec un grognement de dégoût. Il s'était querellé avec Xanthia… je ne me rappelle plus à quel sujet. Il l'avait traitée d'insolente, et l'avait giflée. Il y avait du sang sur ses lèvres. Et Luke ne l'a pas supporté. Il l'a poussé, et… et notre oncle est tombé. Ils se tenaient au sommet de l'escalier. L'oncle était ivre, bien entendu. Il s'est cassé le cou.

Camille garda le silence un moment. Un vent vif se leva, soulevant le bord de sa jupe et ébouriffant son chignon. Ils étaient seuls. Le chant d'un oiseau, et le bruit du vent dans les branches, firent retomber la tension.

— Luke a-t-il eu des ennuis ? Avec la police ?

— Non, l'enquête a été rapidement bouclée. La réputation de notre oncle n'était plus à faire. Vu son mode de vie, il était presque miraculeux qu'il ait vécu jusqu'à quarante-cinq ans.

Camille cligna les paupières, éblouie par un rayon de soleil.

— Quel âge avais-tu quand vous êtes partis vivre chez lui ? Te rappelles-tu tes parents ?

— Oh, oui. Mais ce sont les souvenirs d'un tout jeune enfant. Des impressions, des images fugitives.

Et une sorte de… de sensation de bonheur. Et puis, il y a les odeurs. Je me souviens du parfum de ma mère. Son eau de toilette sentait la lavande. J'adorais ça.

Son attitude se détendit, ses traits s'adoucirent. Camille sourit.

— Quel joli souvenir. Quand j'étais toute petite, je savais que si *maman* mettait du parfum, c'était parce qu'elle allait recevoir des amis ou sortir. Ce qui voulait dire que je ne la verrais pas de la soirée. Aussi, je détestais son parfum. Je l'avais en horreur. Je crois que c'est la raison pour laquelle je n'en porte jamais.

Rothewell la dévisagea avec curiosité, et se pencha vers elle.

— Mais pourtant, tu en as un. Tu sens… je ne sais pas trop. Un mélange d'épices et de pétales de roses ? Quelque chose d'exotique.

Camille secoua la tête.

— Non, tu te trompes. Tu dois confondre avec quelqu'un d'autre…

— Non, parbleu ! s'exclama-t-il avec brusquerie. Puis son regard s'adoucit, et il lui prit la main avec délicatesse, comme s'il voulait la porter à ses lèvres.

— Je reconnaîtrais ton parfum n'importe où. Même par une nuit noire, parmi cent personnes. Oui, Camille. Je te reconnaîtrai… toujours.

Sa voix s'étrangla. Camille se sentit étourdie, comme si la terre venait de trembler légèrement. Elle chercha le regard de Rothewell, essayant de comprendre cet homme terriblement compliqué qu'elle venait d'épouser. Que voulait-il d'elle ? Oserait-elle espérer ?

Il relâcha sa main et se perdit dans la contemplation du lac. Camille fut brusquement tentée de poser les lèvres sur sa joue. De lui dire que, contre toute sagesse, elle était tombée amoureuse de lui. Et que rien de ce qu'il avait fait n'y changerait quoi que ce soit. Mais peut-être était-elle encore plus folle que sa mère ?

À ce moment, elle entendit des pas sur le gravier de l'allée. Se rappelant qu'ils étaient dans un lieu public, elle se redressa, s'écarta de son mari et lissa les plis de sa jupe. Du coin de l'œil, elle aperçut un gentleman élégant sur le chemin qui longeait la Serpentine. Il tenait une canne, et portait un chapeau haut de forme d'un tissu si soyeux que les rayons du soleil d'automne s'y reflétaient.

Rothewell le vit aussi, et poussa un soupir de consternation.

— Qui est-ce ?

— Une connaissance, dit-il. Un ami de la famille.

Le gentleman les avait déjà repérés. Sans grand enthousiasme, Rothewell lui fit un signe de la main, et l'homme quitta le chemin pour gravir la petite pente qui menait jusqu'à eux.

— C'est un très beau gentleman, murmura Camille. Mais il a une allure de dandy, *n'est-ce pas* ?

Rothewell se contenta de lâcher un nouveau soupir. Mais, quand l'homme approcha, Camille remarqua que son apparence de dandy était superficielle. Mince et souple, il avait une démarche de félin. Il y avait dans ses yeux noirs une lueur malicieuse, et aussi un sentiment assez difficile à définir. Du cynisme, peut-être ?

— Bonjour, dit-il en soulevant son chapeau. Ai-je l'honneur de m'adresser à la nouvelle lady Rothewell ?

— En effet, confirma Rothewell en se levant. Camille, je te présente George Kemble. Kemble, voici mon épouse.

— *Bonjour,* monsieur Kemble, dit Camille en tendant la main.

— *Enchanté, madame !* Ce barbare de Rothewell ne mérite pas votre grâce et votre beauté. Néanmoins, je vous prie de recevoir mes félicitations.

— Ravi de vous voir, Kem, marmonna Rothewell en déplaçant le sac d'Obelienne pour dégager une place. Je suppose que vous voulez vous asseoir ?

M. Kemble considéra la pelouse en fronçant les sourcils.

— C'est dangereux, de s'asseoir sur le sol humide.

Son sourire réapparut aussi vite qu'il s'était effacé.

— Mais comment peut-on se soucier de ses vêtements quand on rencontre une dame aussi adorable ? Et lorsque l'invitation est aussi sincère ?

Rothewell laissa échapper un petit rire.

— Vous voilà bien loin du Strand, mon vieux, dit-il alors que Kemble prenait place, avec mille précautions, sur le pardessus. Qu'est-ce qui vous a poussé à traverser le parc ?

— J'arrive à l'instant de Whitehall, répondit Kemble en ôtant quelques brins d'herbe accrochés à son pantalon. Lord Vendenheim souhaitait me voir, aussi lui ai-je demandé de m'inviter chez Rules. Leur grouse rôtie est remarquable. Après tout, il faut bien manger, n'est-ce pas ? Et le repas est tellement meilleur quand c'est ce cher Max qui règle l'addition.

— Je suppose, concéda Rothewell.

— Quoi qu'il en soit, je dois maintenant payer mon écot. Il faut que j'aille rôder du côté des quais nord. Il y aurait eu un léger contretemps là-bas, la nuit dernière.

— Quelqu'un de mal intentionné, hein ? Soyez prudent, Kemble.

Celui-ci eut un pâle sourire.

— Ce n'est pas la partie de la ville que je préfère, mais, de temps à autre, il faut bien faire ce que le gouvernement attend de vous, pour apaiser les esprits.

— Personnellement, je ne me donne jamais cette peine, déclara Rothewell.

— Ah, mais vous n'y êtes pas obligé. Et en parlant de mauvais quartiers…

Kemble plongea la main dans sa poche. Il en sortit un objet enveloppé d'un petit mouchoir de lin blanc, qu'il tendit à Rothewell.

— Je crois que vous avez perdu cela chez Eddie.

Rothewell déplia le mouchoir et découvrit sa montre de gousset en or. Il décocha un regard noir à Kemble, et mit la montre dans sa poche.

— J'imagine que vous ne me direz pas comment vous l'avez retrouvée ?

Kemble fronça le nez.

— Non. Disons simplement que je vous ai vu la perdre.

— Et alors ?

— Alors, je l'ai récupérée. Avant qu'il ne puisse arriver quelque chose de fâcheux.

Les deux hommes échangèrent un regard lourd de sens. Camille se demanda la signification de ces mystères.

— Puis-je vous offrir quelque chose, monsieur Kemble ? lança-t-elle d'un ton léger. Nous avons du poulet, des pommes et du fromage. Et aussi un pain de manioc, ajouta-t-elle en lui présentant la spécialité d'Obelienne.

Le regard de Kemble se fit suspicieux.

— Je crois que je vais m'abstenir. J'ai entendu parler du manioc.

— J'aimais beaucoup cela autrefois, admit Rothewell. Mais il est vrai que c'est un goût qui s'acquiert dans l'enfance.

Camille sourit à Kemble.

— J'avoue, *monsieur,* que je n'ai pas encore appris à apprécier cette spécialité exotique. Elle contient des épices très fortes, au goût un peu étrange.

— Je me contenterai d'une pomme ! déclara Kemble.

Joignant le geste à la parole, il attrapa un fruit et y planta ses magnifiques dents blanches. Rothewell retomba sur un coude, croisant ses longues jambes devant lui. L'arrivée inopportune de Kemble avait eu l'avantage de dissiper la tension provoquée par leur discussion.

— J'envisage de vous demander votre aide, Kem, dit-il, pensif.

Kemble le contempla en écarquillant les yeux, et finit de mâcher son morceau de pomme.

— C'est une blague ? s'enquit-il enfin. *Vous,* demander de l'aide à quelqu'un ? Alors là, c'est nouveau ! Dites-moi donc ce que je peux faire pour vous.

— Il paraît que ma demeure manque de charme, répliqua sèchement Rothewell.

— Et de chaleur, ajouta Kemble d'un air entendu. Il n'existe pas dans Londres un bâtiment plus impersonnel… à part les abattoirs de Smithfield, bien sûr.

— *Merci,* monsieur Kemble, fit Camille, amusée.

— Impersonnel ? répéta Rothewell en grimaçant. Je trouve cette maison pratique. D'une élégante sobriété, comme on dit.

Kemble leva les yeux au ciel.

— Quels bobards ! Vous n'y pensez pas du tout, voilà la vérité. Votre sœur non plus, d'ailleurs. Oh, je l'adore, c'est sûr, mais la décoration, ce n'est vraiment pas son fort !

— *Pardon,* dit Camille, intriguée. Mais comment M. Kemble pourrait-il nous aider ?

— Il tient une sorte de musée… ou plutôt une boutique de curiosités, dans le Strand. Ce lieu est plein à craquer.

— L'atmosphère, ma chère enfant, déclara Kemble. Je vends de l'atmosphère… du vrai *chic,* à ceux qui en manquent. Ou à ceux qui en veulent encore plus.

— Vraiment ? Et comment livrez-vous cette atmosphère, dites-moi ? Dans des cartons ? Dans des malles ? À moins que vous ne la mettiez en bouteille ?

M. Kemble sourit avec indulgence.

— Il m'arrive d'en livrer des cargaisons, quand c'est nécessaire. Je suis connaisseur, voyez-vous. J'aime les objets élégants. Et j'ai un discernement extraordinaire dans ce domaine, je dois l'avouer.

— Alors, vous êtes déjà entré dans la maison de Berkeley Square ?

— Oh, oui, répondit le fringant gentleman. J'ai travaillé quelque temps avec lady Nash. Et la maison…

Il marqua une pause, et frémit visiblement.

— C'est un affreux mélange grisâtre et brunâtre, n'est-ce pas ? Et tellement froid !

— Que suggérez-vous ? demanda Camille avec un rire joyeux.

— Voyons, laissez-moi réfléchir, murmura Kemble en posant un doigt sur sa joue. J'ai en ce moment une jolie coupe en argent qui serait d'un effet magnifique dans cette salle à manger lugubre. Et une superbe paire de chiens chinois en jade, montés sur des socles d'acajou. Trois armures médiévales, dont une d'origine milanaise, j'en suis certain.

— Non, pas les armures, déclara Camille en souriant. Mais j'aimerais bien voir le reste.

— Voudriez-vous me rendre visite la semaine prochaine, lady Rothewell ? suggéra M. Kemble en fouillant dans la poche de son manteau.

Il en sortit un petit étui d'argent, dans lequel il prit une carte. Camille y jeta un coup d'œil.

M. George Jacob Kemble
Bibelots et curiosités
Numéro 8, le Strand

— Et venez seule, s'il vous plaît, précisa Kemble en jetant un regard en coin à Rothewell.

— C'est cela, marmonna ce dernier, narquois. Épargnez-moi ce genre de visite, mon vieux. Contentez-vous de m'envoyer les factures.

— Excellente idée. Je ferai du thé, et nous pourrons bavarder.

Sur ces mots, Kemble se leva. Lorsqu'il les eut salués et se fut remis en chemin, Camille remarqua que le vent avait fraîchi.

— Nous devrions rentrer, dit-elle en regardant les mèches brunes de Rothewell soulevées par le vent. Mais il faut manger d'abord, je suppose ?

— Oui, Obelienne s'est donné beaucoup de mal, soupira-t-il en reprenant le pilon de poulet.

Il mangea également un morceau de pain de manioc, du fromage et une pomme.

C'était un succès. Satisfaite, Camille remplit de nouveau le sac, le cœur gonflé d'un nouvel espoir.

Malheureusement, cela ne devait pas durer longtemps.

Quand la jeune femme fut confortablement installée dans le cabriolet, Rothewell remit son pardessus et s'engagea dans Park Lane. Tout en conduisant, il observa Camille, assise parfaitement droite à côté de lui. Elle avait une allure aussi majestueuse qu'une duchesse de haute naissance.

Il regrettait certes que son père soit Valigny. Mais dans le fond, il se moquait complètement des circonstances de sa naissance. Il aurait dû être fier de se promener avec elle dans le parc. Et de fait, il l'était. Mais son plaisir était gâché par l'idée qu'il lui avait joué un mauvais tour en l'épousant.

Camille n'avait pas dit grand-chose depuis le départ de Kem, et Rothewell craignait que ce silence ne soit dû à la discussion que l'arrivée de Kemble avait interrompue. Seigneur, il était fatigué. Il se sentait déchiré intérieurement, et cette douleur n'était pas causée par la maladie.

C'était peut-être une punition qui lui était infligée. Il était encore jeune, il avait une jolie femme, infiniment désirable, une sœur qui l'aimait, de bons amis, et plus d'argent qu'il n'en fallait. Et cependant, tout cela était entaché par les regrets. Des regrets qui concernaient le passé, et aussi ce qui allait venir.

Il avait honte. Il avait toujours eu honte. Son chagrin et sa culpabilité l'enveloppaient tel un linceul, le privant de la joie de vivre, ne lui laissant pour tout sentiment que la haine. Celle-ci l'habitait depuis si longtemps qu'elle s'était ancrée au creux de son ventre comme une plaie noire et purulente qui le dévorait. Aujourd'hui, il s'était confié à la dernière personne qu'il désirait voir apprendre son secret... Et à quelle fin ? Pour qu'elle puisse le mépriser encore davantage ?

Il la tenait déjà à distance. Était-il décidé à la faire fuir tout à fait, en lui révélant la vérité sur lui ? Il avait commis l'adultère avec la femme de son frère. Ensuite, par sa culpabilité et son manque de sobriété, il les avait envoyés tous deux à la mort.

Anne-Marie l'avait dupé, après son mariage, et il l'avait laissée faire. Peut-être par dépit. Il avait toujours aimé Luke mais, à la fin, il le détestait aussi. Il lui avait pris ce qu'il désirait le plus au monde... la femme pour laquelle il se serait damné... mais qu'il n'aimait pas vraiment.

Il obliqua à droite pour descendre vers Grosvenor Square, et avisa un phaéton rouge, à l'allure familière, qui se dirigeait vers eux à toute allure. L'homme qui tenait les rênes portait une cape doublée de soie rouge, et un chapeau posé de guingois sur la tête. Une silhouette reconnaissable entre toutes.

Bon sang...

C'était Valigny, et il n'était pas seul. Rothewell jeta un coup d'œil à Camille. La main crispée sur la portière du cabriolet, la jeune femme pinça les lèvres.

— Quel heureux hasard, mon cher lord Rothewell ! lança Valigny, le visage fendu d'un immense sourire. Et toi, *mon chou* ! Tu es magnifique. Je crois que tu connais déjà ma nouvelle amie ?

Camille se raidit et leva le menton.

— *Bonjour papa,* dit-elle d'un ton léger. Oui, j'ai déjà eu le plaisir de rencontrer Mme Ambrose.

Rothewell les salua tous deux sèchement. Valigny se pencha pour lui souffler, d'un air de conspirateur :

— Tout le monde nous regarde aujourd'hui, Rothewell ! Je me demande pourquoi. Les gens doivent croire que nous avons fait un drôle de marché, vous et moi, hein ? Ma fille contre votre maîtresse ?

Christine secoua ses boucles blondes, avec insouciance.

— Laissez-les parler, si ça leur fait plaisir, dit-elle en s'accrochant au bras de Valigny. Je me suis toujours moquée des ragots.

Le cheval de Rothewell piaffa d'impatience. Il tira sur les rênes.

— Soyez honnête, Christine. Votre intention, c'est justement de faire parler les gens. Sinon, pourquoi seriez-vous avec lui ?

— Ah, mon ami, que faites-vous de ma beauté et de mon charme ? répliqua Valigny en riant.

Christine toisa Rothewell et son épouse avec une moue de dédain. Elle avait quelque chose en tête, c'était évident. Et soudain, Rothewell fut parcouru d'un frisson d'angoisse.

— Valigny m'a raconté une histoire stupéfiante, Rothewell ! s'exclama-t-elle avec un rire cristallin. Mon Dieu ! Je me demande ce que penseront les gens de la bonne société quand ils sauront comment vous avez fait la connaissance de votre épouse !

— Vous n'oserez pas.
— Ah, vous croyez ?
Rothewell se pencha et murmura, d'une voix à peine audible :
— Madame, je sais que vous tiendrez votre langue. Ne me provoquez pas.
— Oh, balivernes ! rétorqua Christine en faisant de nouveau danser ses boucles. Vous n'avez aucun pouvoir sur moi, monsieur.
Mais Rothewell vit une lueur de crainte passer dans ses yeux.
— Dites un mot à ce sujet, Christine, et vous serez une femme brisée. Les témoins ne manqueront pas pour raconter à quelles sortes de débauches vous vous livrez. Je serai parmi eux. Et nous verrons bien quelle histoire la haute société trouvera la plus croustillante.
Le sourire de Valigny s'élargit.
— *Mon Dieu,* Rothewell ! Un vrai gentleman ne divulgue pas ses secrets d'alcôve !
Les yeux de Christine lancèrent des éclairs.
— Si vous craignez les ragots, Rothewell, je vous conseille de faire quitter Londres à votre blanche et pure épouse. Et peut-être même l'Angleterre, tant que vous y êtes.
— Le Sud de la France vous plaira sans doute ? suggéra Valigny. Je l'ai toujours trouvé très agréable en hiver.
Rothewell fixait son ancienne maîtresse.
— Ma femme et moi, nous n'irons nulle part, Christine.
Mme Ambrose lui adressa un regard dédaigneux.
— Vous changerez probablement d'avis, dans l'intérêt de votre épouse. Lord Halburne est revenu en ville inopinément. Il compte y rester jusqu'à la fin de l'année, à ce qu'on dit. Et si je ne me trompe, il est justement là… au bord de la Serpentine. Vous

voyez ? C'est le gentleman qui tient un journal sous le bras.

Camille tourna vivement la tête, les traits figés dans un masque de terreur.

— *Oui, oui,* c'est bien Halburne ! déclara Valigny en posant une main sur sa poitrine. J'en suis sûr. Tu sais, *mon chou,* on ne peut pas oublier le visage d'une vieille connaissance !

12

L'orage se prépare

Les jupes de Camille virevoltaient autour de ses chevilles tandis qu'elle arpentait sa chambre. Rothewell était entré derrière elle, tentant de la prendre par l'épaule pour l'apaiser. Mais elle n'avait rien voulu entendre.

— *Non.* Laisse-moi seule. Je t'en prie.

Le chien s'était jeté sur le lit, les oreilles aplaties, la queue pour une fois immobile.

Rothewell était frustré et furieux. Mais il refusa de sortir.

— Je ne pense pas qu'un mari doive abandonner son épouse dans un tel moment, Camille.

La jeune femme sembla sur le point de défaillir.

— *Mon Dieu,* comment mon père peut-il me faire cela ? s'écria-t-elle en reprenant ses va-et-vient dans la chambre. Comment peut-il se moquer de moi ? Même si je suis une enfant illégitime… ne suis-je pas de son propre sang ? N'éprouve-t-il rien pour moi ?

Rothewell eut le cœur serré. Camille méritait mieux que cela… un père indigne, un mari distant…

— Je crois qu'il est temps de mettre fin aux jours de Valigny, dit-il, comme pour lui-même. Je commence à penser que je te ferais une immense faveur en provoquant ce salaud en duel, et en te rendant orpheline.

Apparemment, ce n'était pas le meilleur moyen de consoler sa femme. Celle-ci pivota vers lui, le visage crispé de douleur.

— Oui, quelle excellente idée ! Cela résoudrait tous mes problèmes, *n'est-ce pas* ? Je me retrouverais veuve, et Valigny s'en sortirait indemne, comme toujours !

Rothewell lui agrippa fermement les épaules.

— Camille, il ne s'en sortira pas. Pas avec moi.

— *Très bien*. Alors, mon mari tuera mon père en duel, et il sera banni pour toujours. Voilà qui fera taire les mauvaises langues, assurément.

Il ravala un juron.

— Camille, je veux juste... arranger les choses.

— Oh, Kieran, tu ne vois pas ? s'exclama-t-elle en posant la main sur son front. Tu ne peux rien changer, mon père est ce qu'il est. Tu ne peux pas l'obliger à m'aimer.

Rothewell fit alors ce qu'il aurait dû faire tout de suite... il l'attira dans ses bras. Camille s'abandonna contre son torse.

— Je suis tellement désolé, ma chérie, chuchota-t-il lorsqu'elle posa la joue sur son épaule. Je m'en veux autant que j'en veux à Valigny.

— Pourquoi ? demanda-t-elle à travers ses larmes. En quoi es-tu responsable de tout ça ?

— J'aurais dû mettre fin à cette maudite partie de cartes. Et mettre fin aux moqueries de Valigny. Je ne l'ai pas fait, car j'étais presque ivre et... et pour dire la vérité, j'étais fou de toi.

— Oui, admit-elle, tu aurais pu partir et me laisser avec lui. Serais-je mieux lotie, à présent ?

Rothewell jura tout bas.

— J'aurais pu tout arrêter. C'est ce qu'aurait fait un vrai gentleman. J'ai demandé à Valigny de se taire, mais...

— Vraiment ? Quand ?

— Après t'avoir laissée chez Pamela. Et honnêtement, je pense qu'il n'avait pas l'intention de répandre des rumeurs. Mais Christine… oh, elle est mauvaise et imprévisible.

— Non, murmura Camille en frémissant. Non, tout cela était prévisible, Kieran. Particulièrement la venue de lord Halburne. Dès le moment où j'ai mis le pied dans le ferry, au Havre.

— Camille, ce n'est pas vrai.

— Je n'aurais jamais dû le faire, mais je ne vaux guère mieux que celui dont le sang coule dans mes veines. J'ai été cupide, comme Valigny. Je voulais mon héritage. Je croyais… que je pouvais devenir indépendante. Me protéger et protéger mon enfant, si le Bon Dieu acceptait de m'en donner un.

— Oh, Camille !

— Cela paraît fou, mais je n'avais pas le choix. Je savais que je ne pourrais pas vivre comme l'avait fait ma mère. Mais j'aurais dû me douter qu'en venant à Londres, j'allais réveiller le passé. Et maintenant, lord Halburne est là, et soudain je ne peux pas affronter ce passé. Tout Londres va savoir ce qu'a fait mon père…

Rothewell l'entraîna vers le lit.

— Assieds-toi, Camille. Je suis désolé, ma chérie, dit-il en s'installant à côté d'elle. Tu es une femme adorable. Si tu ne veux pas me laisser étrangler Valigny… laisse-moi au moins parler à lord Sharpe.

— Lord Sharpe ? répéta-t-elle en reniflant. Pourquoi ?

— Il saura faire taire Christine, car c'est lui qui lui paye sa pension, et beaucoup d'autres choses. Or, quel que soit le plaisir que Valigny éprouve à être avec Christine, il n'a pas les moyens de l'entretenir. Et Christine est assez fine mouche pour s'en rendre compte.

Camille haussa les épaules, l'air abattu.

— Valigny n'a pas le sou, reconnut-elle. Mais faire intervenir lord Sharpe ? *Mon Dieu,* je serais mortifiée...

— C'est Christine qui devrait l'être, répliqua Rothewell en lui pressant la main. Pas toi, ma chérie.

Elle soutint son regard un moment, comme pour s'assurer de sa sincérité. Puis ses lèvres se mirent à trembler, et elle se blottit contre lui en sanglotant.

Il l'attira sur ses genoux, comme une enfant.

— Allons, allons. Pourquoi pleures-tu ?

— J'ai honte ! s'écria-t-elle, les yeux baissés. J'ai honte de ma mère, honte de Valigny. Comment ai-je pu croire que je pourrais venir à Londres et éviter le scandale ?

Il lui embrassa le front et la joue.

— Non, ma chérie, calme-toi.

Rothewell comprenait que le désespoir de Camille n'était pas causé par l'arrivée de Halburne, mais par la trahison de son père. Par la folie de sa mère, et les tristes circonstances de sa naissance.

Avec le soutien et l'amour de ses parents, Camille aurait pu mépriser les rumeurs et les regards hautains de la bonne société. Mais, cet après-midi, Valigny s'était amusé à ses dépens. Rothewell commençait de penser qu'un enfant pouvait être confronté à d'autres tourments que le fouet d'un méchant oncle, et que cela était aussi douloureux.

— Je ne laisserai personne gâcher ton avenir, Camille. Je te le jure.

Elle releva la tête et posa sur lui un regard vaguement accusateur.

— Et si tu n'es pas là ? Ne me mens pas, Kieran. Ne fais pas de promesse que tu ne pourras pas tenir.

Il lui prit le visage à deux mains, et l'embrassa longuement sur les lèvres.

— Je veillerai sur toi, Camille, affirma-t-il, conscient que c'était probablement un mensonge. Je le jure. Je t'emmènerai loin, si tu le souhaites. Dans mon domaine du Cheshire.

— Est-ce très loin ? demanda-t-elle, les lèvres contre sa joue.

— À deux cents kilomètres de Londres. Et si ce n'est pas suffisant, nous irons à La Barbade.

Elle ferma les yeux et chuchota, d'un ton rêveur :

— Je ne sais pas. Je ne suis pas lâche, Kieran. Je ne veux pas le devenir.

— Non, ma chérie, tu n'es pas lâche. Je l'ai découvert à mes dépens.

Sa remarque la fit rire, et il l'embrassa de nouveau en lui renversant la tête en arrière.

Il se sentait fier d'elle. Camille avait gardé la tête haute face à la méchanceté de Christine et à la cruauté de son père. Elle avait du cran. Elle se battait pour survivre.

Et elle avait toujours été déterminée à ne pas mettre son destin entre les mains d'un homme. Du moins, autant que possible.

Mais il était trop tard. Elle était devenue lady Rothewell... et, égoïstement, il en était heureux. Il ferait tout ce qui était en son pouvoir pour la protéger.

— Regarde la vie du bon côté, ma chérie, reprit-il en lui relevant le menton. Je sais que ce n'est pas grand-chose, mais tu m'as, moi. Et Jim-Jim.

Cela réussit à la faire rire.

— Chin-Chin, corrigea-t-elle avec un regard affectueux au petit animal. Au fait, je croyais que tu devais le rendre à lord Tweedale ? Mais je vois qu'il dort dans ton lit, et qu'il grossit.

— Tweedale n'est jamais chez lui, répondit Rothewell d'un ton vague. Mais si cet animal reste ici, il faudra lui donner un vrai nom. Je ne vais quand même pas appeler mon chien *Chin-Chin* !

Elle demeura blottie dans ses bras, et son regard se perdit dans le vague.

— Oh, Kieran… Ce n'est pas vrai, ce que tu as dit, aujourd'hui.

— Quoi ? Qu'ai-je dit ?

— Je ne penserai pas à *elle* chaque fois que je poserai les yeux sur toi. Chaque fois que tu viendras dans mon lit, je me rappellerai la journée qui vient de s'écouler, oui. Mais pour une autre raison.

À cet instant, l'horloge sur la cheminée se mit à sonner.

— *Zut !* Tu as vu l'heure ? fit Camille en se levant, s'essuyant les yeux du revers de la main. Il faut nous habiller pour le dîner.

— Non, dit-il doucement. Si tu ressens toujours quelque chose pour moi, Camille, alors déshabille-toi et laisse-moi te faire oublier tout cela.

— Je t'aime, Kieran. Mes sentiments pour toi n'ont pas changé.

— Alors, ferme ta porte à clé, Camille. Et viens dans le lit. C'est ton mari qui te l'ordonne.

C'était un ordre qu'elle était tout à fait disposée à suivre. Après cette journée éprouvante, elle avait envie d'être seule avec Kieran, de sentir ses bras autour d'elle, et non de se retrouver dans une salle à manger, entourée de domestiques.

Elle tourna la clé dans la serrure puis s'adossa au battant, les mains plaquées sur le bois lisse, comme pour empêcher le monde extérieur de faire irruption dans la chambre. Kieran était allongé sur le lit, les jambes croisées. Il était merveilleusement beau, avec ses cheveux bruns en désordre, son visage sévère, ses lèvres sensuelles.

— Comment m'as-tu ensorcelé, Camille ? Je ne comprends pas.

Elle avança vers le lit, sans poser de question. Il l'aimait… et sans doute plus qu'il ne voulait l'avouer. Cela lui suffisait.

Une fois devant le lit, elle s'arrêta pour ôter les épingles qui retenaient ses cheveux.

— Attends, dit Kieran en se levant. Je veux le faire.

Il se plaça derrière elle, et posa les lèvres dans son cou. Camille ferma les yeux tandis que la vague familière se répandait en elle. Elle le désirait, elle avait besoin de lui… et elle ne voulait plus le nier.

— Fais-moi oublier, chuchota-t-elle. Oh, Kieran, fais-moi oublier.

— Tu es folle, Camille, tu sais ? Folle de vouloir de moi.

Elle ne répondit pas. Rien de ce qu'il lui avait avoué à Hyde Park n'avait pu la tirer du précipice dans lequel elle semblait destinée à tomber, tête la première.

Il ôta toutes les épingles, et passa les doigts dans ses cheveux. Quand les boucles furent répandues sur ses épaules, il lui effleura l'oreille de ses lèvres :

— Il vaut mieux que j'aille annuler le dîner, avant que Trammel ne vienne nous chercher.

— *Très bien.*

Il claqua des doigts.

— Jim ! Dehors, mon vieux.

Le petit chien sauta docilement sur le sol. Camille contempla la silhouette mince et souple de Kieran se diriger vers la porte, le chien sur ses talons.

Lorsqu'il revint et referma le battant derrière lui, Camille ne portait plus que ses bas et sa chemise. Il eut un instant d'hésitation, et la contempla avec un sourire triste.

— Quoi ? s'inquiéta-t-elle. Qu'y a-t-il ?

— Rien, c'est juste que… Tu es si belle. Trop belle.

Camille se haussa sur la pointe des pieds et glissa les bras autour de son cou.

— Kieran, pourquoi dis-tu…

Il la réduisit au silence en l'embrassant. Ses lèvres étaient exigeantes, et elle s'offrit sans réserve. Quand ils se séparèrent, elle l'observa dans la lueur pâle, et vit de nouveau l'hésitation et le désespoir se peindre sur ses traits.

Elle soutint son regard, espérant qu'il allait parler. Il la désirait, mais il la regardait comme s'il avait peur de trop s'approcher. Le passé le rongeait, et peut-être craignait-il l'avenir. Il baissa les paupières.

Poussée par un instinct purement féminin, Camille posa la main sur son visage et lui caressa la joue. Alors, il tourna le visage et pressa les lèvres dans sa paume, en soupirant.

— Kieran, chuchota-t-elle. *Mon chéri.*

Il se noyait, songea-t-il. Il se noyait dans les caresses de Camille. Ses doigts fins et chauds faisaient surgir un désir qui n'était pas seulement charnel. Quelque chose de plus profond, qu'il ne pouvait expliquer. Il vivait un moment de joie, de tendresse, d'émotions minées par la pensée qu'il avait gâché sa vie. Et le destin, dans sa cruauté, avait choisi de lui faire don de cette femme, qui instillait en lui un désir que rien ne pouvait oblitérer.

Camille s'écarta, plaça un pied sur le lit, remonta légèrement le bord de sa chemise et fit glisser son bas, révélant lentement une jambe soyeuse, au galbe parfait. Kieran repensa à leur pique-nique dans le parc. Il lui avait finalement tout dit, conscient qu'il lui devait la vérité. Et que la vérité mettrait fin à leur amour. Cependant elle était là, en train d'enlever ses bas. Et de défaire le ruban qui retenait sa chemise.

Fasciné, il tendit la main et fit glisser le lin blanc sur son épaule. Son cou, le creux de sa gorge, le point où battait son pouls... tout cela était la perfection même. Seigneur, que lui avait-il promis ? Il avait essayé de mesurer ses paroles, et pourtant il avait fait des promesses qu'il ne pourrait vraisemblablement pas tenir.

La dernière chose dont elle avait besoin sur cette terre, c'était bien d'une nouvelle trahison.

Il plaqua les lèvres dans son cou. Il avait cru, autrefois, qu'elle était froide. Mais elle n'était pas froide, elle était *forte.* C'était diablement différent.

Sans lui, Camille survivrait. Mais, sans elle, Kieran ne survivrait pas. Il l'aimait. Il le savait, au plus profond de lui.

Kieran garda le silence si longtemps que cela inquiéta Camille. Elle chuchota son nom, et il ouvrit les yeux, révélant un désir ardent.

— Camille, j'ai besoin de toi, murmura-t-il. Besoin de te sentir... avec moi.

— Kieran, *mon cœur,* je suis là. Je suis avec toi. Je le serai toujours.

Il ôta sa veste et déboutonna son gilet. Camille défit la cravate de soie blanche nouée autour de son cou, et il leva le menton, l'observant du coin de l'œil.

— Je te désire plus que je n'ai jamais désiré quoi que ce soit dans ma vie, déclara-t-il avec brusquerie. Aurais-je dû te le dire ? Je ne crois pas.

Camille sourit, le cœur gonflé de bonheur.

— Pourquoi pas ?

Il détourna les yeux, et elle distingua la barbe naissante qui couvrait ses joues. Il ne paraissait ni jeune ni vieux. Il était simplement beau. Et très seul.

— C'est peut-être égoïste, de dire cela ? suggéra-t-il en tirant sur les pans de sa chemise.

Camille repoussa sa tunique de lin, qui tomba sur le sol.

— Il est peut-être temps de cesser de parler, décréta-t-elle.

La chambre était presque plongée dans l'obscurité à présent. Elle rabattit les couvertures, et regarda

Kieran finir d'enlever ses vêtements. Bien qu'il ait perdu du poids, il était encore massif. Il avait un corps viril, formé par de longues heures de dur labeur, marqué par les coups et les privations. Et cependant, pour elle, il était la grâce même. Quand il se tourna pour poser le reste de ses vêtements, et que la pâle lumière du jour finissant effleura son dos, révélant les profondes cicatrices, Camille ravala ses larmes.

— Viens dans le lit, *mon amour,* chuchota-t-elle.

Il la prit dans ses bras, la soulevant comme si elle ne pesait rien, et la déposa sur le lit. Puis il se hissa au-dessus d'elle, les yeux assombris par le désir. Une lourde mèche noire retombait sur son front. Elle leva le visage pour l'embrasser, et il captura avidement ses lèvres. Camille plaqua les mains sur ses reins, attirant ses hanches vers les siennes.

— Je te veux, Kieran, murmura-t-elle. Je meurs d'impatience.

Il glissa une main sous ses hanches et son genou s'insinua entre ses jambes. Il la pénétra d'un puissant coup de reins, et l'entendit étouffer un cri.

— Ne t'arrête pas, dit-elle. Je t'en prie...

Kieran pénétra plus profondément en elle, les yeux fermés, en susurrant des mots de tendresse. Puis il l'embrassa dans un mouvement possessif. Le désir la submergea.

— Tu es à moi, Camille. Dis que tu es à moi.

— Kieran, *mon trésor.* Toujours...

Ses mouvements se répétèrent, encore et encore, et la chaleur de son corps se propagea à celui de Camille. Elle eut l'impression de devenir une partie de lui. Chaque assaut lui arrachait un soupir de plaisir. La flèche brûlante monta en elle alors que l'ombre de la nuit envahissait la chambre. L'âtre était vide, les lampes éteintes.

Soudain, il ouvrit les paupières et fixa sur elle son regard d'un gris argenté.

— Je ne peux pas renoncer à toi, Camille. Je ne renoncerai pas.

Il pencha la tête et l'embrassa encore, avec ardeur.

— Ne m'abandonne pas, Camille. Pas maintenant. Il est trop tard.

Elle fit glisser ses mains sur ses reins, et l'attira en elle.

Kieran essaya de s'éclaircir l'esprit. De réfléchir. Mais une sorte de folie s'était emparée de lui, il éprouvait le besoin violent de la posséder. Il avait franchi un pas, il s'était donné irrémédiablement à elle.

— Camille, Camille…

Le désir les enveloppa comme un voile. Il était perdu, plongé dans une extase abyssale. Elle était haletante, poussant de petits sanglots de volupté. Il pénétra encore une fois en elle, et sentit le fourreau soyeux de sa féminité le retenir.

— Kieran ! Oh, Kieran…

Il tenta de ralentir ses mouvements, de prolonger le moment de plaisir, mais ses cris l'aiguillonnèrent. Elle s'accrocha à lui, tremblante, enfonçant les ongles dans sa chair. Et soudain, la jouissance déferla. Avec un feulement rauque, il s'abandonna en elle tandis qu'un éclair blanc l'aveuglait…

Quand Camille reprit contact avec la réalité, la chambre était plongée dans une obscurité quasi totale. Kieran était allongé à côté d'elle, leurs jambes étaient emmêlées, leurs corps moites de transpiration. Elle se blottit contre lui, respirant son odeur réconfortante.

C'était fini. Son cœur appartenait définitivement à cet homme, qu'elle avait cru dur et impossible à aimer. Un homme qu'elle avait pensé pouvoir tenir à distance.

Oh, quelle idiote elle avait été ! Elle inspira, en tremblant, et Kieran posa le dos de sa main sur sa joue.

— Camille ? murmura-t-il en lui embrassant le cou.

Elle ne répondit pas, et il leva la tête.

— Que se passe-t-il, hmm ?

Elle ferma les yeux, et soupira.

— *Mon Dieu,* Kieran, cela me fait peur. Je ne veux pas t'abandonner mon cœur. Je ne peux pas…

L'espace d'un instant, il se figea.

— Non, dit-il doucement. Non, il vaudrait mieux pour toi que tu ne le fasses pas, je suppose.

Il laissa retomber sa main, et elle en éprouva une douleur presque physique.

— Cette limite que j'avais fixée dans mon esprit… quelque chose a changé, Kieran. Ce n'est plus aussi clair qu'avant.

Il esquissa un pâle sourire.

— Tu es trop raisonnable pour tomber amoureuse de moi, Camille. Je t'assure que je ne suis pas digne de ton amour.

Mais c'était trop tard. Elle ne pouvait plus se détourner de lui, ni le quitter.

— Embrasse-moi, Kieran. Embrasse-moi et laisse-moi décider de quoi tu es digne.

Après une brève hésitation, il posa les lèvres sur les siennes. Camille se pressa contre lui en nouant les bras sur sa nuque. Son baiser fut alors infiniment doux. Il embrassa sa bouche, son front, le renflement délicat de ses pommettes. Puis ses lèvres glissèrent dans son cou.

— Ma belle Camille, chuchota-t-il. Qu'ai-je fait ?

— Rien. *Mon Dieu,* tu n'as rien fait.

Il émit un petit rire étouffé, sans joie.

— Moi qui croyais que tu avais le cœur froid. Mais je me suis trompé, n'est-ce pas ? Sous cette façade dure, bat un cœur tendre. Et je le regrette.

— Embrasse-moi encore. *Vraiment,* Kieran, nous réfléchissons trop, toi et moi.

Il obéit, puis s'écarta. Camille roula sur le dos pour le regarder.

Il posa une main lourde et chaude sur son ventre.

— Qu'en penses-tu, ma chérie ? Y a-t-il... une chance ?

— Il est encore trop tôt pour savoir, *mon chéri*.

Il perçut une légère hésitation dans sa voix.

— Dans combien de temps saurons-nous ?

— Je... je l'ignore. Je n'ai pas d'expérience.

Il lui prit les mains et les pressa dans les siennes.

— Mais il y a une chance ? Tu as une raison d'espérer ?

— Oui, admit-elle dans un soupir.

Il s'allongea contre les oreillers, et passa un bras sous sa tête.

— Neuf mois, dit-il. Une éternité.

Pour un homme normal, c'était une période assez courte, en réalité. Mais, pour Kieran, ce serait peut-être l'éternité.

Camille refusa de laisser ce moment d'incertitude assombrir son bonheur. Elle ramena les couvertures sur eux, se pelotonna contre son mari, et sombra dans un profond sommeil.

La nuit de Camille fut entrecoupée de rêves fugitifs, d'images floues qui lui échappaient sans cesse. Lorsque Émilie entra pour ouvrir les rideaux et lui apporter de l'eau chaude pour sa toilette, elle était seule. La porte qui donnait dans la chambre de Kieran était fermée. Elle ne l'avait pas senti sortir du lit, mais elle se doutait qu'il avait quitté la maison dès les premières lueurs de l'aube.

Après avoir revêtu une robe de laine d'un rouge profond, qui lui flattait le teint, et une veste assortie, Camille descendit pour le petit déjeuner. Toutefois, elle éprouva une légère nausée et quitta la salle à manger en ayant à peine avalé la moitié d'une tasse de thé, et deux bouchées de toast. Il n'était que huit heures et demie.

Quand elle regagna sa chambre, elle entendit Chin-Chin gratter à la porte de communication. Elle lui ouvrit, et vit le majordome qui considérait la table de toilette de Kieran, d'un air préoccupé.

— Bonjour, Trammel, dit-elle en soulevant le petit chien pour le caler contre son épaule. Monsieur est sorti tôt, n'est-ce pas ?

— Oui, madame.

D'un geste vif, Trammel ramassa une serviette sur le sol et souleva la bassine.

— Savez-vous où il est allé ? s'enquit Camille, intriguée par le manège du domestique.

— Je n'en ai aucune idée, madame. Il a réclamé son phaéton bien avant l'aube.

— Son phaéton ? *Ça alors !* Était-il pressé ?

— Je le suppose. Monsieur le baron ne met personne au courant de ses intentions, madame.

— Oui, j'ai remarqué, répliqua Camille sèchement.

Trammel eut un moment d'hésitation, puis avoua :

— Il m'a demandé de lui préparer un sac, à tout hasard.

— Au cas où il passerait la nuit dehors ?

Trammel sourit faiblement.

— Si vous voulez bien m'excuser, madame, je...

— Attendez, *s'il vous plaît*.

Camille regarda la serviette avec insistance.

— Était-il très malade ce matin, Trammel ? Ne me mentez pas, je vous prie. Après tout, je suis sa femme.

Une expression de sympathie passa sur le visage du majordome.

— Une légère nausée, madame. Il faut espérer que ce ne sera rien.

Camille s'appuya au chambranle, pensive.

— Nous avons tous les deux cessé d'espérer, je crois. C'est… comment dit-on ? *une maladie du foie ?*

— Le foie ?

Trammel reposa la bassine d'un geste mal assuré, ce qui permit à Camille d'apercevoir une tache rouge vif sur la serviette.

— Je ne saurais dire, madame. Monsieur le baron ne me fait pas de confidences. D'ailleurs, il ne se confie à personne… même pas à lady Nash.

— Mais il sait ce qu'il a, non ?

Trammel haussa une épaule.

— Je pense qu'il s'en doute, madame. Mais… il ne change rien à ses habitudes, et…

— Vous voulez dire qu'il continue de boire ? Qu'il dort peu ? Et qu'il ne mange pas ?

— Oui, c'est cela, admit le majordome en évitant son regard. Je trouve curieux qu'il ne… Mais monsieur le baron n'est pas facile… c'est le moins qu'on puisse dire.

— Ah, il n'est pas facile ! répéta Camille. Il est peut-être temps que ça change ?

Trammel lui lança un regard dubitatif qui semblait signifier « Bonne chance ! », avant de quitter précipitamment la chambre.

Camille passa la matinée à vérifier les comptes de la maison, et à trier du linge avec Obelienne. Mais elle accomplit ces tâches comme un automate. Ses malles étaient finalement arrivées du Limousin, expédiées par sa vieille gouvernante, et elle les défit avec l'aide d'Émilie.

Elle accrocha les deux paysages dans le salon, avec l'aide de Trammel et d'un des valets. Puis elle disposa les coussins brodés sur le lit de Kieran, pour ajouter un peu de couleur dans sa chambre. Mais le contenu des malles ne put absorber son attention très longtemps et, au milieu de l'après-midi, elle s'installa dans le petit salon du premier étage, près du feu, Chin-Chin sur les genoux.

Qu'est-ce qui avait bien pu pousser Kieran à partir à une heure aussi matinale ? Il ne pouvait s'être rendu dans un de ses clubs malfamés, ni dans un tripot pour jouer, elle en était sûre. Il n'aurait pas pris son phaéton, un véhicule fait pour la vitesse. Et il avait demandé à Trammel de lui préparer un sac de voyage… après avoir eu une nouvelle crise, visiblement.

Pensive, elle posa une main sur son ventre, comme elle avait vu lady Nash le faire si souvent, ces derniers temps. Ses paupières s'abaissèrent. *Il était encore trop tôt.*

Elle avait été désolée de le décevoir… mais une semaine de retard ne signifiait rien. Excepté qu'elle n'avait jamais eu de retard. Même pas une journée. En outre, elle *savait*. Elle en était certaine. Elle attendait un enfant… dans un monde où elle ne connaissait personne. Un monde où son mari était gravement malade, peut-être même mourant.

En théorie, cela paraissait simple, d'élever un enfant sans père, et presque sans famille. C'était ainsi qu'elle avait grandi elle-même, et Kieran aussi.

Camille ouvrit les yeux et contempla le dehors par la fenêtre. Les belles maisons de brique rouge, les carrosses à armoiries qui passaient dans la rue, les valets en livrée cramponnés à l'arrière. C'était cela, l'univers dans lequel vivrait leur enfant. Le monde de l'aristocratie anglaise. Et non une lointaine colonie ou un obscur village de la campagne française.

Cet enfant devrait s'intégrer dans une société où Kieran et elle n'étaient pas vraiment à l'aise.

Camille se leva et alla à la fenêtre, repensant au moment où elle avait aperçu la silhouette de lord Halburne, à Hyde Park. Comment était-il, cet homme que sa mère avait épousé ? Il portait un lourd pardessus gris, et avait ôté son chapeau pour saluer deux jeunes dames, près de la Serpentine. Ses cheveux étaient d'un blanc neigeux. Elle l'avait trouvé remarquablement grand et mince. Puis elle l'avait vu se pencher pour caresser un petit caniche noir, que l'une des dames tenait en laisse.

Elle aurait aimé pouvoir entendre sa voix. Était-il sincère ? doux ? Un homme méchant ne perdrait sûrement pas son temps à caresser un caniche. Ce n'était pas grand-chose, mais c'était tout ce qu'elle avait pour se rassurer : une vague impression.

Lorsque la pendule sonna quatre heures, Camille rassembla son courage et redescendit. Tout en enfilant ses gants et son manteau, elle expliqua à Trammel qu'elle sortait pour une longue promenade. Elle déclina son offre de la faire accompagner par un valet.

La démarche qu'elle allait accomplir était personnelle, et elle n'avait pas besoin de témoin.

Le duc de Warneham était dans le bureau de son majordome, près du grand hall de Selsdon Court, quand un terrible vacarme lui parvint de l'allée.

— Que diable… ? grommela-t-il en levant les yeux des documents qu'il examinait.

Coggins se dressa promptement.

— Je vais jeter un coup d'œil, monsieur le duc, dit-il en allant à la fenêtre. C'est un phaéton, monsieur. Il va très vite. Je crois qu'il a accroché un des piliers du portail.

— Ah, le démon !

Warneham gagna le hall à longues enjambées.

Deux valets avaient ouvert la porte à double battant, et étaient sortis sur le perron avec de grands parapluies noirs, afin d'accueillir le visiteur et le protéger de la pluie torrentielle.

Warneham posa un regard noir sur le phaéton bien connu qui venait de s'arrêter devant les marches, tandis que les chevaux piaffaient nerveusement sous l'orage.

— Encore toi ! cria-t-il. Toi, et ce maudit portail ! C'est un massacre !

Le duc cherchait les mots pour dire à son ami le fond de sa pensée, lorsque lord Rothewell agrippa gauchement la portière du phaéton et tenta de descendre. En fait, il trébucha, et manqua s'écrouler dans l'allée.

— Seigneur ! s'exclama le duc en dévalant les marches.

Les valets jetèrent les parapluies de côté et soutinrent lord Rothewell, chacun par un bras.

— Seigneur ! répéta le duc. Que s'est-il passé ?

Les vêtements de Rothewell étaient trempés, son chapeau également, et la pluie plaquait ses cheveux noirs sur son front. Il regarda son ami d'un air morne.

— Il faut que je te parle. Aide-moi à entrer.

— As-tu perdu la tête ? Il faut être fou pour voyager par une pareille tempête ! déclara le duc quand le baron fut bien calé dans un fauteuil de son bureau, quelques minutes plus tard.

Apparemment, Rothewell n'était pas sur le point de mourir. Il avait tout d'abord paru souffrant, mais il semblait avoir récupéré des forces. Enveloppé dans une robe de chambre, il contemplait pensivement les flammes.

— Je ne savais pas qu'un orage était annoncé, dit-il. J'ai des documents dans la poche de ma veste... il faut que j'en parle avec toi.

— Et cela ne pouvait pas attendre ?

Warneham alla vers la desserte et remplit deux verres de cognac.

— Nous verrons ces documents plus tard, Rothewell. Tu as l'air malade. Beaucoup trop mal en point pour venir seul, de Londres, sous ce déluge.

Le baron leva les yeux et soutint le regard de Warneham lorsque celui-ci lui mit le verre dans la main.

— Oui, je suis malade, finit par admettre Rothewell. Et non, mon ami, je crains que cette affaire ne puisse pas attendre.

Dans Berkeley Square, l'air était froid et chargé de l'odeur âcre de la fumée et du crottin de cheval. Le vent du sud apportait la pluie, et éparpillait les dernières feuilles mortes dans les rues. Un parapluie accroché au poignet, Camille se mit en route d'un pas vif, baissant la tête pour lutter contre le vent, serrant frileusement autour d'elle les pans de son manteau.

À Grosvenor Square, l'imposante demeure de Halburne s'élevait, telle une citadelle, au milieu de la brume. Le cœur de Camille tressauta. Sa mère avait vécu dans cette maison. Elle avait été la comtesse de Halburne, et aurait pu avoir une vie respectable, entourée de richesses et de privilèges. Cette demeure était-elle aussi lugubre et sans âme qu'elle le prétendait ?

Elle semblait pourtant être la plus belle de Mayfair. Camille fit une pause pour prendre sa carte, qui portait malheureusement toujours son nom de jeune fille, et sonna. Halburne l'estimerait peut-être davantage d'avoir osé lui rendre cette visite, et découragerait les commérages. Quoi qu'il en soit, elle aurait la satisfaction d'avoir tenté de faire la paix et d'étouffer les rumeurs.

Le domestique qui vint ouvrir était très âgé et d'une stature extrêmement frêle. Il ouvrit la bouche pour parler, mais demeura sans voix. Horrifiée, Camille le vit tituber et reculer, en essayant de se retenir à la poignée de la porte pour ne pas tomber.

— *Monsieur ?* Puis-je vous aider…

Roulant des yeux blancs, le majordome s'effondra lourdement sur le tapis de l'entrée. Camille poussa un cri, et lâcha son parapluie qui heurta le sol de marbre.

Un valet surgit dans l'escalier, mais Camille était déjà agenouillée près du majordome, essayant de dénouer sa cravate empesée.

— *Mon Dieu !* Je suis désolée, dit-elle au valet. J'ai sonné, il est venu ouvrir, et... il est tombé. Est-il souffrant ?

— Non, pauvre diable. C'est la vieillesse. Fothering ? Fothering ?

— *Oh, mon Dieu !* murmura Camille.

Elle avait tué le majordome de Halburne !

— Je pense que ça va aller, mademoiselle, assura le valet. Voulez-vous tirer le cordon, s'il vous plaît ? Je vais avoir besoin d'aide pour le transporter.

— Il est terriblement pâle. *Monsieur,* vous nous entendez ? Je pense qu'il faut envoyer chercher un médecin.

À ce moment, une haute silhouette apparut dans le hall.

— Fothering ? Seigneur ! Que s'est-il passé ?

Camille leva la tête, et rencontra le regard sombre de lord Halburne. Celui-ci s'immobilisa au milieu du hall et la dévisagea d'un air étrange. Pour la première fois, elle remarqua que la manche gauche de sa veste était vide, épinglée à son vêtement.

Elle se dressa précipitamment, les joues enflammées.

— Je suis désolée, balbutia-t-elle. Votre majordome a ouvert la porte, et il s'est effondré. J'espère qu'il n'a pas le cœur malade.

— Qui diable êtes-vous ?

Camille sentit son courage vaciller. Elle présenta sa carte. Un autre valet était accouru, et les deux hommes aidèrent le majordome gémissant à se relever.

— Je suis lady Rothewell, précisa-t-elle avec une courte révérence.

Halburne jeta un bref coup d'œil à sa carte, et sa main trembla.

— Je vois, dit-il en faisant la moue. Eh bien. Mon Dieu.

Il ouvrit la porte d'un vaste salon, bien éclairé. Il avait le teint naturellement mat, mais son visage semblait s'être vidé de toute couleur.

— Asseyez-vous, je vous en prie. Je vous rejoindrai dès que j'aurai pris des nouvelles de Fothering.

Camille s'inclina de nouveau.

— *Merci,* monsieur.

Il était visiblement inquiet pour son domestique. Et de toute évidence, il savait qui elle était, et n'était pas enchanté de la voir.

La jeune femme balaya la pièce du regard. C'était un salon élégant, haut de plafond, tendu de soie bleu pâle et décoré de nombreuses moulures. Le mobilier français était orné de dorures, et les peintures du plafond représentant le ciel et les anges étaient l'œuvre d'un petit maître.

Deux portraits en pied flanquaient la cheminée. À gauche, une femme vêtue d'une robe de style élisabéthain tenait un chiot sur le bras gauche. Dans sa main droite se trouvait un chapelet de perles, auquel était accroché un crucifix en or. L'autre portrait représentait un gentleman avec une barbe noire taillée en pointe, vêtu selon la mode du siècle précédent. Un globe en or et un sextant de cuivre étaient posés à côté de lui, sur un bureau lourdement sculpté. Apparemment, la dynastie des Halburne était ancienne et fortunée.

Camille perçut un bruit derrière elle. Lord Halburne se tenait sur le seuil, l'observant avec circonspection.

— Comment va votre majordome, monsieur ?

— Il se remettra, cela ne fait aucun doute, annonça-t-il en entrant dans le salon. Voulez-vous vous asseoir, lady Rothewell ?

— A-t-il déjà eu ce genre de malaise ? questionna Camille en prenant place dans le fauteuil qu'il lui désignait.

Halburne s'assit face à elle, sa carte à la main.

— Une fois, oui. Fothering est à la retraite, mais il insiste pour remplacer le majordome actuel chaque fois que ce dernier doit s'absenter.

— C'est admirable. J'espère, monsieur, que je ne l'ai pas effrayé.

— Que voulez-vous de moi, lady Rothewell ? demanda brusquement Halburne.

Camille ne put soutenir son regard.

— Vous savez donc qui je suis ?

— Je le pense, oui. Mais vous pourriez peut-être m'expliquer ?

— Je suis la fille de Dorothy, dit-elle d'une voix sans expression. Je suis arrivée à Londres il y a quelques semaines. Je vous aurais rendu visite plus tôt, si on ne m'avait appris que vous séjourniez à la campagne.

— En effet, fit Halburne en étrécissant les yeux. Puis-je vous demander la raison de votre venue à Londres, après toutes ces années ?

Camille hésita. Elle s'était attendue à une réaction indignée, pas à cette attitude soupçonneuse.

— Je suis venue pour me marier. Mon père m'a…

— Votre père ?

Camille sentit ses joues s'empourprer.

— Le comte de Valigny, oui.

Elle se leva sur une impulsion, et ajouta :

— Je vous supplie de me pardonner, monsieur, cette visite était une erreur. Je suis venue m'excuser par avance pour les ragots que ma présence et celle de mon père ne manqueront pas de susciter.

— Je crains de ne pas très bien comprendre, lady Rothewell.

Camille se dirigeait déjà vers la porte. Elle s'arrêta, et se retourna. La main de Halburne était crispée sur l'accoudoir du fauteuil, comme s'il voulait bondir de son siège. Mais il ne bougea pas.

— Ma mère était une écervelée et une vaniteuse, monsieur, mais je l'aimais. Cependant, je ne peux rester insensible aux… aux désagréments que son comportement vous a sans doute causés. Je regrette. C'est tout ce que je voulais vous dire.

Lord Halburne se leva enfin, et s'écria :

— Seigneur ! Des *désagréments* ?

Il alla se poster devant la fenêtre, la tête droite, les épaules rigides.

— Quoi qu'il en soit, je ne souhaite pas aggraver la situation, monsieur, conclut calmement Camille. *Bonne soirée,* lord Halburne, inutile de me raccompagner.

— Attendez, lança-t-il d'un ton bourru. Que… que vous a-t-elle dit sur moi ?

Camille se balança d'un pied sur l'autre, mal à l'aise.

— Peu de choses. Elle parlait rarement de sa vie en Angleterre.

— Rarement ? Elle ne vous a pas dit comment nous nous étions connus ? Ni à quoi je ressemblais ? Pendant combien de temps je lui ai fait la cour ?

— Non, monsieur.

Il se détourna enfin de la fenêtre.

— Vous a-t-elle dit pourquoi nous nous étions séparés ?

— Oui, chuchota Camille. Parce qu'elle voulait aller en France, avec Valigny.

Halburne posa le bout de ses doigts sur ses tempes.

— Mais il ne l'a jamais aimée. Jamais. C'était juste… une passade, pour lui.

— *Maman* ne pouvait pas l'admettre, monsieur.

Halburne se mit à arpenter le salon. Camille hésita. Devait-elle rester ? Partir sans faire de bruit ? L'envoyer au diable ? Non, ce n'était pas possible. À vrai dire, elle comprenait sa colère et son trouble.

Soudain, Halburne s'immobilisa.

— Elle était trop jeune, marmonna-t-il. À peine dix-sept ans. Et moi, j'avais près de trente ans et j'étais beaucoup trop sérieux. Je le sais, à présent. Et je n'étais pas un bel homme, mon Dieu, non. Mais après ces longs mois... quand elle m'a dit oui... j'ai cru qu'elle était sincère.

Camille ne sut quoi dire. Elle regrettait profondément d'être venue et d'être témoin du chagrin de cet homme.

— Je suis désolée, monsieur.

— Tout d'abord, je lui ai pardonné, révéla-t-il, les mâchoires serrées. Le saviez-vous ?

— Non, monsieur. Elle ne me l'a pas dit.

— Valigny ne m'avait pas laissé le choix, j'étais obligé de lui demander réparation. Mais j'ai ramené Dorothy ici. Je l'aimais assez pour cela. Mais, même alors, toutes ses pensées allaient à Valigny. Elle m'a supplié de l'épargner.

Camille esquissa un sourire de compassion.

— Elle ne savait pas qu'il tirerait le premier.

— Tirer le premier ? répéta Halburne, incrédule. J'étais un tireur de premier ordre. Non, j'ai simplement fait ce que Dorothy m'avait demandé. J'ai tiré en l'air.

— Je... Comment ?

— J'ai tiré en l'air, et ce salaud a fait feu sur moi.

— *Mon Dieu !*

Horrifiée, Camille se laissa tomber dans un fauteuil.

C'était le pire manquement aux convenances généralement établies entre gentlemen. Tirer sur un homme désarmé ?

— Votre... votre bras ? parvint-elle à murmurer.

Halburne hocha brièvement la tête.

— J'ai eu une artère sectionnée. Les médecins disaient qu'il n'y avait pas d'espoir de me sauver. J'étais quasiment mort. Dorothy s'est alors enfuie en France avec Valigny.

— Quelle folie !

Le comte se méprit sur le sens de ces paroles, et reprit :

— Je n'avais pas le choix ! Si je l'avais tué comme il le méritait, il aurait eu la plus romantique des morts... une mort de poète. Et elle ne m'aurait jamais pardonné. Non, je ne pouvais pas sortir vainqueur de ce duel.

Il avait raison. Camille aurait voulu disparaître sous terre. Elle ouvrit la bouche, mais aucun son n'en sortit.

Lord Halburne s'approcha d'elle.

— Mais, après toutes ces années, lady Rothewell, il y a encore une chose que je n'arrive pas à comprendre.

— Laquelle, monsieur ?

— Pourquoi votre mère ne l'a-t-elle jamais épousé ? N'était-ce pas ce qu'elle voulait ? Nous étions divorcés, je lui avais rendu sa liberté. Et cependant, elle n'a rien fait.

— Valigny était divorcé aussi, murmura Camille. Il a menti à *maman* et a prétendu que l'Église ne lui permettrait pas de se remarier. *Maman* découvrit sa perfidie des années plus tard. Ce fut le... le coup final.

De fait, après cela, la vie de sa mère avait été détruite. Mais si Camille s'était attendue à voir un éclair de triomphe dans les yeux de Halburne, elle se trompait. Son regard n'exprima que la pitié.

— Donc, elle a finalement compris. Votre vie, la mienne... et peut-être aussi la sienne, avaient été brisées. Et tout cela pour quoi ? Rien d'autre qu'un amusement.

Camille détourna les yeux.

— C'est ce qui l'a envoyée dans la tombe.

Halburne s'assit lentement.

— Elle est donc morte ? s'enquit-il d'une voix creuse. Oui, bien sûr, je l'avais compris…

— Oui, monsieur. Elle est morte.

Lord Halburne garda le silence.

— Monsieur ? reprit Camille.

Mais Halburne était accablé. Il ne leva même pas les yeux. Il demeura assis, les épaules voûtées, le regard vide. Quand Camille lui dit au revoir, il ne répondit pas.

Le hall d'entrée était désert. Comme personne n'avait pris son manteau et son parapluie, Camille les tenait toujours à la main.

Elle sortit tout simplement, en se demandant quelle était la profondeur du mal qu'elle venait de causer.

13

Lady Rothewell obtient ce qu'elle veut

À son retour, Camille trouva la maison vide. Seule, elle erra de pièce en pièce, parcourant ses livres, ses lettres, tout ce qui pouvait lui occuper l'esprit. Mais rien ne lui apporta de réconfort. Finalement, quelques heures plus tard, Chin-Chin remonta de la cuisine et vint la consoler.

Elle demeura assise dans l'obscurité, le chien sur ses genoux, jusque tard dans la nuit. Peu après minuit, elle finit par aller se coucher. Ce n'était pas la première nuit qu'elle passait sans son mari, et sans même savoir où il était. Alors pourquoi cela lui paraissait-il aussi insupportable, ce soir ?

À cause de ce qu'ils avaient vécu la nuit précédente. À cause de la journée qu'ils avaient passée ensemble. Et aussi parce qu'elle avait désespérément envie de lui parler de Halburne. Elle avait besoin d'une épaule réconfortante… et maintenant elle savait que seule celle de Rothewell lui convenait. Mais Kieran entendait peut-être lui faire passer un message ? Il n'avait jamais souhaité être si proche d'elle. Peut-être voulait-il s'éloigner de nouveau ?

Elle roula dans le grand lit vide, et serra Chin-Chin contre elle. Le chien émit un grognement d'aise et lui lécha la joue.

— Oh, Chin-Chin, comme j'étais sotte de penser que je pouvais épouser un homme qui me plaisait, et garder malgré tout mes distances !

Pour se consoler, elle se leva et alla ouvrir la porte de communication, de manière à entendre Kieran s'il rentrait. De retour dans son lit, elle soupira et contempla le feu qui brûlait dans la cheminée. Mais elle revoyait sans cesse le visage triste et abattu de lord Halburne. Dépitée, elle se retourna.

Une fois de plus, elle se retrouvait seule dans sa vie. Elle n'avait que le chien pour lui tenir compagnie, mais Chin-Chin ronflait à présent. Camille le pressa contre sa poitrine et essaya de dormir.

Il était presque l'heure du dîner, le jour suivant, lorsque Rothewell revint de son escapade dans le Surrey. Il avait été fou d'espérer faire le voyage en une seule journée. Arrivé à Berkeley Square, il descendit de voiture avec moins de difficultés qu'à Selsdon Court, mais il n'avait guère meilleure mine. Ne gardant la tête droite qu'au prix d'un effort de volonté, il tendit les rênes de l'attelage à un valet et monta prudemment les marches du perron. Trammel l'attendait.

— Monsieur... murmura le majordome. Vous semblez...

— Peu importe, coupa Rothewell en passant rapidement devant lui. Où est ma femme ?

Trammel le suivit dans l'escalier.

— Lady Sharpe est venue prendre le thé. Elle a insisté pour que lady Rothewell l'accompagne à Hanover Street, pour dîner et faire une partie de cartes.

Camille n'était pas là ? Rothewell se figea, et son cœur sombra. Il était revenu à Londres à bride abattue, le ventre déchiré par une vive douleur, le cœur serré à la pensée de Camille qui l'attendait. Il avait cru que… Comme c'était présomptueux de sa part !

Ses épaules s'affaissèrent. Seigneur, il avait l'impression d'être aux portes de la mort. Il voulait… Camille. Il parcourut la longue galerie. Les talons de ses bottes résonnèrent sur les parquets cirés dans la maison vide. Vide comme l'avait été autrefois sa vie.

Était-il trop tard, pour Camille et lui ? N'était-il pas injuste de désirer son amour ? Ses jours étaient comptés, et il n'y pouvait rien changer.

À cet instant, un spasme douloureux le terrassa. Il vit la galerie tanguer dangereusement autour de lui. Il agrippa la balustrade en poussant un juron.

Trammel se précipita et lui prit le bras.

— Monsieur. Il faut vous coucher.

Rothewell se redressa au prix d'un effort de volonté, et repoussa le domestique.

— Allez me chercher mon cognac. Je n'ai pas besoin d'une nurse, Trammel. Je peux aller me coucher tout seul.

Mais la douleur ne l'avait pas quitté depuis la veille, et il était conscient qu'elle gagnait du terrain. Cette fois, il ne pourrait plus lui échapper. Gareth lui-même s'en était rendu compte. Rothewell avait passé une nuit d'insomnie à Selsdon, et il n'avait pu manger qu'un toast au petit déjeuner.

Trammel, cependant, ne lui apporta pas son cognac. D'ailleurs, Rothewell n'était pas sûr qu'il aurait pu l'avaler. Le majordome rabattit le couvre-lit, l'aida à ôter ses bottes, et lui sortit une chemise de nuit. Moins d'une heure plus tard, Rothewell fut pris de violents vomissements, qui le laissèrent épuisé dans son lit.

Le chien se coucha sur la courtepointe, le museau entre les pattes.

— Qu'en penses-tu, Jim ? demanda Rothewell quand Trammel fut redescendu. Crois-tu que je vais rencontrer la Faucheuse avant la fin de la nuit, ou bien que les dieux vont me torturer encore quelque temps avant de me laisser en paix ?

Le chien poussa un gémissement, et s'approcha de lui en rampant. Rothewell ferma les yeux et lui posa la main sur la tête. Il avait passé la plus grande partie de son existence à essayer de se tuer. Et au moment où il avait presque réussi, il s'apercevait tout à coup que la vie valait la peine d'être vécue.

Camille était en pleine partie de whist, à Hanover Street, lorsque le majordome entra dans le salon et lui présenta un plateau d'argent.

— Un message pour vous, madame. De la part de M. Trammel.

— Mon Dieu ! s'exclama lady Sharpe. Qu'est-ce que ça peut être ?

Camille parcourut rapidement la missive.

— Rothewell est malade ! annonça-t-elle en bondissant sur ses pieds. *Mon Dieu !* Il faut que je rentre.

En deux minutes, elle eut revêtu son manteau, et s'enfuit en refusant gentiment mais fermement l'offre de lady Sharpe de l'accompagner.

Quand elle arriva à Berkeley Square, un des valets l'attendait à la porte.

— Où est Trammel ? questionna-t-elle en ôtant ses gants.

— En haut, madame. Il vous fait dire que monsieur le baron se repose, à présent.

Elle monta l'escalier à la hâte et s'engagea dans la galerie. Trammel la salua devant la porte de la chambre.

— Que s'est-il passé ? Comment va-t-il ?

— Il s'est rendu à Selsdon Court, madame, dit posément le majordome. Je pense qu'il a été malade en chemin. Mais, cette fois, la douleur ne s'est pas calmée tout de suite. Je crois qu'il a énormément souffert la nuit dernière.

— A-t-il vomi du sang ? Dites-moi la vérité, Trammel.

Le majordome acquiesça d'un hochement de tête.

— Pas beaucoup, mais la crise a duré plus longtemps que les autres fois.

Il se pencha vers Camille, et précisa :

— Je ne lui ai pas dit que je vous avais appelée, madame.

Elle lui pressa le bras, d'un air entendu.

— Il n'a pas besoin de le savoir.

La lampe de chevet de Kieran était éteinte, et un feu brûlait dans la cheminée. Les couvertures étaient remontées sur sa poitrine, et il avait posé une main sur le dos de Chin-Chin. Le chien leva la tête et remua la queue en voyant Camille. Kieran ouvrit les yeux, battit des paupières.

— Il t'a envoyé chercher, hein ? marmonna-t-il. De quoi se mêle-t-il ? Je me sens bien, à présent.

Camille s'assit au bord du lit et lui prit la main. Il était pâle, les traits tirés, mais moins mal qu'elle ne le craignait.

— Si tu as assez d'énergie pour te plaindre des domestiques, *mon chéri,* tu pourras peut-être me dire où tu étais ? Et comment tu es tombé malade ? suggéra-t-elle avec douceur. Et ne me dis pas que cela ne me regarde pas. J'ai décidé justement que ça me regardait.

Il darda sur elle un regard sombre, mais elle vit un sourire flotter au coin de ses lèvres.

— Depuis combien de temps sommes-nous mariés ? À peine un mois ?

— Environ, admit-elle en faisant la moue. Réponds à mes questions.

Il ferma les yeux et lui pressa la main.

— J'étais à Selsdon, dans le Surrey. C'est le domaine de Warneham.

— Je vois. À l'avenir, j'espère que tu penseras à m'informer ?

— J'ai cru… que je pourrais revenir dans la journée, avoua-t-il dans un soupir.

— Mais tu n'as pas pu. Et j'étais très inquiète.

— Vraiment, ma chère ? Personne ne s'était encore jamais inquiété pour moi.

— Xanthia s'inquiète, répliqua-t-elle d'un ton ferme.

Soudain il s'agita, retira sa main et se dressa.

— En parlant de ma sœur, il y a des documents dans ma poche, dit-il en désignant son manteau sur une chaise. Veux-tu me les passer ?

— Non, répondit-elle après une hésitation. Pas tant que nous n'aurons pas parlé de ta maladie.

— Camille, fais ce que je te demande, s'il te plaît. Ensuite… nous verrons.

Camille se leva à contrecœur, et le chien la suivit, faisant claquer ses petites griffes sur le parquet. Elle prit les documents et les ramena vers le lit, en se demandant si elle n'aurait pas mieux fait de refuser. Mais elle avait des questions à poser, et pour une fois il semblait enclin à répondre. Ensuite, il faudrait soulever le problème de faire appel au médecin. Mais elle se promit que ce serait réglé rapidement.

Elle lui tendit les papiers et se percha au bord du lit.

— Il fallait avant tout que j'en discute avec Gareth, dit-il en lui passant plusieurs feuillets. Ceci est une cession de ma part de la Neville Shipping. Et cela, un acte de propriété de cette maison. Il faut encore que Xanthia signe ce dernier. Gareth sera ton administrateur.

Elle le regarda, éberluée.

— Je… je ne comprends pas.

— C'est à toi, maintenant, expliqua-t-il. Prends ces documents.

— Pourquoi ? Je ne comprends pas, Kieran. Je suis ta femme.

— Camille, je veux que ces choses soient à ton nom. Le reste de ce que je possède doit revenir à mon fils… et si je n'ai pas de fils, ce sera un lointain parent, dont j'ignore même le nom, qui en héritera.

— Oui, je comprends. C'est la loi anglaise.

Il lui prit la main, et continua :

— Si le pire devait arriver, je veux que ces choses-là soient bien distinctes de la baronnie. Cette maison est la tienne, et mes parts de la Neville Shipping t'appartiennent.

— Mais je n'en veux pas !

— Camille, écoute. Si je meurs sans héritier…

— Non, coupa-t-elle en lui rendant les papiers. Tu m'as épousée pour avoir un enfant.

— Les choses ne marchent pas toujours comme on l'espère.

Camille sentit des larmes lui piquer les yeux.

— Nous allons avoir un enfant, dit-elle en posant une main sur son ventre. Tôt ou tard, nous en aurons un. Je le sais.

— Camille, et si je meurs avant ? chuchota-t-il.

Jusqu'ici, elle avait refusé d'envisager cette éventualité. Mais elle réfléchit. Kieran essayait de la protéger. Pourquoi avait-elle l'impression qu'il lui transperçait le cœur ?

— Si tu avais eu un père digne de ce nom, il aurait exigé un contrat de mariage pour te préserver en cas de malheur, enchaîna-t-il. Mais si je meurs, tu n'auras que les cinquante mille livres de ton grand-père.

— C'est beaucoup d'argent.

— Ce n'est pas suffisant, Camille. Tu pourras aider Xanthia à diriger la société, si tu veux. Gareth te conseillera. Et je veux que tu...

— *Très bien,* dit-elle en saisissant la liasse de documents. Voilà, je les ai pris. Maintenant, vas-tu répondre à mes questions ?

Le regard de Rothewell s'assombrit.

— Je suis malade, Camille. Cela dure depuis des mois. Il n'y a rien d'autre à dire.

Camille reposa les documents et se pencha au-dessus du lit, plaçant une main sur la joue de son mari.

— De quelle nature est cette maladie, *mon cœur* ? Pourquoi n'avons-nous pas fait venir le médecin ?

— Dieu veut peut-être me punir, répondit-il d'une voix âpre. Quoi qu'il en soit, il n'y a rien à faire, ma chérie.

— Rien à faire ? Tu ne veux même pas essayer de te soigner ? Mon Dieu, Kieran, c'est de la folie ! Pourquoi es-tu si dur envers toi-même ? Qu'y a-t-il donc, que tu ne veux pas me dire ?

Le visage de Rothewell se ferma, et il secoua la tête. Camille crispa les doigts sur sa chemise.

— Un homme comme toi, Kieran... Tu cèdes au désespoir ? *Pour l'amour de Dieu !* Tu es plus fort que ça ! Sois honnête avec toi-même.

— Camille, dit-il d'un ton plat. Nous faisons tous des choix dans la vie, et nous devons vivre avec. Quant à l'honnêteté... l'es-tu, toi, honnête ?

— Je vois la vie telle qu'elle est, déclara-t-elle en se redressant. Mais je ne me laisse pas décourager.

— Et la lettre de ton grand-père ?

— Oui ? Quoi ?

— Je l'ai lue de bout en bout. Et je ne comprends pas pourquoi tu n'es pas plus en colère.

— Contre mon grand-père ? Bah ! Ce serait une perte de temps.

— Non, contre ta mère, qui t'a caché cette lettre. As-tu bien lu, Camille ? Cet homme lui proposait de te prendre chez lui, de t'élever. De t'éloigner de ce père que tu haïssais, et de t'arracher à une vie de pauvreté. Il voulait t'offrir tous les luxes de l'existence.

Camille détourna les yeux.

— Ma mère ne voulait pas me perdre. J'étais tout ce qu'elle avait. C'est ainsi que je vois les choses.

— Admettons. Disons qu'elle a été simplement égoïste. Mais alors, pourquoi ne t'a-t-elle pas confié cette lettre sur son lit de mort ? Combien de temps t'a-t-il fallu pour la trouver ? Six semaines ? Six mois ?

— Un peu plus, avoua Camille en baissant la tête.

— Et le temps passait. Il ne te restait plus que quelques semaines pour trouver un mari, quand tu m'as rencontré. Et maintenant, tu as un malade sur les bras ! Pourquoi n'es-tu pas en colère, Camille ?

La jeune femme croisa les mains sur ses genoux.

— Je sais que ma mère était égoïste, Kieran. Elle m'a blessée souvent, et je lui en veux un peu. Mais sur son lit de mort elle ne se souvenait plus de cette lettre.

— Comment est-ce possible ?

— Ma mère était devenue… quel est le mot exact ? une ivrogne ? J'ai passé les trois dernières années de sa vie à la regarder se tuer lentement, parce que sa beauté s'était envolée et que Valigny l'avait abandonnée. *Maman* ne se rappelait même plus son propre nom, et encore moins celui de son père. À la fin… elle ne me reconnaissait plus.

Il garda le silence un moment, abasourdi.

— Je suis désolé, Camille, dit-il enfin en lui prenant la main. J'aurais dû me taire.

Camille haussa les épaules.

— Je ne sais pas si nous partageons une vie commune ou pas, Kieran. Je souffre quand tu es froid, quand tu passes la nuit dehors et que je ne sais pas où tu es. Je souffre quand je te vois t'empoisonner avec l'alcool, et…

— Camille, je t'ai dit lorsque nous nous sommes mariés…

— Je sais ! Mais c'est fini, cette parodie de mariage ! Tu m'entends ? C'est fini. J'ai… j'ai besoin de toi, maintenant. Notre enfant aura besoin de toi.

— Peut-être que si tu…

Elle secoua vigoureusement la tête.

— Je ne veux plus perdre mon temps au chevet d'un malade qui a fait son propre malheur, chuchota-t-elle, les yeux brouillés de larmes. Je trouve cela injuste, Kieran.

Elle était en colère, et il devait bien reconnaître qu'elle avait raison.

— Camille, je suis comme ça. C'est cet homme-là que tu as épousé. J'ai été clair sur ce point dès le début.

— *Menteur !* cria-t-elle en se levant d'un bond. Oh, je sais ce que tu as dit, et si tu étais vraiment l'homme que je croyais, peut-être que ça me serait égal. Mais tu n'es pas heureux de la vie que tu mènes, Kieran. Tu rentres chez toi, aussi malheureux que lorsque tu es sorti. Tu ne manges presque pas. Tu ne dors pas. Tu mènes une vie de lâche.

— De *lâche* ?

— Tu ne veux pas te battre. Ni contre tes démons ni contre ta maladie. Tu as promis de me donner un enfant… j'aurai besoin de toi pour m'aider à l'élever, Kieran. Et toi, tu veux mourir !

Le mot « lâche » résonnait aux oreilles de Kieran.

— Je vois, dit-il. Je vois de quoi il s'agit.

Camille croisa les bras et lui tourna le dos.

— Tu m'as promis. Et tu ne pourras pas tenir ta promesse si tu meurs. *Sacrebleu,* Kieran… crois-tu que je vais te laisser mourir comme ça ?

— Je crains que nous n'ayons pas réellement le choix, ma chère. C'est Dieu qui prend ce genre de décision.

— Non ! Dieu nous a donné un esprit pour que nous puissions utiliser notre raison.

Elle fouilla dans sa poche, cherchant visiblement un mouchoir.

— Dans le premier tiroir de la commode, dit-il d'un ton radouci. Sers-toi.

Elle le remercia, et alla ouvrir le tiroir en reniflant.

Rothewell serra les poings. Il était furieux contre le destin, et contre lui-même. Tout ce qu'avait dit Camille était vrai.

Elle revint vers lui, et il lui tendit les bras.

— Je suis désolé, Camille. Pouvons-nous oublier tout ça, au moins pour ce soir ? Viens.

Elle se lova dans ses bras et pressa la joue contre sa chemise, nouant les mains sur sa nuque.

— Oh, Kieran !

Rothewell ferma les yeux et inspira profondément le parfum de rose et d'épices qui émanait de Camille. C'était *elle.* Et il l'aimait. Il avait fini par l'admettre. Il éprouvait pour elle un amour profond, doux-amer, qu'il n'aurait jamais pu imaginer avant de la connaître, et qui l'accompagnerait jusqu'à la tombe.

Alors, puisqu'il l'aimait autant, quel mal y aurait-il à lui faire plaisir ? Il n'avait plus rien à lui cacher à présent, et il n'était plus possible de maintenir une distance entre eux. Toutes ses pensées allaient vers elle. En outre, il n'avait pas honte d'avouer qu'il avait peur de ce qui l'attendait. Et qu'il avait besoin d'elle à ses côtés.

— Demain matin, appelle le médecin, si cela peut te rassurer.

— Demain ?

— Camille, une nuit n'a pas d'importance. Je me sens mieux. Je t'assure. Reste simplement avec moi ce soir. Dors ici. S'il te plaît.

— *Très bien,* dit-elle en se tamponnant les yeux. Mais je ne sais pas quel médecin appeler. Trammel connaît-il quelqu'un ?

Rothewell contempla le feu qui ronflait dans l'âtre.

— Il y a un médecin de Harley Street, murmura-t-il. Le Dr Redding. Je dirai à Trammel de le faire appeler.

Elle s'écarta, scrutant ses traits.

— Tu le connais. Tu l'as déjà consulté ?

— Quelques jours avant de te rencontrer, admit-il.

— *Je vois*. Et… qu'a-t-il dit ?

Rothewell eut un sourire sans joie.

— Que je bois trop, et que je fume trop. Et que j'ai trop attendu. J'ai probablement un cancer de l'estomac… ou une maladie du foie. Et comme je vomis du sang… il pense que la maladie est très avancée.

— Et quel est… le traitement ?

— Camille, dit-il d'un ton de doux reproche en lui prenant le visage. Il n'y a pas de traitement. Le médecin peut seulement soulager la douleur quand elle devient intolérable.

Elle secoua la tête.

— Non. Ce n'est pas possible. La maladie disparaîtra peut-être, si tu fais attention. Les médecins se trompent souvent.

Rothewell ferma les yeux. Il avait désespérément envie d'y croire. Il aurait dû changer ses habitudes, dès l'instant où il était sorti du cabinet de Redding. Mais il ne s'était pas donné cette peine. C'était le sort auquel il s'attendait, en réalité.

Camille sembla lire dans ses pensées.

— Tu… tu l'as tout simplement accepté, n'est-ce pas ? Tu as pensé que c'était la volonté de Dieu. Ce que tu méritais.

— Cette idée m'a traversé l'esprit, Camille, reconnut-il. À vrai dire, je ne pensais même pas vivre aussi longtemps. J'ai compris que j'avais atteint le point final. Maintenant, je vais revoir Luke, quelque part là-haut. J'aurai enfin une chance.

— Une chance de quoi faire ? s'enquit Camille en fronçant les sourcils.

Rothewell haussa faiblement les épaules.

— Je… je ne sais pas. De lui demander pardon.

— C'est peut-être lui qui devrait te demander pardon ? suggéra-t-elle. Il t'a pris la femme que tu aimais.

Rothewell pencha la tête de côté, et l'observa.

— Il pensait que j'avais fait du tort à Anne-Marie.

— Oui, peut-être. Mais la seule solution qu'il a trouvée, c'est de l'épouser, lui. Il ne t'a pas laissé l'opportunité d'arranger la situation.

— Que veux-tu dire ?

— Il aurait pu te proposer de l'épouser, au lieu de le faire lui-même.

Rothewell baissa les yeux.

— J'ignore si j'aurais accepté. Même à cette époque, je connaissais la différence entre une dangereuse obsession et un véritable amour.

Camille chercha son regard.

— Et tu te reproches la liaison qui a suivi, fit-elle remarquer. C'était mal, oui. Très mal. Cependant, il a épousé Anne-Marie, tout en sachant que c'était toi qui lui plaisais.

— Oui, cette histoire d'adultère hanterait n'importe qui, n'est-ce pas ? Mais ce n'était pas assez. Pour en faire une vraie tragédie, il a fallu qu'ils connaissent une mort terrible. Une mort dont je suis responsable.

Elle attendit un instant qu'il continue. Comme il gardait le silence, elle s'enquit doucement :

— Mais tu n'as tué personne ?

— Non. Ils sont morts brûlés vifs, pendant une révolte des esclaves. Mais j'étais responsable. Aussi sûrement que si j'avais allumé le feu moi-même.

— Pourquoi dis-tu cela ? Ce n'est pas possible.

Il détourna de nouveau les yeux.

— Le soir de leur mort, je devais assister à un dîner. C'était le dimanche de Pâques, et les planteurs de la paroisse se rassemblaient pour discuter des mouvements de révolte chez les esclaves. Mais j'étais ivre…

— *Oui ?* fit Camille. Continue.

Rothewell hésita brièvement.

— Quand Luke s'aperçut que j'avais encore bu, il devint fou de rage. Il dit que, puisque j'étais incapable d'y aller, il irait à ma place. Il ordonna à Anne-Marie de l'accompagner. Mais, au milieu du dîner, on vint les avertir que les esclaves s'étaient révoltés à St. Philip.

Camille poussa un gémissement d'angoisse et porta une main à ses lèvres.

— Les champs et les maisons furent incendiés, poursuivit Rothewell dans un chuchotement. Luke décida de rentrer, mais quelqu'un avait mis le feu à nos champs de canne à sucre. Des deux côtés de la route. Celle-ci était étroite et sinueuse. Impossible de faire demi-tour. Ils furent pris au piège.

— *Mon Dieu.*

Depuis l'enquête, Rothewell n'avait parlé de la tragédie qu'une seule fois… à Martinique. Et il ressentait la même chose aujourd'hui qu'à ce moment-là. Il était glacé d'effroi.

— On est venu me chercher aux alentours de minuit. Luke était encore vivant, mais Anne-Marie… Il était trop tard. Les chevaux… il fallut les abattre. Mais Luke… on ne pouvait pas l'abattre comme un animal, n'est-ce pas ?

Sa voix se brisa, et il se rendit compte que des larmes lui piquaient les paupières.

— Il nous suppliait... il me suppliait d'abréger ses souffrances. Grâce au Ciel, il... il n'a pas survécu longtemps.

Camille lui caressa les bras, puis entrelaça ses doigts aux siens.

— C'est une horrible tragédie. Et tu sais que tu n'en es pas responsable. Mais tu souffres. Je le comprends.

Rothewell eut un rire dur et amer, et laissa retomber sa tête contre le montant du lit.

— Quelle ironie ! Luke était notre chevalier en armure. Il secourait les gens. Et je l'ai remercié en couchant avec sa femme et en m'imbibant d'alcool. Anne-Marie admirait Luke, comme tout le monde. Mais elle était attirée vers moi... comme un papillon est attiré par les flammes. Et à la fin, elle s'est brûlée.

— Kieran... ce n'est pas ainsi que ça s'est passé.

— Non ? C'est pourtant l'impression que j'ai. J'aurais dû me trouver dans cette voiture. C'était peut-être moi qu'on voulait tuer ? Dieu sait que j'avais des ennemis.

— C'était simplement une foule enragée, murmura-t-elle en lui effleurant la joue. Ils ont agi au hasard, sans rime ni raison. Et tu ne répareras rien en te laissant mourir.

Elle se pressa davantage contre lui, la tête sur son épaule.

— Kieran, *mon cœur.* Tu as porté cette peine trop longtemps. Mais il peut y avoir un avenir pour toi. Pour *nous*.

Il posa une main sur le dos de Camille et y traça de petits cercles, lentement. Elle ne paraissait pas trop choquée par ce qu'il venait de lui raconter. Et elle avait raison : la foule était enragée ce soir-là. Malgré tout, c'est lui qui aurait dû se trouver dans cette voiture. Il avait passé dix ans à essayer de réparer sa faute. Mais, maintenant, il fallait peut-être penser aux autres ? À moins qu'il ne soit trop tard…

Camille ne lui demandait pas seulement de se soigner. Elle voulait aussi qu'il espère… qu'il ait confiance en l'avenir. En eux. En lui.

Il pencha la tête et lui embrassa la tempe.

— Fais venir le médecin demain matin, Camille. Si c'est toujours ce que tu souhaites. Et si Redding dit qu'il y a quelque chose à faire, je… je le ferai.

14

Le Dr Hislop entre en scène

Le lendemain matin, dès l'aube, Camille envoya Trammel chercher le Dr Redding dans son cabinet de Harley Street. Kieran, vêtu de sa robe de chambre, faisait les cent pas pour essayer d'oublier la douleur qui avait réapparu dans la nuit. Mais quand Trammel revint, une heure plus tard, il était seul.

Camille posa le porridge qu'elle essayait de faire avaler à son mari, et sortit dans la galerie pour échanger quelques mots avec le majordome.

— Le médecin était absent, madame. Il a passé la nuit à Marylebone, au chevet d'un patient.

— *Zut !* Trammel, il nous faut trouver quelqu'un d'autre, pendant que monsieur est encore disposé à se laisser soigner.

— J'ai ramené quelqu'un, madame, dit Trammel d'un air hésitant. Un médecin qui a son cabinet un peu plus loin, dans la rue. Le Dr Hislop… C'est un médecin militaire, qui a exercé en Inde. Un peu rude aux entournures, mais je me suis dit que ce serait mieux que rien.

— Oui, certainement, Trammel. Faites-le entrer tout de suite.

Le Dr Hislop gravit l'escalier en prenant son temps, et en soufflant, mais il finit par y parvenir, une énorme sacoche de cuir à la main. Camille comprit les réserves du majordome. Le médecin était un gros homme d'âge indéterminé, qui semblait avoir dormi tout habillé. Ses cheveux blancs étaient ébouriffés, et le bas de son pantalon avait probablement été grignoté par les rats.

— Eh bien, où est notre patient ? lança-t-il gaiement. Il vaut mieux que j'arrive avant le fossoyeur, c'est ce que je leur dis toujours.

Déconcertée, Camille le fit entrer un peu à contrecœur. Le Dr Hislop posa sa vieille sacoche défoncée, serra la main de Rothewell, et lui demanda de s'asseoir au bord du lit.

— Problème de ventre, hein ? dit-il en ouvrant sa sacoche, dont une boucle était cassée. Rien de plus pénible, je le dis toujours. La douleur est aiguë, n'est-ce pas ?

— Parfois, oui, admit Kieran en grimaçant.

Tout en fredonnant tout bas, Hislop sortit de sa sacoche un certain nombre d'instruments raisonnablement propres. À une ou deux reprises, il jeta un coup d'œil à Camille, comme s'il espérait qu'elle allait s'éclipser. Mais celle-ci croisa les bras et attendit, Chin-Chin couché à ses pieds.

— Je pense que ma femme et le chien ont l'intention de rester, Hislop, annonça Rothewell. Le majordome aussi, sans doute.

Avec un petit reniflement hautain, Trammel se retira et ferma la porte derrière lui.

Le médecin sortit un tube en bois de son sac, et Chin-Chin bondit sur ses petites pattes, grognant d'un air féroce. Hislop le regarda en riant.

— Un bien petit chien, pour s'attaquer à moi ! Il a un nom ?

— Jim, dit Kieran.

— Chin-Chin, rectifia aussitôt Camille.

Le médecin les regarda tour à tour, et sourit.

— Ah, des jeunes mariés !

— Pourquoi dites-vous cela ? s'enquit Kieran en haussant les sourcils.

— Si vous étiez marié depuis longtemps, monsieur le baron, vous sauriez que le nom du chien est Chin-Chin. Vous apprendrez qu'une épouse a toujours raison. Maintenant, ôtez votre chemise et allongez-vous, je vous prie.

Rothewell regrettait déjà la promesse qu'il avait faite à Camille, et il n'était pas sûr du tout des compétences du Dr Hislop. Il s'allongea tout de même, avec un regard abattu.

Hislop passa un quart d'heure à l'ausculter.

— Avez-vous mal quand je fais ceci ? Non ? Et cela ?

Une douleur fulgurante déchira le ventre de Rothewell.

— L'examen est terminé, décréta-t-il en s'asseyant brusquement sur le lit.

Hislop sourit, prit tranquillement le tube de bois, et obligea Rothewell à se rallonger. Il pressa le tube contre la poitrine du malade et colla son oreille à l'autre extrémité.

— Ah, le cœur est bon ! annonça-t-il en se redressant. Vous pouvez vous rhabiller.

Rothewell ne se le fit pas dire deux fois. Camille s'approcha, hésitante.

— Qu'en pensez-vous, docteur ? Est-ce… un cancer, comme le croit le Dr Redding ? Est-ce que ça peut être fatal ?

— Oh, un cancer est souvent fatal ! répondit Hislop avec sa gaieté habituelle. Mais en est-ce un ? Difficile à dire. Les symptômes sont là, c'est certain.

Les épaules de Camille s'affaissèrent. Hislop s'assit dans un des fauteuils, près de la cheminée.

— En fait, reprit-il, ces symptômes peuvent avoir une centaine de causes différentes. Mais… peut-être, monsieur le baron... êtes-vous en train de vous tuer à petit feu avec l'alcool.

— L'alcool ? répéta Rothewell en passant la main sur sa joue ombrée de barbe. Cela m'étonnerait. J'essaye depuis des années, sans résultat.

Le Dr Hislop haussa les épaules.

— Depuis combien de temps n'avez-vous pas passé une journée sans cognac ?

— Quelques semaines, répliqua Rothewell après une seconde d'hésitation. J'avais besoin d'avoir les idées claires pendant un jour ou deux.

Une quinzaine de jours avant le mariage de Xanthia, il avait complètement cessé de boire. Il voulait être sobre pour pouvoir juger le futur mari de sa sœur. Et il s'était arrêté de nouveau deux jours avant le dîner que Xanthia avait donné. Une fois encore pour avoir l'esprit clair.

Le médecin se renversa contre le dossier du fauteuil.

— Et quand vous arrêtez, avez-vous des hallucinations ? Le delirium tremens ?

— Certainement pas, répondit Rothewell, offensé par la suggestion.

Le delirium tremens n'atteignait que les sots, les hommes qui n'étaient pas taillés pour la boisson !

— Quoi qu'il en soit, il est certain que vous buvez trop, enchaîna Hislop. Il faudra arrêter. Du moins quelque temps.

— Est-ce que ça suffira pour guérir ? questionna Rothewell, reprenant espoir.

— Difficile à dire. Je peux seulement faire quelques suppositions, après cet examen superficiel.

— Très bien. Dites-moi donc ce que vous pensez.

Le médecin haussa les épaules.

— Il y a une gastrite aiguë. Mais derrière cela peut se cacher une ulcération du duodénum.

— Est-ce qu'on peut en mourir ?

— Oh, Seigneur oui ! Très souvent.

Hislop avait apparemment décidé de ne pas mâcher ses mots.

— Cependant, comme vous n'avez pas de fièvre, je pense que ce n'est pas le cas. Néanmoins, il est possible que quelque chose ait provoqué des perforations dans votre intestin, ou votre estomac.

— Et… quelle peut être la cause de cette ulcération, monsieur ? demanda Camille.

— La boisson, le tabac, la nervosité, madame. Et ce n'est pas un problème dont on guérit facilement.

— Très bien, fit Rothewell en hochant la tête. Et si ce n'est pas une ulcération ?

— Eh bien… comme l'a suggéré le Dr Redding, un cancer du foie… ou de l'estomac. Les deux sont vraisemblables.

— Un cancer… répéta Rothewell.

Un frisson glacé l'engourdit, s'enroula autour de son cœur, alourdissant ses membres et faisant résonner un vague grondement dans ses oreilles. Seigneur. Il était à la fleur de l'âge… et amoureux pour la première fois de sa vie. Il avait toutes les raisons de vouloir vivre. Une femme, un foyer. Une sœur, et une famille. Et même cette espèce de boule de poils ressemblant à un chien, à laquelle il commençait d'être diablement attaché. Rothewell voulait vivre. Aimer sa femme, l'enfant que peut-être elle portait. Des choses si simples.

Il s'éclaircit la gorge.

— Merci pour votre franchise, docteur. Voyez-vous d'autres maladies possibles ?

Le Dr Hislop leva les mains.

— Oh, diable ! Vous avez un ulcère, je parierais mon meilleur attelage là-dessus. Il y a plus de quarante ans que j'exerce ce métier, voyez-vous. Vous buvez trop. Vous fumez trop. Vous ne dormez pas…

et Dieu seul sait ce que vous avez mangé… ou ce qui *vous* mange.

Camille poussa un soupir.

— Vous pensez que c'est tout ? s'enquit Rothewell, plein d'espoir.

Hislop fronça ses gros sourcils gris.

— Mais ce n'est pas une bonne nouvelle ! Ce n'est pas un cancer, mais ça peut aussi bien vous tuer, et plus rapidement par-dessus le marché ! Il faut guérir votre estomac, et ça ne sera pas facile.

— *Mon Dieu,* dites-nous ce qu'il faut faire, murmura Camille en se penchant en avant, les doigts crispés sur les accoudoirs de son fauteuil.

Le médecin fouilla dans sa poche, en sortit un papier et un crayon, et se mit à écrire. Rothewell se détendit un peu. Hislop semblait avoir du bon sens, et il n'hésitait pas à dire la vérité.

Le médecin brandit la liste qu'il venait de coucher sur le papier.

— Voilà ce que vous êtes autorisé à manger, annonça-t-il. Il faudra suivre ces conseils à la lettre ! Pommes de terre et navets bouillis. Du riz. Du jus de bœuf…

— Du jus de bœuf ? Quel bien voulez-vous que ça me fasse ?

— Du poulet bouilli, continua le médecin, imperturbable. Des œufs pochés… et peut-être une tranche de pain, mais pas de beurre.

— Seigneur !

— Oh, et de l'eau gazeuse, ajouta joyeusement Hislop en griffonnant sur sa liste. Cela soulagera la douleur. Pas d'autre liquide… même pas de vin mélangé à l'eau. Ce sera votre régime pendant les six prochaines semaines.

— Six semaines !

— Oui, et vous passerez la première au lit. Repos total ! La semaine suivante, vous resterez confortablement à la maison. Ensuite, et seulement ensuite, vous pourrez prendre un peu d'exercice. À la fin des six semaines, vous serez vivant et guéri... ou mort.

— Mort de faim et d'ennui, probablement.

Hislop ignora le sarcasme.

— Si vous êtes toujours vivant au bout de six semaines, enchaîna-t-il, et que la douleur et les saignements ont disparu, nous pourrons avancer que ce n'est pas un cancer. En revanche, si vous continuez de boire, de fumer, et de mener vos activités obscures et diaboliques, et que cet ulcère vous ronge les entrailles... vous regretterez peut-être de ne pas avoir un cancer.

— Il suivra vos recommandations, déclara Camille en prenant la liste. J'y veillerai.

— Vous voulez m'affamer, hein? dit Rothewell d'un air lugubre. Et me priver de cognac. Bon sang, docteur, c'est une bien triste façon de passer de l'autre côté!

— Continuez comme ça, mon vieux, et vous prierez bientôt pour que la mort vienne vous prendre. Et je ne pourrai plus rien pour vous, aussi ayez la bonté de ne pas m'appeler. Je déteste voir de beaux jeunes gaillards agoniser, surtout lorsqu'un peu de modération aurait suffi à éviter le désastre.

Hislop prit sa sacoche, et ajouta:

— Cela fera dix livres et six pence pour la visite, monsieur. Puis-je vous demander de me régler mes honoraires maintenant?

— Dix livres et six pence? s'exclama Rothewell. Vous êtes pire qu'un voleur de grand chemin!

— Oui, mais je me suis aperçu que mes conseils avaient plus de poids si je prenais des honoraires exorbitants. Et je préfère que les malades gravement atteints me payent tout de suite. Après tout, on ne sait jamais.

Rothewell battit des paupières, déconcerté.

— Mais… vous avez dit qu'avec ce régime…

Le médecin éclata de rire, et donna un coup de coude à Camille.

— Je voulais juste vous faire comprendre, monsieur ! Six semaines… et ne trichez pas !

Camille raccompagna le médecin jusqu'à la porte d'entrée, et le remercia.

— Ne me remerciez pas, madame. Ce ne sera pas facile. Je connais bien ce genre d'hommes.

— C'est possible, admit-elle. Mais vous ne me connaissez pas, moi.

Hislop sourit. Alors qu'il prenait congé, un élégant attelage s'immobilisa devant la maison, et M. Kemble en descendit, chargé d'un gros sac de toile. Il fit un signe de tête au médecin, qui souleva son chapeau pour le saluer et s'éloigna rapidement.

— Quelle horreur ! s'exclama Kemble en se penchant vers Camille. Qui était-ce ?

— C'est une longue histoire. Je crains que mon mari ne soit gravement malade.

— Puis-je entrer ? s'enquit-il d'un air grave.

Il déposa le sac de toile sur les dalles du hall, et Camille aperçut à l'intérieur un objet d'argent et de verre.

— La coupe dont je vous ai parlé, expliqua-t-il. Mais où est Rothewell ? Qu'a-t-il fait encore ?

— Encore ? répéta Camille.

— Oh, il est attiré par la mort, ce garçon. Mais j'espère que vous pourrez le débarrasser de ses idées noires.

Kemble se dirigea vers l'escalier, comme s'il connaissait parfaitement le chemin.

— Franchement, la vie que cet homme a menée jusqu'à présent est effroyable ! Je ne vous donnerai pas de détails, mais… il ne pourra pas dire que je ne l'ai pas mis en garde.

— Vraiment ?

— Seigneur, oui. Il y a à peine six mois, dans cette maison. Nous nous sommes querellés, mais Rothewell ne se laisse pas facilement convaincre.

— Ah non ? Je ne l'avais pas remarqué, commenta sèchement Camille en se dirigeant vers la porte de la chambre. *Mon cœur ?* Tu as une visite.

Kieran leva la tête des oreillers.

— Mon Dieu ! C'est vous ?

— Oui, c'est moi, répondit Kemble, guilleret. Contenez donc votre enthousiasme, mon vieux.

Il approcha une chaise du lit, et y prit place.

— Donc, vous disais-je, reprit-il en s'adressant à Camille, je l'avais averti que le Satyr's Club est un lieu pernicieux, qu'il ne devait pas fréquenter. C'est infecté par les maladies – je me garderai bien de préciser lesquelles – et par l'opium. En plus, le pauvre diable passait pratiquement sa vie dans ce tripot diabolique !

Kemble baissa la voix, l'air sombre :

— Je l'avais averti aussi que l'alcool et la fumée nuisent à la beauté. Quelle plus grande tragédie que de perdre ses attraits ?

— Oh, Seigneur ! gémit Rothewell.

Un sourire contraint se dessina sur les lèvres de Kemble.

— Mais si, mon cher Rothewell. Je vous ai dit que vous étiez blafard, que vos yeux étaient injectés de sang, et que vos traits semblaient avoir été taillés à la serpe par un sculpteur ivre.

— Il semble, intervint Camille, que mon mari ait pour habitude de ne pas suivre les bons conseils. Mais je crains, monsieur Kemble, qu'il ne coure le danger de perdre plus que sa beauté. Le Dr Hislop pense qu'il a un ulcère à l'estomac. C'est très dangereux, et Kieran doit se reposer pendant plusieurs semaines.

— Et observer un régime très strict, renchérit Kemble avec un hochement de tête. C'est important.

Il ne faut surtout *rien* consommer de ce qui est servi au Satyr's Club, mon vieux.

À cet instant, un valet entra avec un plateau.

— Je m'excuse, monsieur. Obelienne m'a demandé de vous monter votre petit déjeuner.

— Monsieur ne peut pas manger cela, Randolph, répliqua Camille. Il faut le ramener à la cuisine.

— Vraiment, madame ? Obelienne ne sera pas contente.

Kieran fit signe au valet.

— Déposez le plateau ici, Randolph. Inutile d'inquiéter Obelienne.

Le valet acquiesça, et sortit. Kemble questionna Camille sur le diagnostic du Dr Hislop, tandis que Kieran distribuait le contenu de l'assiette à Chin-Chin.

À la fin, exaspérée, Camille s'exclama :

— *Ça alors !* Ce chien va finir par exploser. Il a grossi, Kieran, et cette nourriture n'est pas bonne pour lui.

— Mais Jim adore ça. À part les harengs épicés et le pain de manioc.

— Jim ? répéta Kemble. Ce n'est pas un nom pour un chien, Rothewell. Et que diable a-t-on fait à ces pauvres harengs ? Leur odeur est insupportable.

— C'est un assaisonnement spécial. Je reconnais qu'Obelienne a la main un peu lourde avec les épices.

— Tu n'as plus le droit d'en manger, décréta Camille en remettant le couvercle sur l'assiette.

— Attendez ! fit Kemble. Le chien ne veut pas de ce pain au manioc, n'est-ce pas ?

— Je viens de vous le dire, rétorqua Kieran.

— Les chiens sont des créatures intelligentes, reprit Kemble en regardant Camille avec insistance. Et le manioc est un poison mortel quand on ne sait pas le préparer. Il vous enflamme les entrailles.

— Mais Obelienne fait très attention. Elle ne m'a même pas laissée y toucher.

Kemble se renfonça dans son siège, les lèvres pincées.

— Depuis combien de temps est-elle à votre service, Rothewell ? A-t-elle une raison de vouloir vous rendre malade ? En dehors de votre épouvantable caractère, bien entendu.

— Oh, balivernes ! Cette femme est le sel de la terre.

— Tout de même ! déclara Kemble en se levant. Je vais rendre une petite visite à Obelienne. Vous permettez, lady Rothewell ?

— Oui. Je dois justement aller la voir, au sujet du régime de Kieran. Je vous accompagne.

Obelienne était en train de raccommoder du linge, devant sa table à ouvrage. Camille lui communiqua rapidement les consignes du médecin, et la cuisinière parut mécontente.

— Personne ne peut survivre avec un tel régime, madame ! protesta-t-elle. Cela manque de piment.

— Justement, Rothewell en a eu un peu trop jusque-là. Et c'est seulement pour six semaines, Obelienne. Maintenant, M. Kemble aimerait vous poser quelques questions sur le manioc, car il n'en a jamais vu. Voulez-vous lui montrer votre placard à épices ?

— Bien sûr.

Obelienne se leva, avec la dignité d'une reine. Kemble rayonnait.

— Oh, merci, madame Trammel ! Je suis un herboriste amateur, voyez-vous. Et cuisinier à mes heures.

Obelienne lui lança un regard empreint de doute.

— Suivez-moi, monsieur, dit-elle en sortant son trousseau de clés de sa poche.

— Le manioc est une telle rareté. Où vous le procurez-vous ?

— Mlle Xanthia en fait venir sous forme de farine, ou bien dans des tonneaux emplis de terre pour conserver l'humidité de la racine.

Elle ouvrit les portes du placard, révélant les tiroirs d'apothicaire. Le tiroir du bas contenait deux racines un peu défraîchies, qu'elle lui présenta.

— Il ne faut jamais manger le manioc cru. La préparation est primordiale pour ôter le poison qu'il contient.

Kemble lui rendit la racine, et demanda :

— Comment sait-on qu'on ne risque rien ?

— S'il est amer, il ne faut pas le manger, expliqua la cuisinière d'un air dédaigneux. Mais il faudrait être fou pour le faire, car le goût est très déplaisant.

Elle se tut et attendit, impassible, la question suivante.

— Eh bien, cela me paraît clair. Je laisserai le manioc aux connaisseurs. Merci de m'avoir éclairé, madame Trammel.

— Obelienne, pourquoi ne montrez-vous pas vos épices à M. Kemble ? demanda gentiment Camille. Votre collection est fascinante.

— Oh, oui ! renchérit Kemble, enthousiaste. Oh, je sens d'ailleurs l'odeur du safran, il me semble. Et du tamarin ?

La cuisinière se radoucit, et ouvrit les innombrables petits tiroirs, comme elle l'avait fait pour Camille.

— La plupart sont ramenées par les navires de Mlle Xanthia, dit-elle. Mais j'en achète certaines sur les marchés.

Elle ouvrit le tiroir qui contenait la racine blanche et fripée que Camille avait déjà vue.

— Celle-ci, par exemple, dit-elle en la déposant dans la main de Kemble. C'est très rare.

Soudain, M. Kemble se figea, tel un chien d'arrêt reniflant une piste.

— C'est du ginseng, n'est-ce pas ? Où l'avez-vous trouvé ?

Obelienne recula légèrement, sur la défensive.

— Au marché de Covent Garden. C'est un Chinois qui le vend. Il s'appelle Ling.

Kemble se tourna vers Camille, les yeux brillants.

— Je fais souvent mes courses à Covent Garden. Je connais un peu M. Ling. Ceci est du ginseng chinois.

— Oui ? fit Camille, dont les joues s'enflammèrent. Obelienne dit que cela augmente la force… euh…

— Cela donne de la vigueur, éluda Kemble avec tact. Et ça coûte une fortune. Avez-vous donné du ginseng cru à lord Rothewell, madame Trammel ?

Obelienne se redressa de toute sa hauteur.

— Oui, naturellement. Pour lui donner de la force. Mon mari dit que Rothewell doit avoir un fils. Il a une femme. Et j'ai du ginseng. Il faut l'aider à être en bonne santé, non ?

Kemble plissa les yeux.

— Vous lui en donnez souvent ? Soyez précise, je vous prie.

La cuisinière sembla effrayée, tout à coup.

— J'en mets un peu dans le manioc. Je le râpe comme le gingembre. Et puis par-ci, par-là.

— Souvent ? insista Camille.

— Mais tous les jours, madame. Depuis le début de l'hiver. Quand nous avons pris le bateau… le maître a été si malade. Mon mari craignait qu'il ne meure en route. Pourquoi me posez-vous ces questions ? M. Ling dit que cette racine peut redonner des forces à lord Rothewell. Est-ce qu'il m'a menti ?

— Le ginseng cru est inoffensif, la plupart du temps, expliqua Kemble en regardant Camille. Mais pris en grande quantité, il peut causer des hémorragies.

Obelienne poussa un cri, et ses clés tombèrent en tintant bruyamment sur le sol de pierre.

— Mon Dieu ! Les saignements ? C'est ma faute ?

— Non. Non, ce n'est pas votre faute, assura-t-il en prenant le bras de la cuisinière pour la ramener vers sa chaise.

— Je l'ai… *empoisonné* ?

— Absolument pas. Lord Rothewell s'est empoisonné lui-même, avec son mode de vie dissolu, et nous le savons tous. Mais le ginseng cru n'était pas indiqué, avec ses saignements. Je vous conseille, ma chère, de laisser tomber M. Ling.

Ils abandonnèrent Obelienne devant une tasse de thé, et demandèrent à Trammel de rester auprès d'elle pour la réconforter. La cuisinière promit d'appliquer à la lettre les consignes du Dr Hislop et de ne plus jamais utiliser les racines magiques de M. Ling.

— Qu'en pensez-vous, monsieur Kemble ? s'enquit Camille en remontant dans la chambre. Obelienne paraît sincère, *n'est-ce pas* ?

— En effet. Si elle avait voulu tuer Rothewell, elle se serait servie du manioc, ou elle aurait acheté de l'arsenic chez l'apothicaire.

Camille n'avait pas envisagé une minute que la cuisinière puisse être coupable. Elle était certes arrivée à La Barbade avec Anne-Marie, mais elle était totalement dévouée à Kieran. Elle avait simplement péché par excès de zèle.

— Comment agit cette racine, exactement ?

Kemble marqua une légère hésitation.

— Je n'ai qu'une vague connaissance de ses propriétés, avoua-t-il. Elle produit une sorte de stimulation, un peu comme du café très fort.

Quelque chose se mit brusquement en place dans la tête de Camille.

— Cela expliquerait ses insomnies, et sa nervosité, chuchota-t-elle. Kieran reste parfois éveillé des nuits entières, et il a les nerfs à vif. Xanthia m'a confié que cela durait depuis des mois.

— Je suppose qu'il y a une relation avec le ginseng, admit Kemble. Normalement, on le prend en infusion. Mais Obelienne l'a saupoudré partout, comme du gingembre. Impossible de savoir ce que Ling lui a conseillé : le pauvre diable n'a qu'une très vague connaissance de l'anglais. Quant à Obelienne, je suppose que sa langue maternelle est le créole ?

— Oui, c'est ce qu'elle m'a dit.

— Eh bien, si le ginseng n'est pas à l'origine des problèmes de Kieran, il a certainement contribué à dégrader son état de santé. Il ne doit plus en consommer.

Assis seul dans son lit, Rothewell songeait à la mort, tout en caressant la tête du chien. Il l'avait frôlée de près, et ce n'était pas fini. Mais Hislop estimait qu'il pouvait prendre le dessus sur la maladie. Il lui avait donné de l'espoir.

Il pria intérieurement pour que le médecin ne se soit pas trompé. Car il avait une vie à vivre… Et il avait fallu que Camille lui ouvre les yeux pour qu'il le comprenne enfin.

Le chien se rapprocha de lui et posa la tête sur sa jambe, en gémissant.

— Oui, je suis inquiet aussi, Jim. Elle est partie depuis un moment maintenant, n'est-ce pas ?

Soudain, le chien dressa les oreilles. Puis Rothewell entendit les pas légers de la jeune femme dans l'escalier. Elle entra, son regard se posa sur lui, et elle sourit avec douceur. Kemble apparut sur ses talons, aussi arrogant qu'à son habitude.

Camille courut vers le lit et embrassa Kieran sur les lèvres.

— *Mon cœur,* tu m'as manqué. Et M. Kemble a une histoire incroyable à te raconter…

15

Retour à Tattersall

Rothewell était nonchalamment allongé dans une chaise longue, dans le jardin d'hiver baigné par le soleil matinal, quand sa femme entra, la mine radieuse. Elle portait une robe de soie jaune qui contrastait magnifiquement avec sa chevelure sombre.

— Bonjour, dit-elle gaiement en déposant le *Times* sur ses genoux. Trammel a apporté ton journal, et un roman de Mme Radcliffe, de chez Hatchard. *Gaston de Blondeville.*

Elle s'installa face à lui dans un confortable canapé, et ramena une jambe sous elle dans une attitude de petite fille. Rothewell s'émerveillait d'avoir obtenu sa main, et il se demandait s'il cesserait un jour de se sentir coupable de la façon dont il s'y était pris. Quand pourrait-il montrer à Camille ce qu'il éprouvait pour elle ? Dès que ce maudit médecin lui aurait lâché la bride !

Il ouvrit le journal et réprima son agacement. À vrai dire, les conseils de Hislop, l'intervention de Kemble et les soins de Camille lui avaient sauvé la vie. Il ne s'était jamais senti aussi bien. Son régime lui réussissait, et il avait définitivement renoncé aux cigares et au cognac. Il se levait à l'aube et se couchait dès la tombée de la nuit, comme un campagnard. Il avait recommencé à manger, et avait un sommeil de bébé. Quant à Obelienne, elle avait enfin surmonté sa terreur à l'idée d'avoir manqué le tuer.

Il fut tiré de ses réflexions par l'entrée d'un valet qui présenta un plateau à Camille.

— Une visite, madame. Le comte de Halburne.

— *Ça alors !* s'exclama Camille en prenant la carte.

Rothewell se redressa imperceptiblement.

— Tu n'es pas obligée de le recevoir, ma chérie. Veux-tu que je le renvoie ?

Elle eut un instant d'hésitation, et il vit sa main trembler.

— Non, finit-elle par dire. Je veux le voir.

Rothewell fut surpris lorsque le comte de Halburne pénétra dans le jardin d'hiver. Sa stature était plus frêle qu'il ne s'y attendait, bien que l'homme n'ait pas encore atteint la soixantaine. Et malgré son allure altière de gentleman, on décelait chez lui une grande lassitude.

— Asseyez-vous, Halburne, suggéra-t-il avec froideur. Mais j'espère pour ma femme que cette visite sera brève.

Le regard de Halburne passa de l'un à l'autre.

— Je crains que ce ne soit pas possible, dit-il posément. Je vous remercie d'accorder un peu de votre temps à un vieil homme, lady Rothewell.

— *Bien sûr,* monsieur. J'espère que votre majordome s'est rétabli de sa chute ?

— À vrai dire, lady Rothewell, cet incident est en partie la cause de ma visite.

Camille eut aussitôt l'air alarmé, et Rothewell lança d'un ton bourru :

— Écoutez, Halburne, c'est très triste, mais ma femme n'a rien fait de...

— Non, non.

Halburne l'arrêta d'un geste de la main, retrouvant tout à coup l'assurance innée de l'aristocrate qu'il était.

— Ce n'est pas ce que je veux dire, Rothewell. Et cette affaire est plus triste que vous ne le pensez.

— Continuez, monsieur, fit Camille avec inquiétude.

Halburne sembla un instant à court de mots.

— Comme je vous l'ai dit, Fothering est âgé, reprit-il gauchement. Il a été au service de mon père et, auparavant, très brièvement à celui de mon grand-père. Quand il vous a vue l'autre jour, lady Rothewell, il a deviné ce que personne au monde ne savait… à l'exception, je pense, du comte de Valigny.

— Quoi ? s'exclama Rothewell. Qu'est-ce que votre majordome peut bien avoir à faire avec ma femme ?

Une expression de trouble passa sur le visage de Halburne.

— C'est que, voyez-vous, lord Rothewell… il a compris que votre femme est *ma fille*.

Un silence de plomb suivit cette déclaration.

— Comment a-t-il pu imaginer une chose pareille ? souffla enfin Camille. Et comment pouvez-vous le croire ?

— Fothering n'a rien imaginé, lady Rothewell. Quand il se fut ressaisi, il savait précisément ce qu'il avait vu. En fait, j'ai moi-même eu des soupçons. Mais il fallait que je sois sûr… Quinze jours ont passé depuis, et je suis encore… bouleversé.

Le visage de Camille s'était vidé de toute couleur.

— Cela n'a pas de sens, Halburne, dit Rothewell avec brusquerie. Vous auriez ignoré que Camille était votre fille ? Sa mère devait le savoir. Elle aurait donc menti ?

Halburne écarta les mains, le regard fixé sur Camille.

— Il est possible que Dorothy ne l'ait pas su elle-même. Ou qu'elle ait voulu se convaincre du contraire.

Camille secoua la tête, les yeux brillants de larmes.

— *Non, c'est impossible.*

— Ma chère enfant, pardonnez-moi. J'avais l'impression que vous n'étiez pas… vraiment attachée au comte de Valigny. Je sais qu'il est bien tard pour réparer le mal qui a été fait. Aussi, vous n'avez qu'à dire un mot et je vous laisserai en paix.

— Non, protesta Camille, une vague lueur d'espoir dans les yeux. Il vaut mieux… connaître la vérité.

Le comte de Halburne prit une pochette de soie dans la poche de sa veste, et en sortit un portrait dans un petit cadre doré.

— C'est votre robe rouge qui a provoqué cette réaction chez Fothering, dit-il. Il a cru voir un fantôme.

Il tendit le portrait à Rothewell. Celui-ci inclina la miniature vers la lumière, et réprima une exclamation de stupeur. La femme du portrait aurait pu être Camille. Sa coiffure et sa robe lie-de-vin étaient d'un style ancien. Mais les yeux… le teint mat… Seigneur.

Il montra le portrait à Camille, qui inspira violemment.

— *Mon Dieu !* Qui est-ce ?

— Ma mère, répliqua doucement Halburne. Elle s'appelait Isabella, et le rouge était sa couleur préférée. Elle était belle, n'est-ce pas ? Fothering était son valet personnel, et il était très attaché à elle.

— Isabella… répéta Camille. Était-elle française ?

— Non, elle était issue d'une grande famille de Cadix. Son père était diplomate. Elle est morte quand j'avais six ans.

Rothewell haussa les sourcils.

— La ressemblance est stupéfiante.

— Et ce n'est rien encore, répondit Halburne avec un rire bref. Gainsborough a peint le portrait de ma mère, peu avant ma naissance. J'aimerais que vous le voyiez. Les similitudes sont saisissantes. La même chevelure noire, descendant en pointe sur le front, les pommettes saillantes, le nez petit et fin. Pas étonnant que ce pauvre Fothering soit tombé à la renverse.

— Mais ma mère... a toujours dit que Valigny était mon père, murmura Camille, incrédule. Je suis née à Paris, presque dix mois après qu'elle a quitté l'Angleterre. J'ai vu des papiers qui l'attestent, une bible...

Toutes preuves qui pouvaient facilement être falsifiées, songea Rothewell.

— Parfois, la nature nous joue des tours, fit remarquer Halburne. Une grossesse de dix mois est concevable.

— Mais pourquoi aurait-elle menti ? Pourquoi m'aurait-elle fait cela ?

Lord Halburne parut légèrement embarrassé.

— Loin de moi l'idée de défendre votre mère, lady Rothewell. Mais nous n'avons été mariés que très peu de temps, et je peux vous affirmer qu'elle n'avait jamais vu les portraits de ma mère. Elle n'avait aucun moyen de savoir que vous lui ressembliez. Fothering, qui a bien connu ma mère, n'a eu aucun doute quand il vous a vue. Cependant... il m'en fallait plus pour me convaincre tout à fait.

— Que voulez-vous dire ? demanda Rothewell, en prenant la main de Camille.

— J'ai envoyé M. White, mon homme d'affaires, faire des recherches en France. Je souhaitais en savoir davantage sur le passé du comte de Valigny.

— Et qu'a-t-il découvert ? questionna Rothewell d'un ton âpre. Encore un paquet de mensonges ?

— Non, la vérité. Valigny était originaire d'un village des Pyrénées. Il fut marié très jeune à la fille d'un riche propriétaire de mines de charbon. Il n'y eut pas de divorce, car le mariage fut rapidement annulé.

— Annulé ? s'étonna Camille. Et pour quelle raison ?

— Le couple n'eut pas d'enfant, expliqua Halburne avec un pâle sourire. Apparemment, à l'âge de dix-sept ans, Valigny avait contracté les oreillons. Ce qui chez certains hommes peut avoir de graves conséquences. Toutefois, il se garda bien de divulguer cette information à la famille de sa riche fiancée. Par chance pour nous, l'Église catholique classe méticuleusement les documents concernant les demandes d'annulation.

— Seigneur ! Il... il ne pouvait pas avoir d'enfant ? s'enquit Rothewell, stupéfait.

Le comte haussa les épaules.

— La fille du riche propriétaire se remaria immédiatement avec un cousin, et mourut en couches peu après. Elle n'était donc pas stérile. Valigny, naturellement, fut largement dédommagé et prié d'oublier ce bref mariage. C'était probablement ce qu'il avait espéré dès le début.

— Mais pourquoi aurait-il menti à *maman* ? chuchota Camille.

Rothewell lui pressa les doigts.

— Je suppose qu'il devait l'aimer à sa façon, murmura-t-il. Au début, il a dû croire que ton grand-père lui pardonnerait et qu'ils pourraient se marier. Il espérait obtenir de l'argent... ou, du moins, que tu en obtiendrais. Sa patience a fini par être récompensée, mais pas autant qu'il l'espérait.

Halburne esquissa un sourire amer.

— Les hommes n'aiment pas admettre qu'ils ne peuvent engendrer, ma chère. C'est une question de fierté masculine. Mais je trouvais étrange que pendant toutes ces années, malgré ses nombreuses aventures, Valigny n'ait jamais eu un enfant d'une de ses maîtresses. Je suis désolé, ma chère... Si j'avais connu votre existence, je vous aurais prise chez moi, comme la loi m'y autorisait, et je vous aurais élevée comme vous le méritiez.

Camille semblait au bord des larmes. Cependant, Rothewell vit qu'elle n'était pas entièrement convaincue.

— Et ma mère ? demanda-t-elle dans un souffle.

Halburne détourna les yeux.

— Je ne pouvais pas lui pardonner. Pas après qu'elle m'eut laissé pour mort, et se fut enfuie en France avec cet homme. Non, je ne l'aurais pas reprise. Mais je n'aurais pas divorcé si j'avais su qu'elle était la mère de mon enfant.

— Mais vous vous êtes remarié ? interrogea Rothewell. Vous avez d'autres enfants ?

Le comte secoua tristement la tête.

— Non, hélas. J'ai uniquement des nièces et des neveux, qui vous accueilleront avec plaisir, je pense.

— Certes, mais cela ne compensera jamais le mal que Valigny a fait à Camille, déclara Rothewell en serrant les poings.

— Oublions la perfidie de Valigny, ma chère, suggéra calmement Halburne. Votre mari veut vous défendre, et c'est admirable. Mais je dirais que le fait de vivre heureux sera notre meilleure vengeance.

— Que voulez-vous dire ? s'enquit Camille.

— Quand vous serez prête, ma chère, j'aimerais que votre mari et vous fassiez partie de ma famille, expliqua-t-il d'une voix tremblante d'émotion. *J'ai un enfant.* Enfin, après toutes ces années de solitude. Et cependant, je ne sais rien sur vous.

Halburne se pencha en avant, et prit les mains de Camille dans les siennes.

— Nous ne pourrons jamais rattraper le temps perdu. J'ignore tout sur la façon dont vous avez vécu et grandi. Mais, lorsque vous aurez vos propres enfants, laissez-moi être un grand-père pour eux. Cela embellirait tellement les dernières années de ma vie…

Les yeux de Camille s'embuèrent. Brusquement, Rothewell se leva.

— Où vas-tu, Kieran ?

— Me promener, mon amour, répliqua-t-il en souriant. Je pense que vous avez besoin d'être seuls, tous les deux. Halburne, j'espère que vous resterez pour dîner. En attendant, vous devriez… je ne sais pas… aller faire un tour en voiture, peut-être ?

Halburne sourit.

— Rien ne me ferait plus plaisir que d'emmener ma fille à Hyde Park. J'imagine déjà les réactions des commères.

Camille eut un petit rire nerveux, mais reprit aussitôt son sérieux pour déclarer :

— Kieran, tu n'es pas encore assez rétabli pour aller te promener.

— Hislop m'a conseillé un peu d'exercice. Rien de plus indiqué qu'une petite promenade dans l'air vif d'automne, il me semble. Je te promets de ne pas me fatiguer.

— Mais où vas-tu ? Tant que tu n'es pas complètement guéri, j'insiste pour savoir ce que tu fais.

— C'est un jour de vente à Tattersall. Je vais rapporter les dernières nouvelles à Nash, et à quelques autres. Autant mettre tout de suite en route la machine à rumeurs !

Laissant Camille et Halburne en tête à tête, il alla mettre ses bottes et son manteau, et prendre sa canne. Il bouillait de colère à la pensée de ce que Valigny avait fait.

Lorsqu'il mit le pied dans la rue, il se sentit étrangement libre, en dépit du regard désapprobateur de Trammel. Valigny n'était plus rien pour eux, à présent. Il fallait que Camille l'oublie, qu'elle reparte sur de nouvelles bases, avec un père qui la chérirait pour ce qu'elle était.

Camille l'avait épousé parce qu'elle n'avait pas le choix, parce qu'elle ne s'était jamais sentie aimée. Maintenant, elle avait un père qui l'aurait aimée toute sa vie si on lui en avait donné la possibilité. Et la fille de lord Halburne ne se serait jamais abaissée à épouser un homme comme Rothewell. Allait-elle regretter maintenant ce qu'elle avait fait ?

À Tattersall, la salle du Jockey Club était presque vide. Lord Nash était à sa table habituelle, entouré de ses amis. Penchés sur un document, ils se querellaient à propos d'une broutille concernant les paris. Quelques gentlemen saluèrent Rothewell, et il leur répondit par un hochement de tête distrait.

Nash l'appela, mais il fit un signe de la main et poursuivit son chemin sans s'arrêter. Parvenu sous le porche qui donnait dans la cour, il repéra sa proie. Appuyé contre la porte, le comte de Valigny racontait une histoire à dormir debout à une bande de jeunes dandys écervelés qui buvaient ses paroles.

— Lord Rothewell ! s'exclama-t-il en se fendant d'un large sourire. Regardez, messieurs, voilà mon *beau-fils*.

— Valigny, dit Rothewell, distant.

Les jeunes dandys s'écartèrent en échangeant des regards embarrassés. La tension entre les deux hommes était palpable.

— Alors, *mon ami,* vous avez abandonné votre charmante épouse ? demanda Valigny en riant. J'espère que vous n'êtes pas venu pour me la rendre ! Après tout, un marché est un marché, que diable !

Un des dandys laissa échapper un ricanement. Un seul regard sombre de Rothewell suffit pour y couper court. Puis, alors qu'il se retournait vers Valigny, le poing de Rothewell, comme doté d'une volonté propre, entra violemment en contact avec le visage du comte. Le geste n'était pas prémédité, mais Rothewell éprouva une intense satisfaction. Le comte écarquilla les yeux, tituba, et tomba à la renverse, heurtant lourdement les pavés de la cour.

Un silence de mort s'abattit dans la salle derrière eux. Rothewell saisit Valigny par le col de sa veste.

— Depuis quand saviez-vous que Camille était la fille de Halburne ? interrogea-t-il, les dents serrées.

Une panique fugitive imprégna les traits de Valigny, mais le gredin se ressaisit rapidement.

— Vous venez de montrer au monde quelle brute vous êtes, Rothewell. Je dois vous demander raison de cet acte.

— C'est cela ! répliqua Rothewell en accompagnant ses paroles d'un nouveau coup. Il faudrait être fou pour se battre avec vous de manière honorable. Je préfère vous tuer sur-le-champ, et de mes mains.

— À l'aide ! cria Valigny, terrifié maintenant. Cet homme a l'esprit dérangé !

Mais la réputation de Valigny l'avait précédé. Les gentlemen lui tournèrent le dos et reprirent leurs conversations comme si de rien n'était. Valigny eut un rire nerveux.

Rothewell le prit à la gorge et serra les doigts sur son cou.

— Répondez, bon sang. Depuis combien de temps le savez-vous ?

Le comte se débattit, en vain. Son poing effleura à peine la tempe de son adversaire.

— Je vous ai posé une question, j'exige une réponse, Valigny.

— Vous n'êtes qu'un rustre des colonies ! lâcha le comte. Vous me prenez pour un imbécile ?

Rothewell vit rouge. Il abattit encore une fois le poing sur Valigny, lui renversant la tête en arrière. Toute la rage contenue dans son cœur depuis des années explosa en un instant, entièrement dirigée contre le comte.

À sa grande satisfaction, Valigny réussit à lui décocher un coup à son tour. C'était justement l'excuse qu'il lui fallait pour s'acharner sur lui.

Il le roua de coups et lui fit mordre la poussière, tandis qu'autour d'eux une demi-douzaine de gentlemen cochaient tranquillement leurs listes de paris, comme si rien d'extraordinaire ne se passait.

Les deux hommes roulèrent sur le sol, puis se relevèrent, et tombèrent encore sur les pavés. Mais le comte était considérablement plus léger que Rothewell, et il n'avait jamais eu à se battre pour survivre. Il fut bientôt à terre, vomissant dans la poussière. Rothewell dut faire appel à tout son sang-froid pour ne pas l'étrangler.

— Tenez-vous tranquille ou je vous tue, marmonna-t-il en levant le poing.

Valigny battit des bras.

— *Assez, assez !* cria-t-il. Pas au visage ! Non, pas au visage !

Rothewell fut sourd à ses supplications. Son poing s'abattit et du sang jaillit du nez du comte, se répandant sur sa chemise.

— Cela, c'était pour moi, marmonna Rothewell. Tout le reste était pour Camille.

Plaquant le visage du comte dans la flaque de sang et de vomissures, il se pencha et lui murmura à l'oreille :

— Maintenant, répondez. Depuis quand saviez-vous que Camille était la fille de Halburne ?

Encore un rire nerveux. Valigny le regarda de côté, comme un cheval affolé.

— J'ai dit qu'elle était à moi ! À quoi aurait pu me servir la fille de Halburne ?

— Lady Halburne vous avait dit que l'enfant était de vous ?

— Oui, admit Valigny avec un haussement d'épaule. Et je n'avais rien à perdre à faire semblant de la croire. Je pouvais même espérer récupérer un peu d'argent, du côté de son père.

— Et donc, pour quarante pièces d'argent, vous avez détruit la vie d'une petite fille, la privant d'un père qui l'aurait aimée ? La vérité, Valigny, c'est que vous seriez incapable d'engendrer un enfant, même si on vous payait pour cela.

Le comte parvint à afficher un air offensé.

— Et pourquoi ? J'en suis fort capable, mais je n'ai jamais été assez fou pour le faire. Non, grâce au Ciel, cette petite harpie n'est pas ma fille.

Rothewell releva Valigny et le traîna sous le porche. Nash se tenait dans l'ombre, avec deux de ses amis.

— Le châtiment est rude, commenta un des deux gentlemen. Mais il est mérité, et depuis longtemps.

Avec un grognement sourd, Rothewell poussa Valigny dans la rue. Le comte tituba, luttant pour conserver son équilibre.

— Vous avez jusqu'à demain midi pour quitter l'Angleterre, Valigny. Si jamais je vous revois ici, la correction que vous venez de subir ne sera rien, en comparaison de ce qui vous arrivera.

— Vous n'avez pas le droit de me traiter ainsi, Rothewell. Ces gentlemen ont vu ce que vous avez fait, ils savent ce que vous êtes. Une brute et un gredin.

Rothewell darda sur lui un regard menaçant.

— Ces gentlemen savent aussi que vous avez tiré sur Halburne au cours d'un duel, alors que vous saviez qu'il était désarmé. Ils sauront bientôt que vous lui avez enlevé son unique enfant. En revanche, ils ne savent *rien* de la correction que vous avez reçue aujourd'hui. Si vous ne me croyez pas, allez chercher un magistrat et essayez de trouver des témoins. Vous verrez bien.

L'espace d'un court instant, Valigny parvint à crâner, se redressant comme un coq sur ses ergots. Puis soudain ses épaules retombèrent. Avec un dernier regard de haine, il cracha aux pieds de Rothewell, et s'enfuit dans la ruelle qui rejoignait Hyde Park.

Rothewell s'aperçut alors que Nash les avait suivis. Les bras croisés, son beau-frère regarda nonchalamment la silhouette de Valigny s'éloigner.

— *Sic transit gloria mundi,* dit-il avec un sourire narquois.

— Et pour les pauvres ignorants qui ne connaissent pas le latin ? demanda Rothewell en arquant les sourcils.

— « Ainsi passe la gloire du monde », traduisit-il. Valigny sera vite oublié.

Rothewell accueillit ces paroles avec un rire.

— Ce n'était pas du mauvais travail pour un malade, fit remarquer Nash. Mais que faites-vous ici, Rothewell ?

— Je prenais un peu d'exercice, répliqua ce dernier en s'essuyant le front du revers de la main.

— Ah oui ?

— C'est ma version. Et c'est ce que vous direz à ma femme, mon vieux.

Nash sourit et lui donna une claque amicale sur les épaules.

— Valigny a raison, vous savez. Vous êtes un gredin.

16

Joyeux anniversaire

— Que t'est-il arrivé ? chuchota Camille ce soir-là, en examinant un léger hématome sur la tempe de Rothewell.

Celui-ci l'attira contre lui et posa la tête près de la sienne, sur l'oreiller.

— Un réverbère, dit-il en soutenant son regard sans ciller. À St. James.

— *Mon Dieu !* s'exclama-t-elle, aussitôt inquiète. Et que faisais-tu à St. James ? Je croyais que tu voulais aller à Hyde Park ?

Il lui caressa la joue du revers de la main.

— Je suis d'abord allé à Hyde Park, puis à St. James. J'avais une course à faire.

— Tu appelles cela un léger exercice ? Heureusement que j'étais encore dans le parc avec… lord Halburne, quand tu es rentré.

— J'espère que tu pourras un jour l'appeler « papa ».

Camille roula sur le dos et contempla le plafond, en soupirant.

— Nous ne serons jamais sûrs, *n'est-ce pas* ?

Kieran se tourna vers elle et l'embrassa légèrement sur les lèvres.

— Je l'ai vu, Camille, annonça-t-il d'un ton sobre. J'ai vu Valigny.

— Où ? À Tattersall ?

— Nous avons eu un bref échange de vues, et Valigny a compris que le jeu était terminé. Oh, il n'a pas avoué qu'il était stérile, d'ailleurs je n'en attendais pas autant. Mais il a reconnu que tu n'étais pas sa fille, et qu'il l'avait toujours su. Ce que Halburne nous a dit aujourd'hui est absolument vrai.

Camille laissa retomber sa tête sur l'oreiller.

— *Mon Dieu !* Il... il l'admet ?

— Il a fallu que j'insiste un peu, naturellement, dit-il en repoussant une mèche sombre sur sa joue. Mais c'est fini, Camille. L'enfer que cet homme t'a fait vivre est derrière toi. À toi maintenant de décider quelle relation tu veux avoir avec Halburne.

Camille émit un long soupir de soulagement.

— *Grâce à Dieu !* Oh, Kieran, je suis tellement soulagée que je ne sais pas si j'ai envie de remercier Valigny, ou de le tuer.

Rothewell n'osa pas lui avouer que cette canaille avait déjà reçu son dû.

— Tu ne pourras faire ni l'un ni l'autre, ma chérie. Valigny repart pour la France dès demain.

— Bah ! Avec les créanciers à ses trousses, il ne reste jamais longtemps au même endroit. Il reviendra.

— Non, pas cette fois, Camille.

La jeune femme le considéra un instant en fronçant les sourcils. Rothewell tenta d'afficher un air innocent, sans trop y réussir.

— Je l'ai persuadé que l'air du Continent serait meilleur pour lui.

Pour le coup, elle parut tout à fait fâchée.

— *Mon Dieu,* Kieran, tu n'es pas encore rétabli ! Qu'as-tu fait ?

— Rien d'extraordinaire, répondit-il en haussant les épaules. Tu n'as qu'à demander à Nash. Il était là.

— Je n'y manquerai pas. Tôt ou tard, je saurai la vérité, et je te dénoncerai au Dr Hislop. Mais, pour le moment, je veux juste savourer ce sentiment de soulagement et… d'espoir.

Elle ferma les yeux, tout à son bonheur. Rothewell passa les doigts dans ses boucles brunes et l'embrassa. Ils avaient fait l'amour à peine une heure auparavant, mais déjà son désir réapparaissait.

— Ma seule ambition est de te rendre heureuse, Camille. Grâce à toi, je trouve que la vie vaut la peine d'être vécue. Je t'aime. Et je serai toujours un mari sincère et fidèle.

— Je le sais. J'ai cru avoir épousé un vaurien, Kieran, mais je n'ai pas tardé à m'apercevoir que tu étais un imposteur.

Il rit et l'enlaça, leurs corps se pressèrent l'un contre l'autre, leurs lèvres s'unirent. Puis Kieran s'écarta pour murmurer :

— J'ai quelque chose pour toi. Attends.

Il se tourna, fouilla dans le tiroir de la table de chevet, et en sortit un coffret de merisier ouvragé, qu'il lui tendit.

— *Ça alors !* Qu'est-ce que c'est ?

— La course que je suis allé faire à St. James. Joyeux anniversaire, mon amour ! Avec un jour d'avance, je sais. Mais je n'ai jamais été très patient, n'est-ce pas ?

Camille eut un rire joyeux.

— *Mon Dieu,* je n'ai pas eu de cadeau d'anniversaire depuis des années !

— Je t'aime, Camille. Tu as changé ma vie… non, tu m'as rendu à la vie. Et chaque année, nous célébrerons ton anniversaire, avec un nouveau présent.

— Pourquoi ? dit-elle doucement. C'est adorable, mais ce n'est pas vraiment nécessaire.

Rothewell eut une légère hésitation, comme s'il cherchait ses mots.

— Parce que c'est ton anniversaire qui nous a rapprochés, Camille. *Cet* anniversaire, précisément. Sans cela… avoue que tu ne m'aurais même pas accordé un regard.

— Je m'étais trompée sur toi. Et ce qui est pire, c'est que tu te trompais aussi sur toi-même depuis très, très longtemps. Mais je t'aime, Kieran.

— Tu m'aimes… vraiment ?

Elle eut l'air rêveur tout à coup.

— Je t'aime depuis le moment où je t'ai vu dans le salon de lady Sharpe… Tu faisais claquer ta cravache contre ta botte avec impatience. J'ai su tout de suite que j'étais destinée à… à tomber amoureuse de toi. Mon cœur a deviné ce que mon esprit était incapable de voir… C'est-à-dire que tu étais un homme bon et honorable, et que je pouvais avoir confiance en toi.

— Camille… Camille, mon amour.

Il lui prit le visage à deux mains et l'embrassa de nouveau, longuement. Puis il se rappela le petit coffret.

— As-tu l'intention d'ouvrir cette boîte ce soir ? Ou bien préfères-tu attendre demain, et ton anniversaire officiel ?

— Non, *mon cœur*. Je ne peux pas attendre.

Elle souleva délicatement le couvercle et poussa une exclamation. Un collier de diamants avec un pendentif de rubis reposait sur un fond de velours blanc.

— Je t'aime follement, Camille. Je suis fier que tu sois ma femme… même si je ne te mérite pas. Et je pense que le rouge est la couleur qu'il te faut.

Il prit le collier. Les diamants scintillèrent dans la lumière. Rothewell le passa autour du cou de la jeune femme et fixa le fermoir.

Le bijou lui allait à merveille.

Épilogue

Chin-Chin est trop gourmand

Lady Rothewell était assise à son bureau, profondément absorbée par l'étude d'un dossier, à tel point qu'elle n'entendit pas la porte s'ouvrir derrière elle.

— Où est ma petite princesse ? chantonna une voix grave sur le seuil.

— Papa ! s'exclama-t-elle en posant son crayon. Quelle bonne surprise !

— Bonjour, ma chérie.

Elle quitta son bureau et alla embrasser lord Halburne.

— Je ne vous attendais pas aujourd'hui. Qu'est-ce qui nous vaut le plaisir de votre visite à Wapping ?

— Ah, ma princesse, bien entendu, dit-il en déposant son manteau sur une chaise. J'ai brusquement eu envie de la voir. Et il ne faut jamais contrarier un vieil homme.

Camille se mit à rire, et l'embrassa de nouveau.

— Isabella est dans la nursery. Voulez-vous une tasse de café ?

— Volontiers, répondit lord Halburne en parcourant la pièce du regard. Savez-vous, mon enfant, que je ne peux pas comprendre cela ? Que vous veniez jusqu'ici pour… pour faire quoi, exactement ?

— Papa ! C'est seulement deux jours par semaine, et parce que je le veux bien.

— Non, non, ma chérie, je ne critique pas, précisa-t-il en lui tapotant affectueusement la main. Je ne comprends peut-être pas ce que vous faites, mais je sais que c'est ce que vous voulez.

— Merci.

Camille sourit, et le regard de son père s'adoucit.

— J'imaginais pour vous une vie tranquille, faite de loisirs agréables. Eh bien, je constate que ce n'est pas du tout ce qu'il vous faut.

— J'ai une vie tranquille cinq jours par semaine, fit remarquer Camille en riant.

— Ce n'est pas vrai. Les autres jours de la semaine, vous les passez à étudier les affreux manuscrits et livres de comptes que le notaire de votre grand-père vous envoie. J'ai vu les documents entassés sur votre bureau, à Berkeley Square.

— Kieran m'aide beaucoup. Nous apprenons ensemble à gérer le patrimoine familial.

Ils passèrent un moment à bavarder tout en buvant le café, et Halburne lui raconta la visite qu'il venait d'effectuer dans son domaine de campagne. Le comte avait passé la plus grande partie de l'année en ville, s'aventurant même une fois ou deux dans la bonne société, sa fille à son bras.

Il venait juste d'aborder le sujet qui lui tenait à cœur, c'est-à-dire l'achat d'un cheval à bascule pour Isabella, quand M. Bakely entra avec le courrier.

— Bien ! déclara le père de Camille en se levant. Bakely a du travail pour vous, je crois. Je vous laisse. La nurse d'Isabella me permettra peut-être de lui lire une autre histoire, aujourd'hui ?

— Elle n'osera jamais vous en empêcher !

Camille se leva et l'embrassa encore une fois. À trois mois, Isabella ne s'intéressait pas encore aux histoires qu'on lui lisait, mais la voix mélodieuse de son grand-père avait sur elle un effet apaisant.

— Viendrez-vous dîner mercredi, comme d'habitude ?

Halburne accepta l'invitation avec joie. Lorsqu'il fut confortablement installé dans la nursery, Camille retourna à ses livres de comptes.

Un instant plus tard, Kieran apparut, un panier d'osier accroché à son bras.

— Des oranges, annonça-t-il en posant le panier sur le bureau. Le *Queen Anne* vient d'arriver, et j'ai pris les plus beaux fruits que j'aie trouvés.

— Kieran, mon amour, dit Camille en allant embrasser tendrement son mari.

— Halburne est passé ? demanda-t-il, avisant le manteau sur le dossier de la chaise.

— Il vient d'arriver de la campagne, et il était impatient de voir Isabella.

— Sa petite princesse. Je pense que toi aussi, quelqu'un devrait te traiter comme une princesse, suggéra-t-il en l'embrassant. Ce soir, peut-être ?

— Oh, oui, mon amour. Mais je ne suis pas une princesse.

Son mari lui effleura la joue du bout des doigts.

— Oh, tu en es une, et tu l'as toujours su.

— De quoi parles-tu ? s'enquit-elle en riant.

— Tu te rappelles l'histoire que tu m'as racontée ? Quand tu imaginais que tu étais une princesse qu'on avait kidnappée ?

— Oui, c'était un rêve d'enfant. Les enfants qui grandissent seuls laissent souvent leur imagination galoper.

— Si tu réfléchis, Camille, ce n'était pas un rêve, mais la réalité. Tu avais vraiment été kidnappée par le méchant comte de Valigny. Il t'avait volée à ton père. Peut-être le savais-tu, au fond de ton cœur ?

— Ah, mais il y a une différence entre le rêve et la réalité, dit-elle en souriant. Ce n'est pas mon père, le roi, qui m'a sauvée, mais un beau prince. Je l'appellerai le Prince noir.

— Et toi, ma chérie, tu es ma Reine noire. C'est ainsi que je t'avais surnommée, au début. Tu étais si belle, si dédaigneuse. J'avais l'impression d'être un pauvre roturier à ton côté.

— Kieran, mon cœur, chaque matin quand je m'éveille auprès de toi, je me sens si heureuse ! J'ai une chance extraordinaire de vous avoir tous les trois, papa, Isabella et toi, alors qu'il y a un an je n'avais rien. Moins que rien.

— C'est nous qui avons de la chance, mon ange. Car tu es le centre de notre univers. Tu nous donnes la chaleur et la lumière.

Camille se détourna en rougissant.

— Ne te mets pas en retard, mon amour. M. Hayden-Worth t'attend pour déjeuner, n'est-ce pas ?

Kieran recouvra aussitôt sa gravité.

— Oui, nous avons rendez-vous avec la Société contre l'esclavage. Whitehall traîne les pieds et continue de négocier avec les gouvernements des colonies. Hayden-Worth estime qu'il est temps d'accélérer le processus, et je suis d'accord avec lui.

Kieran alla se poster devant la fenêtre, observant les quais.

— Lorsque les gens comprendront ce qu'est l'esclavage, lorsqu'ils verront que les horreurs continuent… le Parlement sera bien obligé d'agir. La pression sera trop importante.

Camille alla se placer près de lui. Elle était tellement fière de son mari, et des efforts qu'il avait accomplis.

Ici, en aidant Xanthia à diriger la Neville Shipping. À la maison, dans la gestion des domaines. Et enfin, elle était fière de sa nouvelle association avec

Hayden-Worth, un politicien encore assez jeune et énergique pour penser que le monde pouvait être amélioré, à condition de travailler dur.

— Il faut que je retourne à Westminster, dit-il. Je vais juste passer embrasser Isabella au passage.

— Kieran, attends ! Que dois-je faire de toutes ces oranges ?

— Tu sais, j'avais envie qu'Obelienne nous prépare un de ses merveilleux gâteaux à l'orange, dit-il timidement. Et peut-être qu'Isabella aimera un jus d'orange avec du sucre ?

— Oh, Kieran, elle est beaucoup trop petite ! Ce n'est pas un petit chien, tu sais, pour lui donner des friandises. Et en parlant de friandises, aurais-tu donné un hareng épicé à Chin-Chin, ce matin ?

Kieran posa sur elle un regard vide de toute expression. Elle soupira.

— Oh, ne fais pas l'innocent avec moi. Ces harengs ne sont tout simplement pas digestes ! Et Trammel en a trouvé la preuve sur le tapis.

Kieran l'attira dans ses bras et l'embrassa.

— Ne me gronde pas, ma chérie. Je t'avais prévenue avant de t'épouser.

— Tu m'avais prévenue de quoi ?

— Que j'étais un coquin impénitent.

— Eh bien, Chin-Chin sera heureux de l'apprendre. Il est bien le seul à apprécier tes mauvaises habitudes !

Découvrez les prochaines nouveautés de nos différentes collections J'ai lu pour elle

Le 3 février :

Triomphe et passions ☙ **Patricia Hagan (n°3847)**

Fuir, fuir à tout prix... Échapper à cet homme odieux qui veut la détruire... Marilee court à travers les couloirs du sinistre château, dévale un escalier, s'engouffre dans la première pièce venue. Une pièce sombre, meublée d'un simple lit. L'endroit idéal pour se cacher...
Épuisée, Marilee bascule dans un profond sommeil. Et rêve. Un baiser brûlant, des lèvres qui effleurent les siennes, des caresses lentes, douces qui affolent ses sens à vif, appellent en silence un plaisir encore inconnu. Brutalement le rêve s'estompe, comme si l'homme avait disparu... Elle se dresse sur son lit, se rend compte qu'elle est bel et bien éveillée. Un bruit de pas dans le couloir... Qui est son amant d'une nuit ? Et surtout, comment le retrouver ?

Fièvre à Delhi ☙ **Meredith Duran (n°9150)**

En route pour les Indes, où elle doit retrouver Marcus, son fiancé, Emmaline Martin échappe à un naufrage. Seule rescapée, la jeune Anglaise peine à s'acclimater à un pays où les colons ont la prétention de vivre comme en Angleterre, mais où la vie est dure, d'autant qu'on lui rapporte que son fiancé la trompe avec une femme mariée. C'est alors qu'un inconnu l'aborde, au cours d'une réception. Julian Sainclair, né d'une mère indienne et d'un père anglais, est rejeté par la bonne société qui se méfie de ses origines et de sa réputation de séducteur. Tandis qu'un lien se noue entre Emmaline et Julian, Marcus se montre de plus en plus violent, bien décidé à épouser sa promise pour toucher sa dot. Pendant ce temps, une révolte indienne se prépare...

Seras-tu le gardien de mes nuits ☙ **Shirlee Busbee (n°9151)**

À vingt-neuf ans, Miss Nell Anslowe est considérée comme une vieille fille par la bonne société. L'accident qui a abîmé sa jambe, dix ans plus tôt, l'a laissée aux prises avec des rêves étranges et dérangeants. Elle est heureuse de sa vie auprès de sa famille aimante, aussi ne prête-t-elle guère attention à Lord Tynedale, intéressé par son statut de riche héritière. Dans une tentative désespérée d'échapper à la ruine, il la kidnappe. Nell profite d'un orage pour s'enfuir et se réfugier dans une maison abondonnée, là où, au même moment, Julian Weston, comte de Wyndham, jeté à bas de son cheval, a trouvé refuge...

Nouveau ! 2 rendez-vous mensuels aux alentours du 1er et du 15 de chaque mois.

Le 17 février :

À la cour du Tsar ☙ **Kathleen Woodiwiss (n°4047)**

Non, jamais elle ne l'acceptera ! La princesse Zinovia est excédée : elle qui a toujours vécu libre comme l'air, au milieu des grands espaces et des chevaux sauvages ! La voilà enfermée dans un carrosse inconfortable qui file à toute allure vers Moscou. Pourtant, les ordres du tsar sont formels : elle doit être conduite à la cour pour y être mariée à un homme de son rang. Choisi par le tsar lui-même, bien entendu !
Mais la route de Moscou est semée d'embûches… Convoitée par tous, du prince au brigand, Zinovia saura fort bien tirer son épingle du jeu !

Les quatre soldats —1. Les vertiges de la passion ☙
Elizabeth Hoyt (n°9162)

« En souvenir de votre frère Reynaud, je vous demande de chaperonner ma sœur Rebecca. S'il vous plaît... »
L'insistance de M. Hartley est irritante. Avec ses manières grossières et ses mocassins, le riche Bostonien détonne parmi l'aristocratie de Londres. La très distinguée lady Emeline Gordon hésite, toutefois Samuel Hartley a touché la corde sensible en évoquant son cher frère disparu lors du massacre du 28e régiment à Spinner's Falls. Elle accepte, avant de se rendre compte bien vite que tout cela n'est qu'un prétexte. Samuel se trouvait lui aussi sur le champ de bataille, et il est sur la piste du traître qui a envoyé tant d'hommes à leur perte. Afin de le démasquer, il est prêt à tout, prêt à bousculer les convenances, à malmener Emeline, à la pousser dans ses ultimes retranchements et, pour finir, à la rendre folle. Folle de colère et de désir...